Um lugar bem longe daqui

Um lugar bem longe daqui

Delia Owens

Tradução de Fernanda Abreu

TÍTULO ORIGINAL
Where the crawdads sing

PREPARAÇÃO
Nina Lopes

REVISÃO
Milena Vargas
Juliana Pitanga

DIAGRAMAÇÃO
Ilustrarte Design e Produção Editorial

CIP-BRASIL. CATALOGAÇÃO NA PUBLICAÇÃO
SINDICATO NACIONAL DOS EDITORES DE LIVROS, RJ

O98L

Owens, Delia
Um lugar bem longe daqui / Delia Owens ; tradução Fernanda Abreu. - 1. ed. - Rio de Janeiro : Intrínseca, 2019.
336 p ; 23 cm.

Tradução de: Where the crawdads sing
ISBN 978-85-510-0486-9
ISBN 978-85-510-0421-0 [ci]

1. Romance americano. I. Abreu, Fernanda. II. Título.

19-55186 CDD: 813
CDU: 82-31(73)

[2019]

EDITORA INTRÍNSECA LTDA.
Rua Marquês de São Vicente, 99, 3° andar
22451-041 – Gávea
Rio de Janeiro – RJ
Tel./Fax: (21) 3206-7400
www.intrinseca.com.br

Para Amanda, Margaret e Barbara

A você
Se eu nunca tivesse te visto
Nunca teria te conhecido.
Eu te vi
Te conheci
Te amei,
Para sempre.

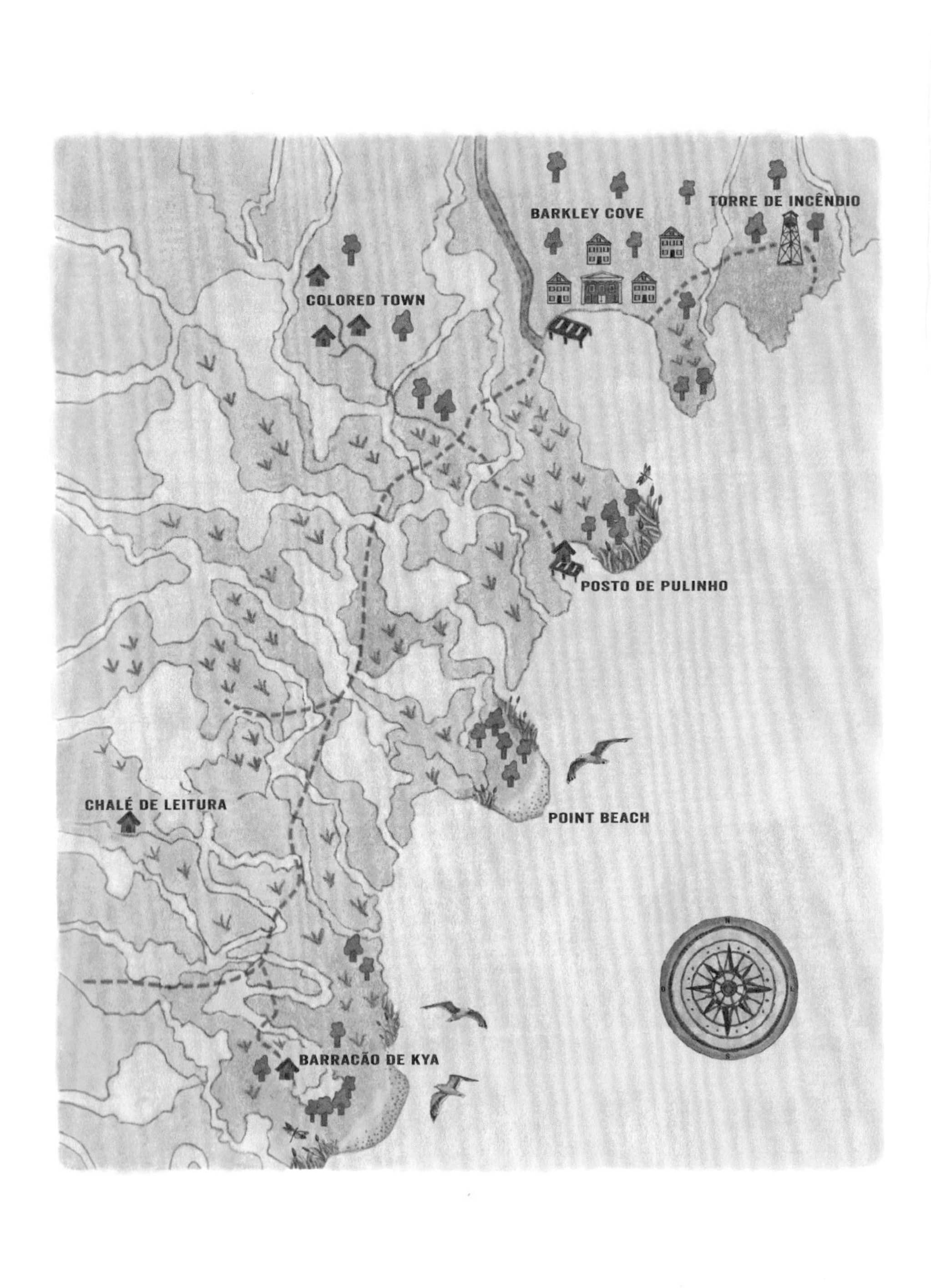

BARKLEY COVE
TORRE DE INCÊNDIO
COLORED TOWN
POSTO DE PULINHO
POINT BEACH
CHALÉ DE LEITURA
BARRACÃO DE KYA

PARTE 1

O brejo

Prólogo

1969

Um brejo não é um pântano. Um brejo é um lugar de luz, onde a grama brota na água e a água escoa para dentro do céu. Córregos vagarosos serpenteiam levando consigo a esfera do sol até o mar, e aves de pernas compridas alçam voo com uma graça inesperada — como se não tivessem sido feitas para voar — em meio ao rugido de mil gansos-da-neve.

Então, dentro do brejo aqui e ali, um pântano de verdade rasteja até lamaçais baixos escondidos em florestas úmidas. A água do pântano é parada e escura, porque engoliu a luz lá dentro da sua garganta lamacenta. Até os animais noturnos são diurnos nesse antro. Há sons, claro, mas, em comparação com o brejo, o pântano é silencioso, pois a decomposição é um trabalho das células. A vida apodrece, exala seu fedor, e volta a ser uma turfa decomposta; um comovente chafurdar de morte que gera vida.

Na manhã de 30 de outubro de 1969, o corpo de Chase Andrews estava caído no pântano, que o teria absorvido em silêncio, como parte da rotina. Escondendo-o de vez. Um pântano sabe tudo sobre a morte, que não define necessariamente como tragédia, e com certeza não como pecado. Mas naquela manhã dois meninos da cidadezinha saíram de bicicleta para ir até a antiga torre de incêndio e, da terceira curva da estrada em zigue-zague, viram uma jaqueta jeans.

1.

Ma

1952

Fazia um calor de agosto tão escaldante naquela manhã que o hálito úmido do brejo circundava de névoa os carvalhos e pinheiros. Os palmeirais estavam estranhamente silenciosos, exceto pelas batidas suaves e lentas das asas das garças levantando voo na lagoa. E então Kya, na época com apenas seis anos, ouviu a porta de tela bater. Em pé no banquinho, ela parou de esfregar o resto de mingau de milho na panela e a colocou dentro de uma velha bacia de água com sabão. Agora não havia nenhum som além da sua respiração. Quem havia saído do barracão? Não tinha sido Ma. Ela nunca deixava a porta bater.

Quando Kya correu até a varanda, viu a mãe usando uma saia marrom comprida com as pregas da barra batendo nos tornozelos enquanto ela descia a estradinha de areia com salto alto. Os sapatos de bico fino imitavam pele de jacaré. Seus únicos sapatos de sair. Kya quis gritar, mas sabia que não podia acordar Pa, então abriu a porta e parou nos degraus de tijolo e tábuas. Dali viu a mala azul que Ma carregava. Em geral, com a mesma confiança de um filhote de cachorro, Kya sabia que a mãe voltaria com um pedaço de carne embrulhado num papel pardo sebento, ou então com uma galinha de cabeça dependurada. Mas ela nunca calçava os sapatos de jacaré, nunca levava mala.

Ma sempre olhava para trás no ponto em que a estradinha de areia cruzava com a de terra batida, com um dos braços erguidos no alto, acenando com a palma branca da mão, enquanto virava para pegar a trilha que serpenteava pelas florestas encharcadas, lagoas de tifa, e quem sabe — se a maré ajudasse — dava na cidade. Mas nesse dia ela continuou andando, sem firmeza por causa dos sulcos no chão. Sua silhueta alta surgia de vez em quando pelos buracos da floresta até apenas pedaços de lenço branco relampejarem entre as folhas. Kya correu até o ponto do qual sabia que dava para ver a estrada; com certeza Ma acenaria dali, mas chegou a tempo de ver a mala azul — uma cor tão errada para a mata — desaparecendo. Um peso, espesso como a lama negra, esmagou seu peito enquanto ela retornava aos degraus para esperar.

Kya era a mais nova de cinco, os outros todos mais velhos, embora ultimamente ela não conseguisse lembrar suas idades. Eles moravam com Ma e Pa, apertados feito coelhos em gaiolas no barracão construído de forma grosseira, a varanda protegida por uma tela que espiava com os olhos arregalados de baixo dos carvalhos.

Jodie, o irmão com idade mais próxima da sua, mas mesmo assim sete anos mais velho, saiu da casa e parou ao seu lado. Tinha os mesmos olhos e cabelo escuros que ela; havia lhe ensinado os cantos dos pássaros, os nomes das estrelas, a conduzir o barco pelo meio do capim-navalha.

— Ma vai voltar — disse ele.

— Não sei não. Ela está com os sapatos de jacaré.

— Mães não deixam filhos. Elas não conseguem.

— Você me disse que aquela raposa deixou os filhotes.

— É, mas aquela raposa estava com a perna toda arrebentada. Ela ia morrer de fome se tivesse tentado se alimentar e alimentar os filhotes também. Foi melhor deixar os filhotes, ficar boa, depois ter outros quando pudesse criar direito. Ma não está morrendo de fome, ela vai voltar.

Jodie não tinha tanta certeza quanto seu tom de voz levava a crer, mas disse isso por Kya.

Com um nó na garganta, ela sussurrou:

— Mas Ma saiu com aquela mala azul como se fosse para algum lugar importante.

O barracão ficava afastado das palmeiras que se espalhavam pelos areais planos até um colar de lagoas verdes e, ao longe, todo o charco mais além. Quilômetros de um capim tão resistente que crescia na água salgada, interrompidos apenas por árvores tão vergadas que tinham o mesmo formato do vento. Florestas de carvalhos se adensavam ao redor dos outros lados do barracão e abrigavam a lagoa mais próxima, cuja superfície fervilhava com o tanto de vida que continha. O ar salobro e o canto das gaivotas chegavam do mar por entre as árvores.

O ato de tomar posse da terra não tinha mudado muito desde o século XVI. As habitações espalhadas pelo brejo não eram descritas de modo oficial, apenas demarcadas naturalmente pelos renegados: o limite de um córrego aqui, um carvalho morto ali. Um homem não ergue um barracão feito de folhas de palmeira num lamaçal a não ser que esteja fugindo de alguém ou que tenha chegado ao fim da linha.

O brejo era protegido por uma costa acidentada conhecida entre os primeiros exploradores como o "Cemitério do Atlântico", porque as marés, os ventos enfurecidos e os baixios naufragavam navios como se fossem chapeuzinhos de papel ao longo do que viria a se tornar o litoral da Carolina do Norte. O diário de um marinheiro dizia: "Percorremos as Costas rasas... mas não conseguimos encontrar nenhuma Entrada... Uma Tempestade violenta se abateu... fomos forçados a voltar para o Mar para proteger a nós mesmos e ao Navio, e fomos levados pela Rapidez de uma Correnteza forte...

"A Terra... era alagada e pantanosa, por isso voltamos na direção do nosso Navio... Que Desalento para aqueles que no futuro virão se instalar nestas Partes."

Quem procurava terras de verdade seguia em frente, e aqueles brejos infames se transformaram numa rede que capturou uma mistura heterogênea de marinheiros amotinados, náufragos, devedores e fugitivos tentando escapar de guerras, impostos ou leis que não respeitavam. Os que a malária não matava ou que o brejo não engolia criaram uma tribo de gente da mata composta por várias raças e múltiplas culturas, todos capazes de derrubar uma pequena floresta com um machado e percorrer quilômetros caçando um animal. Como ratos de rio, cada um tinha o próprio território, mas mesmo assim precisavam se encaixar nas margens ou simplesmente desaparecer algum dia no pântano. Duzentos anos depois, somaram-se a eles os escravos foragidos, que escaparam para o brejo e ficaram conhecidos como quilombolas, e também os libertos, miseráveis e destituídos, que se dispersavam pelas áreas alagadas por causa da falta de opção.

Aquele podia ser um território cruel, mas nenhum centímetro dele era estéril. Camadas de vida — siris de areia velozes, lagostins que viviam na lama, aves aquáticas, peixes, camarões, ostras, veados gordos e gansos roliços — empilhavam-se em terra ou na água. Quem não se importasse em capturar o jantar com as próprias mãos jamais morreria de fome.

Como estávamos em 1952, alguns dos terrenos tinham sido ocupados por várias pessoas sem conexão entre si e sem escritura formal já havia quatro séculos. A maioria anterior à Guerra Civil. Outras haviam se instalado ali mais recentemente, sobretudo após os dois conflitos mundiais, quando os homens voltavam sem dinheiro e com a alma despedaçada. O brejo não os confinava, mas os definia, e como qualquer terreno sagrado mantinha seus segredos muito bem guardados. Ninguém se importava que eles ficassem com aquelas terras, pois não havia quem as quisesse. Afinal de contas, era um lamaçal abandonado.

Além do próprio uísque, os habitantes dos brejos criavam as próprias leis — não como aquelas gravadas a fogo em tábuas de pedra ou escritas em documentos, mas outras, mais profundas, carimbadas nos seus genes. Antigas e naturais como as leis nascidas de gaviões e pombos. Quando encurralado, desesperado ou isolado, o homem retorna aos instintos cujo objetivo imediato é a sobrevivência. Rápidos e justos. Esses vão ser sempre os elementos surpresa, porque são transmitidos com maior frequência de uma geração para outra do que os genes mais brandos. Não se trata de moralidade, mas de matemática simples. Entre si, os pombos lutam com a mesma frequência dos gaviões.

Ma não voltou nesse dia. Ninguém tocou no assunto. Muito menos Pa. Fedendo a peixe e aguardente de barril, ele bateu as tampas das panelas.

— Que que tem de janta?

Olhando para baixo, os irmãos e irmãs deram de ombros. Pa disse um palavrão, saiu de casa mancando e voltou para a mata. Já houvera outras brigas; Ma chegara até a ir embora uma ou duas vezes, mas sempre voltava, e recolhia do chão quem quisesse ser consolado.

As duas irmãs mais velhas prepararam feijão-vermelho e bolinhos de milho para o jantar, mas ninguém se sentou à mesa para comer, como teriam feito com Ma. Todos se serviram de feijão na panela, puseram os bolinhos por cima e saíram para comer nos colchões no chão ou no sofá desbotado.

Kya não conseguiu comer. Ficou sentada nos degraus da varanda olhando para a estradinha. Alta para a idade, tão magra que era só osso, tinha a pele muito queimada de sol e cabelo liso, preto e grosso como as asas de um corvo.

A escuridão interrompeu sua tocaia. O coaxar dos sapos abafaria o ruído de passos; mesmo assim, ela ficou deitada em sua cama na varanda, escutando. Naquela manhã mesmo tinha acordado com banha de porco chiando na frigideira de ferro e cheiro de pãezinhos assando no forno a lenha. Vestira o macacão e correra até a cozinha para colocar os pratos e garfos. Catar os bichos do mingau de milho. Na maior parte das manhãs bem cedo, com um grande sorriso, Ma a abraçava — "Bom dia, minha menina especial!" — e as duas cuidavam dos afazeres como numa dança. Às vezes Ma cantava músicas folclóricas ou citava acalantos: "Este porquinho aqui foi ao mercado." Ou então tirava Kya para dançar um *jitterbug*, e seus pés batiam no piso de compensado até a música do rádio a pilha parar, parecendo cantar para si mesmo do fundo de um barril. Em outras manhãs, Ma falava sobre coisas de adulto que Kya não entendia, mas imaginava que as palavras dela precisassem ir para algum lugar, então as absorvia através da pele enquanto ia pondo mais lenha no fogão. E balançava a cabeça como se soubesse.

Depois vinha a agitação de fazer todo mundo acordar e comer. Pa não aparecia. Ele tinha dois modos de agir: silêncio ou gritaria. Então era melhor quando dormia, ou quando nem sequer voltava para casa.

Mas naquela manhã Ma tinha ficado calada; o sorriso perdido, os olhos vermelhos. Havia amarrado um lenço branco ao estilo dos piratas bem baixo na testa, mas as bordas roxas e amarelas de um hematoma vazavam para fora. Logo depois do café, antes mesmo de a louça estar lavada, Ma colocara alguns pertences pessoais na mala e saíra pela estrada.

Na manhã seguinte, Kya tornou a ocupar seu posto nos degraus, os olhos escuros fixos na estrada como um túnel à espera de um trem. O brejo mais além estava envolto numa névoa tão baixa que o fundo macio encostava na lama. Descalça, Kya tamborilou os dedos dos pés e cutucou besouros com folhas de grama, mas uma criança de seis anos não consegue passar muito tempo sentada, então ela logo se aproximou da área inundada, os pés ruidosamente sugados pelo chão. Agachou-se na beira da água límpida e ficou olhando os peixinhos nadarem dos trechos ensolarados para as sombras.

Do palmeiral, Jodie a chamou com um grito. Ela o encarou; talvez ele tivesse notícias. Mas ao vê-lo serpentear por entre as folhas pontudas ela soube, pelo jeito casual como se movia, que Ma não tinha voltado para casa.

— Quer brincar de explorador? — perguntou ele.

— Você disse que era grande para brincar de explorador.

— Foi só da boca para fora que eu disse. Ninguém nunca é grande demais para essas coisas. Quem chegar por último é a mulher do padre!

Eles saíram correndo pela área alagada, entrando na mata em direção à praia. Ela deu um gritinho agudo quando o irmão a ultrapassou e riu até eles chegarem ao grande carvalho que lançava os braços enormes pela areia. Jodie e seu irmão mais velho, Murph, tinham pregado algumas tábuas por cima dos galhos para construir uma casa na árvore e uma torre de observação. Agora a maior parte estava desabando, pendendo dos pregos enferrujados.

Em geral, quando eles a deixavam brincar, era só como escrava, para levar pãezinhos quentes recém-saídos do tabuleiro de Ma para os irmãos.

Mas nesse dia Jodie falou:

— Você pode ser a capitã.

Kya levantou o braço para comandar um ataque:

— Fora, espanhóis!

Eles partiram gravetos para usar como espada e saíram correndo por entre os arbustos, gritando e golpeando o inimigo.

Então — já que o faz de conta chegava e logo passava — ela andou até um tronco caído coberto de musgo e se sentou. Sem dizer nada, Jodie se acomodou ao seu lado. Queria falar alguma coisa para que ela não pensasse mais em Ma, porém as palavras não vinham, e os dois ficaram observando as sombras das aranhas-d'água que passavam nadando.

Mais tarde Kya voltou para os degraus da varanda e esperou muito tempo, mas, enquanto olhava para o fim da estradinha, não chorou uma vez sequer. Seu rosto estava imóvel, os lábios formavam uma linha fina sob os olhos atentos. Mas Ma também não voltou nesse dia.

2.

Jodie

1952

Nas semanas seguintes depois que Ma foi embora, o irmão e as duas irmãs mais velhos de Kya também se foram, como se seguissem seu exemplo. Haviam suportado a cara vermelha e os acessos de raiva de Pa, que começavam com gritos, então se intensificavam e viravam socos ou tabefes com as costas da mão, até, um depois do outro, desaparecerem. De toda forma já eram quase adultos. Além disso, do mesmo jeito que ela esqueceu suas idades, também não conseguia se lembrar dos seus nomes verdadeiros, apenas que todos os chamavam de Missy, Murph e Mandy. Sobre seu colchão na varanda, Kya encontrou uma pequena pilha de meias deixada pelas irmãs.

Na manhã em que Jodie virou o último irmão restante, Kya acordou escutando o *tum-plá* e o chiado de gordura quente do café da manhã. Correu até a cozinha pensando que Ma estivesse em casa fritando bolinhos ou panquecas de milho. Mas era Jodie, em pé mexendo o mingau de milho diante do fogão a lenha. Ela sorriu para disfarçar a decepção e ele afagou o topo da sua cabeça, fazendo *shh* baixinho para ela moderar a voz: se não acordassem Pa, poderiam comer sozinhos. Jodie não sabia fazer pãezinhos e não tinha bacon, por isso ele fez mingau de milho e uns ovos mexidos em banha e os dois se sentaram juntos e ficaram trocando olhares e sorrisos em silêncio.

Lavaram a louça depressa e saíram correndo pela porta em direção ao brejo, ele na frente. Mas bem nessa hora Pa gritou e veio mancando na direção deles. Tão magro que era difícil de acreditar, sua silhueta parecia flutuar, como se a gravidade não influenciasse. Seus molares eram amarelos como os dentes de um cão velho.

Kya ergueu os olhos para Jodie.

— A gente pode fugir. Se esconder no canto do musgo.

— Está tudo bem. Vai ficar tudo bem — disse ele.

Mais tarde, perto do pôr do sol, Jodie encontrou Kya na praia olhando para o mar. Quando ele parou ao seu lado, ela não ergueu os olhos, manteve-os fixos nas ondas quebrando. Mesmo assim Kya soube, pelo jeito como ele falou, que Pa tinha lhe dado um soco na cara.

— Tenho que ir embora, Kya. Não posso mais morar aqui não.

Ela quase se virou para ele, mas não o fez. Quis implorar para que não a deixasse sozinha com Pa, mas as palavras entalaram.

— Quando tiver idade suficiente você vai entender — disse ele.

Kya quis gritar que podia ser nova, mas não era burra. Sabia que Pa era o motivo pelo qual todos partiam; o que não entendia era por que ninguém a levava junto. Ela também pensara em ir embora, mas não tinha para onde ir nem dinheiro para o ônibus.

— Kya, tome cuidado, está ouvindo? Se alguém aparecer, não entre na casa. Lá eles podem te pegar. Corre para dentro do brejo, se esconde nos arbustos. Cobre suas pegadas como eu te ensinei. E pode se esconder do Pa também.

Ela não disse nada, então ele se despediu e atravessou a praia em direção à mata. Logo antes de se embrenhar pelas árvores, ela finalmente se virou e o observou se afastar.

— Este porquinho aqui ficou em casa — disse ela para as ondas.

Saiu de sua imobilidade e foi correndo até o barracão. Gritou o nome dele no corredor, mas as coisas de Jodie já não estavam mais ali, e no espaço em que dormia só havia o colchão.

Ela desabou ali e ficou olhando os últimos raios solares descerem pela parede. A luz ainda durou mais um pouco depois que o sol se foi, como sempre, e parte dela inundou o quarto, por um breve instante deixando as formas das camas e as pilhas de roupas velhas mais nítidas e coloridas do que as árvores lá fora.

Uma fome intensa — que coisa mundana — a surpreendeu. Ela foi até a cozinha e ficou parada à porta. Durante toda sua vida, aquele cômodo fora aquecido pelo pão assando, pelo feijão fervendo na panela ou por um ensopado de peixe borbulhando. Agora estava rançoso, silencioso e escuro.

— Quem vai cozinhar? — perguntou ela em voz alta. Poderia ter perguntado: *Quem vai dançar?*

Acendeu uma vela, cutucou os carvões em brasa no fogão a lenha e pôs gravetos lá dentro. Soprou o fole até uma chama se acender, depois colocou mais lenha. A geladeira servia de armário porque a luz elétrica não chegava nem perto do barracão. Para impedir o mofo, a porta era mantida aberta pelo mata-moscas. Mesmo assim, veios negros esverdeados de bolor se acumulavam em cada reentrância.

Ela pegou uns restos e disse:

— Vou jogar o mingau de milho na banha e esquentar.

Fez isso e comeu direto da panela, olhando pela janela caso Pa chegasse. Mas ele não chegou.

Quando a luz da lua crescente finalmente tocou o barracão, ela engatinhou até sua cama na varanda — um colchão cheio de calombos colocado diretamente no chão e forrado por lençóis de verdade estampados com rosas azuis pequeninas que Ma havia comprado numa venda de garagem — para passar a noite sozinha pela primeira vez na vida.

No início, sentava-se e espiava a tela a cada poucos minutos. Tentando ouvir passos na mata. Conhecia o formato de todas as árvores; mesmo assim, algumas pareciam se mexer aqui e ali, movimentando-se com a lua. Durante algum tempo, ela ficou tão rígida que nem conseguia engolir, mas na hora certa as canções conhecidas dos sapos e grilos dominaram a noite. Mais reconfortante do que uma canção de ninar. A noite tinha um cheiro doce, o hálito terroso dos sapos e das salamandras que sobreviveram a mais um dia de calor forte. O brejo se aconchegou mais para perto junto com uma névoa baixa, e ela dormiu.

Por três dias Pa não apareceu, e Kya cozinhou folhas de nabo da horta de Ma para o café da manhã, o almoço e o jantar. Tinha ido ao galinheiro pegar ovos, mas o encontrara vazio. Nenhuma galinha ou ovo em lugar algum.

— Suas galinhas covardes! Vocês são um bando de covardes!

Ela vinha pensando em cuidar das galinhas desde que Ma fora embora, mas não fizera grande coisa. Agora elas tinham fugido e virado um bando heterogêneo cacarejando nas árvores atrás do galinheiro. Ela precisaria jogar milho para tentar mantê-las por perto.

No início da noite do quarto dia, Pa apareceu com uma garrafa e se esparramou na cama.

Na manhã seguinte, ao entrar na cozinha, berrou:

— Onde todo mundo se meteu?

— Não sei — respondeu ela sem olhar para ele.

— Você não sabe porcaria nenhuma. Não serve para nada.

Kya saiu de fininho pela porta da varanda, mas enquanto andava pela praia tentando catar mariscos sentiu cheiro de fumaça, e ao erguer os olhos viu uma coluna de fumaça subindo do barracão. Correndo o mais depressa que podia, irrompeu do meio das árvores e encontrou uma fogueira acesa no quintal. Pa estava jogando os desenhos, vestidos e livros de Ma no fogo.

— Não! — gritou Kya.

Ele não olhou para ela, mas tacou o velho rádio a pilha no fogo. Ela sentiu o rosto e os braços queimarem ao estender as mãos na direção dos quadros, mas o calor a empurrou para trás.

Ela correu até o barracão para impedir Pa de buscar mais coisas e fixou o olhar no seu. Pa ergueu as costas da mão para Kya, mas ela não arredou pé. De repente, ele se virou e mancou até o barco.

Kya afundou na escada de tijolo e tábuas, vendo as aquarelas do brejo pintadas por Ma se consumirem e virarem cinzas. Ficou sentada até o sol se pôr, até todos os botões reluzirem como carvões em brasa e as lembranças de dançar *jitterbug* com Ma derreterem nas chamas.

Ao longo dos dias seguintes, Kya aprendeu com os erros dos outros, e talvez mais ainda com os peixinhos, a viver com ele. Era só ficar fora do caminho, não deixar que ele a visse, correr depressa das poças de luz para dentro das sombras. Ela se levantava e saía de casa antes de ele acordar, ia morar na mata e na água, depois voltava na ponta dos pés para casa e ia dormir em sua cama na varanda, o mais perto do brejo que conseguia chegar.

Pa havia lutado na Alemanha na Segunda Guerra Mundial, onde tivera o fêmur esquerdo atingido e esmigalhado por estilhaços, seu último motivo de orgulho. Os cheques semanais pelo ferimento de guerra eram sua única fonte de renda. Uma semana depois de Jodie ir embora, a geladeira estava vazia e quase não restavam mais nabos. Quando Kya entrou na cozinha naquela segunda-feira de manhã, Pa apontou para uma nota amarfanhada de um dólar e algumas moedas na mesa da cozinha.

— Isso aqui é comida da semana. Nada é de graça nessa vida — disse ele. — Tudo tem um custo, e por esse dinheiro você vai ter que cuidar da casa, catar lenha e lavar roupa.

Pela primeira vez na vida, Kya foi sozinha até o povoado de Barkley Cove para fazer compras — *este porquinho aqui foi ao mercado*. Andou mais de seis quilômetros pela areia funda ou pela lama negra até ver a baía cintilante mais à frente e a cidadezinha à margem.

Mangues cercavam a cidade e misturavam sua névoa salgada à do oceano, que subia na maré cheia do outro lado da rua principal. Juntos, brejo e mar separavam o vilarejo do resto do mundo, e a única ligação era a estrada de mão e contramão que mancava cidade adentro toda feita de cimento rachado e buracos.

Eram duas ruas: uma delas, chamada Main, tinha uma sequência de lojas que margeava o mar; numa das pontas ficava o armazém Piggly Wiggly, na outra a Western Auto, e no centro ficava o restaurante. Em meio a tudo isso havia a loja de quinquilharias Kress Five and Dime, uma Penney's (venda por catálogo apenas), a padaria Parker's e uma sapataria Buster Brown. Ao lado do armazém ficava a Cervejaria Dog-Gone, que vendia cachorros-quentes com salsicha na brasa, *chili* picante e camarões fritos servidos em barquinhos de papel dobrado. Nem mulheres nem crianças entravam lá porque não era considerado adequado, mas uma janelinha tinha sido aberta na parede para elas poderem pedir da rua os cachorros-quentes e refrigerantes. Negros não podiam usar nem a porta nem a janelinha.

A outra rua, chamada Broad, ia da estrada antiga direto até o mar e cruzava a Main, onde acabava. Assim, o único cruzamento da cidade era entre Main, Broad e o Oceano Atlântico. As lojas e os comércios não ficavam todos juntos como na maioria das cidades; eram separados por pequenos terrenos baldios tomados pelo arroz de costa e pelos palmeirais, como se da noite para o dia o brejo tivesse invadido. Por mais de duzentos anos, ventos cortantes e salgados haviam desbotado as construções feitas de telhas de cedro até deixá-las cor de ferrugem, e as molduras das janelas, a maioria pintada de branco ou azul, estavam descascadas e rachadas. Mais do que tudo, o vilarejo parecia cansado de brigar com os elementos, e era como se houvesse simplesmente baixado a guarda.

O cais de Barkley Cove, cheio de cordas esgarçadas e pelicanos velhos, avançava para dentro da pequena baía cuja água, quando calma, refletia os vermelhos e amarelos dos barcos de pescar camarão. Estradas de terra batida ladeadas por casinhas de cedro serpenteavam por entre as árvores, rodeavam lagoas e margeavam o oceano de um lado e outro das lojas. Barkley Cove era literalmente uma cidadezinha perdida no meio do mar, com partes espalhadas aqui e ali entre os estuários e juncos feito um ninho de garça varrido pelo vento.

Descalça e usando um macacão curto demais, Kya ficou parada no ponto em que a estrada do brejo encontrava a de asfalto. Mordendo os lábios, querendo correr para casa. Não conseguia pensar no que dizer às pessoas, em como iria se virar com o dinheiro das compras. Mas a fome era uma coisa insistente, então ela entrou na Main e foi de cabeça baixa em direção ao Piggly Wiggly por uma calçada esburacada que aparecia de vez em quando por entre tufos de grama. Quando estava chegando perto da Five and Dime, ouviu uma agitação atrás de si e pulou para o lado bem na hora em que três meninos alguns anos mais velhos do que ela passaram depressa de bicicleta. O da frente olhou para trás, rindo por quase tê-la atropelado, e então por pouco não trombou com uma mulher saindo da loja.

— CHASE ANDREWS, volte aqui agora mesmo! Vocês três, meninos.

Eles pedalaram por mais alguns metros, então mudaram de ideia e se aproximaram da mulher, Srta. Pansy Price, vendedora de tecidos e artigos de armarinho. A família dela fora dona da maior fazenda nos arredores do brejo, e, embora tivessem sido forçados a vender tudo muito tempo atrás, ela continuava no papel de elegante senhora de terras. O que não era fácil morando num apartamento minúsculo em cima do restaurante. A Srta. Pansy costumava usar chapéus no formato de turbantes de seda, e naquela manhã estava com um cor-de-rosa que realçava seu batom vermelho e as bolinhas de ruge.

Ela deu uma bronca nos meninos.

— Estou quase indo lá falar com as mães de vocês sobre isso. Ou melhor, com os pais de vocês. Andar de bicicleta na calçada nessa velocidade, quase me atropelando. Que que vai dizer para se defender, Chase?

Era ele quem tinha a bicicleta mais estilosa: selim vermelho, guidom cromado e mais alto do que o normal.

— Pedimos desculpas, Srta. Pansy, a gente não viu a senhora porque aquela menina lá se meteu no caminho.

Chase, bronzeado e de cabelo escuro, apontou para Kya, que havia recuado e estava quase dentro de um arbusto de murta.

— Deixem ela para lá. Vocês não podem colocar a culpa dos seus pecados nos outros, mesmo no lixo do pântano. Agora, meninos, vocês têm que fazer uma boa ação para compensar isso, viu? Lá vai a Srta. Arial com suas compras... Ajudem ela a carregar tudo até a picape. E metam a camisa para dentro das calças.

— Sim, senhora — disseram os meninos ao mesmo tempo que saíam pedalando na direção da Srta. Arial, que tinha sido a professora de todos eles no segundo ano.

Kya sabia que os pais do menino de cabelo escuro eram donos da loja de automóveis Western Auto, por isso ele andava na bicicleta mais chique. Já o vira descarregando da picape caixas grandes de papelão com mercadorias ou as levando para dentro da loja, mas nunca tinha trocado uma palavra sequer nem com ele nem com os outros.

Esperou alguns minutos e depois, mais uma vez de cabeça baixa, foi até o armazém. Dentro do Piggly Wiggly, examinou a farinha de milho para mingau à venda e escolheu um pacote de meio quilo do mais grosso e amarelo porque tinha uma etiqueta vermelha pendurada em cima: *Especial da semana*. Como Ma tinha ensinado. Ficou esperando, aflita, no corredor até não ter mais nenhum cliente no caixa, então se aproximou e encarou a funcionária, a Sra. Singletary, que perguntou:

— Cadê sua mãe?

A Sra. Singletary tinha o cabelo curto, muito encaracolado e da mesma cor roxa de uma íris ao sol.

— Ocupada, senhora.

— Bem, você tem dinheiro para a farinha, não tem?

— Tenho.

Sem saber contar a quantia exata, pôs no balcão a nota de um dólar.

A Sra. Singletary se perguntou se a menina saberia a diferença entre as moedas, por isso, ao pôr o troco na mão aberta de Kya, contou devagar.

— Vinte e cinco, cinquenta, sessenta, setenta, oitenta, oitenta e cinco e mais três centavos. Porque a farinha custa doze.

Kya sentiu uma dor no estômago. Será que precisava fazer alguma conta também? Encarou o quebra-cabeça de moedas na palma da mão.

A Sra. Singletary suavizou a expressão.

— Muito bem. Pode ir então.

Kya saiu correndo da loja e foi o mais rápido que conseguiu até a trilha do brejo. Ma dissera muitas vezes: "Nunca corra na cidade, senão as pessoas vão achar que você roubou alguma coisa." Mas assim que chegou à estrada de terra batida Kya correu quase um quilômetro inteiro. Então andou depressa pelo resto do caminho.

Em casa, pensando se sabia preparar mingau de milho, jogou-o na água fervente como Ma costumava fazer, mas os grãos empelotaram e formaram uma única bola gigante que queimou no fundo e ficou cru por dentro. De tão borrachudo, ela só conseguiu dar algumas mordidas, então foi de novo até a horta e encontrou mais algumas folhas de nabo entre as varas-de-ouro. Ferveu na água e comeu todas, bebendo também o caldo da panela.

Em poucos dias pegou o jeito de fazer mingau de milho, embora sempre empelotasse um pouco, mesmo que ela mexesse muito. Na semana seguinte, comprou ossos de boi — marcados com etiqueta vermelha — e os cozinhou com o mingau e as folhas de couve para conseguir um purê com um gosto bom.

Kya já tinha lavado roupa muitas vezes com Ma, então sabia que era para esfregá-las com sabão de soda cáustica em barra na tábua sob a torneira do quintal. O macacão de Pa ficou tão pesado molhado que ela não conseguiu torcê-lo com suas mãozinhas ou alcançar o varal para pendurá-lo, então o estendeu pingando sobre as folhas de palmeira na beira da mata.

Ela e Pa ficaram nessa dança, vivendo separados no mesmo barracão, às vezes passando dias sem se ver. Quase nunca se falavam. Ela arrumava toda a bagunça dos dois, feito uma mulherzinha zelosa. Não cozinhava tanto a ponto de conseguir preparar as refeições dele — de qualquer forma, ele em geral não estava em casa —, mas fazia sua cama, arrumava a casa, varria e lavava a louça na maioria das vezes. Não porque alguém tivesse lhe dito para fazer isso, mas porque era o único jeito de manter o barracão decente para quando Ma voltasse.

Ma sempre dissera que a lua de outono surgia para o aniversário de Kya. Assim, mesmo sem se lembrar do dia do seu aniversário, certa noite, quando a lua nasceu cheia e dourada na lagoa, Kya pensou: *Acho que estou fazendo sete anos.* Pa nunca tocou no assunto; claro que não teve bolo. Ele também não disse nada sobre ela ir à escola, e ela, sem saber muito a respeito, teve medo de puxar o assunto.

Com certeza Ma voltaria para o seu aniversário, então na manhã seguinte à lua cheia ela pôs o vestido de algodão estampado e ficou olhando para a estradinha. Torceu para Ma estar caminhando até o barracão, ainda com os sapatos de jacaré e a saia comprida. Como ninguém apareceu, ela pegou a panela de mingau de milho e atravessou a mata até a beira do mar. Levando as mãos à boca, inclinou a cabeça para trás e gritou: "*Cráa, cráa, cráa.*" Pontinhos prateados apareceram no céu vindos de um lado e outro da praia e de cima das ondas.

— Lá vêm elas. Não sei contar o número de tantas gaivotas — disse ela.

Aos gritos e guinchos, as aves rodopiaram e mergulharam, planaram perto do seu rosto e pousaram enquanto ela jogava o mingau. Por fim, aquietaram--se e ficaram se pavoneando, então ela se sentou na areia, as pernas cruzadas para um dos lados. Uma gaivota grande se acomodou na areia perto dela.

— É meu aniversário — disse Kya.

3.

Chase

1969

As pernas apodrecidas da torre de incêndio abandonada se escancaravam sobre o lamaçal, que criava os próprios filamentos de névoa. Com exceção dos corvos grasnando, a floresta silenciosa parecia estar esperando alguma coisa quando os dois meninos, Benji Mason e Steve Long, ambos loiros e com dez anos, começaram a subir a escada úmida no dia 30 de outubro de 1969.

— Não era para fazer tanto calor assim no outono — gritou Steve para Benji atrás dele.

— É, e tudo está em silêncio, menos os corvos.

Steve olhou para baixo entre os degraus e disse:

— Nossa. O que é aquilo ali?

— Onde?

— Ali, olha. Uma roupa azul, como se tivesse alguém deitado na lama.

Benji gritou:

— Ei! *Que que você está fazendo aí?*

— Estou vendo um rosto, mas não está se mexendo.

Eles desceram depressa e abriram caminho até o outro lado da base da torre, com a lama verde grudando nas botas. Ali havia um homem caído de costas no chão, com a perna esquerda grotescamente torcida no joelho. Os olhos e a boca bem abertos.

— Meu Deus do céu! — exclamou Benji.

— Meu Deus, é Chase Andrews.

— É melhor a gente chamar o xerife.

— Mas a gente nem deveria estar aqui.

— Isso não importa agora. E logo os corvos vão vir xeretar.

Eles viraram a cabeça na direção dos grasnados enquanto Steve dizia:

— Talvez um de nós tenha que ficar, para tirar os pássaros dele.

— Você está doido se acha que eu vou ficar aqui sozinho. E aposto o que quiser que você também não.

Com isso, ambos pegaram as bicicletas, voltaram pedalando com força pela estrada de areia molhada até a Main, atravessaram a cidade e entraram correndo no prédio baixo onde o xerife Ed Jackson estava sentado diante da sua escrivaninha numa sala iluminada por lâmpadas pendendo de fios. Corpulento e de estatura mediana, o xerife tinha cabelo avermelhado, o rosto e os braços salpicados de sardas claras, e folheava um exemplar da revista de caça e pesca *Sports Afield*.

Sem bater, os dois meninos entraram apressados pela porta aberta.

— Xerife...

— Oi, Steve, Benji. Está pegando fogo em algum lugar?

— A gente viu Chase Andrews caído no pântano debaixo da torre de incêndio. Ele parece morto. Não está mexendo nadinha.

Desde que o assentamento de Barkley Cove fora fundado, em 1751, nenhum homem da lei havia estendido sua jurisdição para além do capim-navalha. Nas décadas de 1940 e 1950, certos xerifes mandavam cães atrás de alguns condenados do continente que haviam fugido para o pântano, e o escritório do xerife ainda tinha cachorros, só para garantir. Mas Jackson costumava ignorar os crimes cometidos no pântano. Por que impedir ratos de matarem outros ratos?

Mas agora era Chase. O xerife se levantou e tirou o chapéu da prateleira.

— Mostrem para mim.

Galhos de carvalho e azevinho silvestre arranharam a picape do xerife enquanto ele dirigia pela estradinha de areia tendo ao seu lado o grisalho, esbelto e em boa forma física Dr. Vern Murphy, o único médico da cidade. Ambos balançavam por causa dos sulcos fundos, e a cabeça de Vern quase batia no vidro. Velhos amigos mais ou menos da mesma idade, às vezes eles pescavam juntos e com frequência trabalhavam nos mesmos casos. No momento, os dois estavam calados diante da possibilidade de confirmar de quem era o corpo morto no charco.

Steve e Benji ficaram sentados na caçamba com suas bicicletas até a picape parar.

— Ele está ali, xerife Jackson. Atrás daqueles arbustos.

Ed saltou da picape.

— Esperem aqui, meninos.

Então ele e o Dr. Murphy chapinharam na lama até onde Chase estava caído. Os corvos tinham saído voando quando a picape chegara, mas outras aves e insetos zumbiam acima deles. A insolência da vida seguindo seu curso.

— É, é o Chase mesmo. Sam e Patti Love não vão sobreviver a uma coisa dessas.

Os Andrews tinham encomendado cada fusível, anotado cada despesa, pregado cada etiqueta da Western Auto para seu único filho Chase.

Agachado junto ao corpo, tentando ouvir batimentos cardíacos com o estetoscópio, Vern declarou o óbito.

— Você acha que tem quanto tempo? — indagou Ed.

— Umas dez horas no mínimo. O legista vai ter certeza.

— Então ele deve ter subido ontem à noite. E caído lá de cima.

Vern examinou Chase rapidamente, sem tirá-lo do lugar, então parou ao lado de Ed. Os dois homens encararam os olhos de Chase, ainda virados para cima no meio do rosto inchado, e observaram a boca aberta.

— Quantas vezes eu falei para o povo dessa cidade que alguma coisa deste tipo estava para acontecer? — disse o xerife.

Os dois conheciam Chase desde que ele nascera. Tinham visto a vida dele seguir sem percalços de menino encantador a adolescente bonitão; de astro de futebol americano e ídolo da cidade a funcionário da loja dos pais. Por fim, um belo homem casado com a garota mais bonita. E agora ali estava ele, caído, sozinho, com menos dignidade que o lamaçal. A mão cruel da morte como sempre roubando a cena.

Ed rompeu o silêncio:

— O que eu não entendo é por que os outros não correram para chamar ajuda. Eles sempre vêm aqui em bando, ou pelo menos em casal, para dar uns amassos. — O xerife e o médico trocaram breves porém cúmplices acenos de cabeça, reconhecendo que, mesmo casado, Chase podia ter levado outra mulher para a torre. —Vamos sair daqui. Dar uma boa olhada nas coisas — disse Ed, levantando os pés e dando um passo mais alto do que o necessário. — Meninos, fiquem aí, não saiam deixando mais pegadas. — Ed apontou para algumas pegadas que se afastavam da escada e cruzavam o brejo até chegarem a uns três metros de Chase e perguntou: — Essas são suas pegadas de hoje mais cedo?

— Sim, xerife, foi o mais longe que fomos — respondeu Benji. — Assim que vimos que era o Chase, voltamos. Dá para ver de onde a gente voltou.

— Está bem. — Ed se virou. —Vern, tem alguma coisa estranha. Não tem pegada nenhuma perto do corpo. Se ele estava com os amigos ou seja lá com quem, depois de cair todo mundo teria descido correndo e pisoteado o chão todo, se ajoelhado ao lado dele. Para ver se estava vivo.Veja como nossas pegadas nesta lama ficam fundas, mas não tem nenhuma outra recente. Nenhuma indo para a escada ou se afastando dela, nenhuma em volta do corpo.

— Então talvez ele estivesse sozinho. Isso explicaria tudo.

— Bom, vou dizer uma coisa que não tem explicação. Cadê as pegadas *dele*? Como que Chase Andrews passou pela estrada de areia, atravessou este lamaçal até a escada para chegar lá em cima e não deixou nenhuma pegada?

4.

Escola

1952

Alguns dias depois do seu aniversário, andando descalça sozinha pela lama, Kya se abaixou para olhar um girino que começava a ganhar patas de sapo. De repente ficou de pé. Um carro revirava a areia funda perto do fim da estradinha. Ninguém nunca ia até lá de carro. Depois o murmúrio de pessoas falando — um homem e uma mulher — flutuou por entre as árvores. Kya correu depressa até a moita, de onde podia ver quem estava chegando e ter como fugir. Como Jodie havia ensinado.

Uma mulher alta saltou do carro se equilibrando precariamente em saltos altos como Ma tinha feito na estradinha de areia. Deviam ser as pessoas do orfanato que tinham ido buscá-la.

Com certeza eu consigo correr mais do que ela. Ela vai cair de cara no chão com esses sapatos. Kya ficou onde estava e observou a mulher subir os degraus até a porta de tela da varanda.

— Alguém em casa? É a agente educacional. Vim levar Catherine Clark para a escola.

Aquilo era novidade. Kya ficou sentada, muda. Tinha quase certeza de que deveria ter entrado na escola aos seis anos. Ali estavam eles, com um ano de atraso.

Ela não fazia a menor ideia de como conversar com outras crianças, nem com um professor, mas queria aprender a ler e saber o que vinha depois de vinte e nove.

— Catherine, meu bem, se estiver me ouvindo, por favor, venha aqui. É a lei, meu amor; você tem que ir para a escola. E você vai gostar, meu bem. Vai poder almoçar comida quente todo dia de graça. Acho que hoje é empadão de frango com casquinha.

Aquilo era outra novidade. Kya estava com muita fome. No café da manhã, havia preparado mingau de milho misturado com biscoito salgado porque não tinha sal. Uma coisa que ela já sabia sobre a vida: não dava para comer mingau sem sal. Tinha comido empadão de frango poucas vezes, mas nunca se esquecera da casquinha dourada, crocante por fora e macia por dentro. Sentia o sabor do caldo do frango, tão grosso que chegava a ser redondo. Foi seu estômago agindo por vontade própria que a fez se levantar entre as folhas de palmeira.

— Oi, meu bem. Eu sou a Sra. Culpepper. Você está bem grandinha e pronta para ir para a escola, não é?

— Sim, senhora — disse Kya, com a cabeça baixa.

— Não tem problema, pode ir descalça, outras crianças também vão, mas como você é menina tem que ir de saia. Tem um vestido ou uma saia, meu amor?

— Sim, senhora.

— Então, ótimo, vamos vestir sua roupa.

A Sra. Culpepper seguiu Kya pela porta da varanda e teve que passar por cima da fileira de ninhos de passarinho que a menina havia disposto ao longo das tábuas. No quarto, Kya colocou o único vestido que cabia, uma jardineira xadrez com uma das alças presas por um alfinete de fralda.

— Está ótimo, meu bem, você está ótima.

A Sra. Culpepper estendeu a mão. Kya ficou encarando a mão dela. Fazia semanas que não tocava em outra pessoa, e nunca na vida havia tocado um desconhecido. Mas pôs a mãozinha dentro da mão da Sra. Culpepper e foi levada pela estrada até o Ford Crestliner conduzido por um homem calado de chapéu de feltro cinza. Sentada no banco de trás, Kya nem sorriu nem se sentiu um pintinho abrigado sob a asa da mãe.

Barkley Cove tinha uma escola para brancos. Do primeiro até o décimo segundo ano, as crianças frequentavam uma escola de tijolos de dois andares que ficava no outro extremo da Main em relação ao escritório do xerife. As crianças negras tinham a própria escola, uma estrutura de cimento de um andar só perto de Colored Town.

Quando Kya foi levada até a secretaria da escola, encontraram seu nome nos registros de nascimento da cidade, mas não a data de nascimento, então a puseram no segundo ano, apesar de ela nunca ter frequentado a escola na vida. De toda forma, disseram, o primeiro ano estava cheio demais, e que diferença aquilo faria para gente do brejo que passaria alguns meses na escola, talvez, para depois nunca mais ser vista. Enquanto o diretor a acompanhava por um corredor largo no qual os passos ecoavam, o suor brotou da sua testa. Ele abriu a porta de uma sala de aula e lhe deu um empurrãozinho.

Camisas xadrez, saias amplas, sapatos, muitos sapatos, alguns pés descalços, e olhos: todos a encarando. Ela nunca tinha visto tanta gente. Uma dúzia de pessoas, talvez. A professora, a mesma Srta. Arial que aqueles meninos tinham ajudado, acompanhou Kya até uma carteira quase nos fundos da sala. Ela podia pôr suas coisas no escaninho, falou, mas Kya não tinha nada.

A professora voltou até a frente da sala e disse:

— Catherine, por favor, levante-se e diga à turma o seu nome completo.

O estômago da menina se revirou.

— Vamos, meu bem, não seja tímida.

Kya se levantou.

— Catherine Danielle Clark — falou, porque uma vez Ma dissera que aquele era o seu nome todo.

— Você consegue soletrar *dez* para nós?

Com os olhos fixos no chão, Kya ficou em silêncio. Jodie e Ma tinham lhe ensinado algumas letras. Mas ela nunca tinha soletrado nada para ninguém.

Sentiu a barriga estremecer de nervoso; mesmo assim, tentou:

— *D-e-i-z*.

Risadas percorreram a fileira de carteiras.

— Shh! Silêncio! — gritou a Srta. Arial. — Não é para rir, entenderam, nunca é para rir dos amigos. Vocês sabem muito bem disso.

Kya se sentou depressa em sua cadeira nos fundos da sala e tentou desaparecer feito um besouro de casca que se camufla no tronco de um carvalho. No entanto, por mais nervosa que estivesse, conforme a professora continuava a aula, ela se inclinou para a frente, ansiosa para aprender o que vinha depois de vinte e nove. Até então, a Srta. Arial só tinha falado sobre uma coisa chamada método fônico, e os alunos, com os lábios formando O, repetiam os sons *a*, *e*, *i*, *o*, *u*, todos arrulhando feito pombos.

Por volta das onze da manhã, o cheiro morno e amanteigado de pãezinhos e massa de empadão no forno tomou conta dos corredores e invadiu a sala. A barriga de Kya doía e se retesava, e quando a turma enfim formou uma fila e marchou até o refeitório sua boca se encheu de saliva. Imitando os outros, ela pegou uma bandeja, um prato de plástico verde e talheres. Uma janela grande com uma bancada se abria para dentro da cozinha, e disposta na sua frente havia uma travessa imensa e esmaltada de empadão de frango com uma casca quadriculada de massa grossa em cima e um caldo espesso borbulhando. Uma mulher negra, alta, sorridente e que chamava algumas das crianças pelo nome serviu no seu prato um pedaço grande de empadão, depois um pouco de feijão de corda na manteiga e um pãozinho. Ela recebeu um pudim de banana e uma caixinha vermelha e branca de leite para pôr na bandeja.

Dirigiu-se para a área das mesas, a maioria delas cheia de crianças rindo e conversando. Reconheceu Chase Andrews e seus amigos, que quase a tinham derrubado da calçada com suas bicicletas, então virou a cabeça para o outro lado e foi para uma mesa vazia. Várias vezes, em rápida sucessão, seus olhos a traíram e relancearam os meninos, os únicos rostos que conhecia. Mas eles, como todos os outros, a ignoraram.

Kya ficou encarando o empadão recheado de frango, cenouras, batatas e pequenos grãos de feijão. A crosta marrom e dourada por cima. Várias meninas se aproximaram, todas de saias rodadas afofadas por várias camadas de crinolina. Uma delas era alta, magra e loura, outra era gordinha e bochechuda. Kya se perguntou como elas podiam subir numa árvore ou num barco usando aquelas saionas. Com certeza não podiam caçar sapos; elas nem sequer conseguiriam ver os próprios pés.

Enquanto elas chegavam perto, Kya ficou encarando o próprio prato. O que diria se elas se sentassem ao seu lado? Mas as meninas passaram por ela, trinando feito passarinhos, e se juntaram às amigas em outra mesa. Apesar da fome, ela constatou que tinha ficado com a boca seca, o que tornava difícil engolir. Assim, depois de comer apenas algumas garfadas, bebeu todo o leite, enfiou o máximo de empadão que conseguiu dentro da caixinha, tomando cuidado para ninguém ver, e enrolou a caixinha e o pão no guardanapo.

Passou o resto do dia sem abrir a boca. Mesmo quando a professora lhe fez uma pergunta, ficou sentada, muda. Achava que devia aprender com eles, não eles com ela. *Por que me expor para os outros rirem de mim?*, pensou.

No último sinal, disseram-lhe que o ônibus a deixaria a cinco quilômetros da estradinha da sua casa porque o caminho a partir dali era arenoso demais, e que ela teria de andar até o ônibus todos os dias. Voltando para casa, enquanto o ônibus se balançava sobre grandes sulcos e passava por trechos de capim-da-praia, um cântico emanou lá da frente:

— SRTA. Catherine Danielle Clark! — gritaram Louraaltaemagra e Gordinhaebochechuda, as meninas do almoço. — Galinha do brejo! Ratinho do pântano!

O ônibus finalmente parou num cruzamento não sinalizado de vários caminhos emaranhados bem lá no fundo da mata. O motorista abriu a porta, e Kya saltou depressa e correu por quase um quilômetro, parou para recuperar o fôlego, depois retomou uma corrida mais lenta até chegar à estradinha da sua casa. Não parou no barracão; passou às carreiras pelo meio do palmeiral até a lagoa e desceu a trilha que percorria o meio dos carvalhos densos e altos até o mar. Chegou à praia árida onde o oceano aguardava de braços bem abertos, e o vento forte soltou seu cabelo trançado quando ela parou na beira d'água. Estava prendendo o choro como fizera o dia inteiro.

Mais alto do que o rugido das ondas, Kya gritou para os pássaros. O timbre do mar era baixo; o das gaivotas, soprano. Aos gritos estridentes, elas ficaram voando em círculos acima do brejo e da areia enquanto Kya jogava a massa de empadão e os pãezinhos na praia. Com as pernas dependuradas e virando as cabeças, pousaram.

Alguns dos pássaros começaram a bicá-la de leve entre os dedos dos pés, e as cócegas a fizeram rir até as lágrimas escorrerem pelo seu rosto, liberando por fim imensos soluços entrecortados daquele lugar apertado depois da garganta. Quando a caixinha de leite ficou vazia, ela achou que não fosse suportar a dor, tamanho seu medo de que as gaivotas a abandonassem como todos os outros. Mas as aves pousaram na praia à sua volta e puseram-se a limpar as asas cinza abertas. Ela então sentou-se também e desejou poder reuni-las e levá-las consigo para dormir na varanda. Imaginou todas reunidas na sua cama, um bolo macio de corpos quentes e emplumados sob as cobertas.

Dois dias depois, ela ouviu o Ford Crestliner revirar a areia e correu para dentro do brejo, pisando firme nos bancos de areia e deixando pegadas claras como o dia, depois entrando na água na ponta dos pés sem deixar rastros, dando meia-volta e seguindo em outra direção. Quando chegou à lama, correu em círculos para criar uma confusão de pistas. Então, ao alcançar a terra firme, passou sobre ela feito um sussurro, pulando de tufos de vegetação para gravetos sem deixar vestígio.

Nas semanas seguintes eles continuaram aparecendo de dois em dois ou de três em três dias, e o homem do chapéu de feltro efetuava a busca e a perseguição, mas nunca chegava perto. Até que numa semana ninguém apareceu. Houve apenas o grasnar dos corvos. Kya deixou as mãos caírem junto ao corpo e ficou encarando a estradinha deserta.

Ela nunca mais retornou à escola na vida. Voltou a observar as garças e a colecionar conchas, atividades com as quais achava que podia aprender alguma coisa.

— Eu já sei arrulhar que nem um pombo — falou para si mesma. — E muito melhor que eles. Mesmo com todos aqueles sapatos elegantes.

Certa manhã, algumas semanas depois do seu dia na escola, o sol brilhava branco e quente quando Kya subiu na casa da árvore de seus irmãos na praia e ficou procurando barcos a vela com bandeiras de caveiras e ossos cruzados. Provando que a imaginação brota nos terrenos mais estéreis, gritou:

— Ei! Ei, piratas! — Brandindo a espada, pulou da árvore para atacar. De repente, sentiu uma dor no pé direito que subiu feito fogo pela perna. Seus joelhos perderam a força, ela caiu de lado e guinchou. Viu um prego comprido e enferrujado cravado bem fundo na sola do seu pé. — Pa! — gritou. Tentou lembrar se ele tinha voltado para casa na noite anterior. — Pa, SOCORRO! — chamou, mas não houve resposta.

Com um movimento rápido, estendeu a mão e arrancou o prego, berrando para mascarar a dor. Moveu os braços pela areia em gestos sem sentido, choramingando. Por fim, sentou-se e examinou a sola do pé. Quase não havia sangue, apenas o furo minúsculo de um ferimento pequeno e fundo. Foi nessa hora que se lembrou do tétano. Sentiu um aperto no estômago e ficou com frio. Jodie tinha lhe contado sobre um menino que havia pisado num prego sem ter tomado a vacina. O maxilar do garoto tinha travado, fechado com tanta força que ele não conseguia abrir a boca. Depois sua coluna havia se retesado para trás feito um arco, e ninguém pôde fazer nada a não ser ficar ali parado vendo ele se contorcer até a morte.

Jodie fora muito claro num detalhe: era preciso tomar a vacina no máximo dois dias depois de pisar num prego, senão era o fim. Kya não fazia ideia de como tomar uma vacina dessas.

— Tenho que fazer alguma coisa. Se esperar Pa, com certeza vou ter tétano.

Com o suor a escorrer em gotas pelo rosto, ela atravessou a praia cambaleando até finalmente chegar aos carvalhos mais frescos em volta do barracão.

Ma costumava embeber os machucados em água com sal e cobri-los com compressas de lama misturada com todo tipo de poção. Como não havia sal na cozinha, Kya entrou mancando na floresta e foi até uma vala de água salobra que, na maré baixa, ficava tão salgada a ponto de cristais brancos reluzirem nas bordas. Sentou-se no chão e mergulhou o pé na salmoura do brejo enquanto mexia a boca sem parar: abre, fecha, abre, fecha, bocejos de mentira, movimentos de mastigação, qualquer coisa para impedir a boca de travar. Depois de quase uma hora, a maré recuou o suficiente para ela cavar com os dedos um buraco na lama preta, então ela delicadamente enfiou o pé no solo sedoso. O ar ali estava fresco, e os gritos das águias a amparavam.

No fim da tarde, como já estava com muita fome, ela voltou para o barracão. O quarto de Pa continuava vazio, e ele provavelmente ainda demoraria horas para chegar. Jogar pôquer e beber uísque mantinham um homem ocupado durante a maior parte da noite. Não havia mingau, mas ela revirou a casa até encontrar uma embalagem velha e engordurada de margarina Crisco, então pegou um pedacinho da gordura branca e a passou num biscoito de água e sal. Primeiro deu uma mordidinha, depois comeu mais cinco.

Subiu na sua cama na varanda, atenta ao barulho do barco de Pa. A noite chegou repleta de barulhos e movimentos, e o sono veio por partes, mas ela deve ter dormido quase de manhã, pois acordou com o sol já forte no rosto. Abriu rapidamente a boca: ainda estava funcionando. Ficou indo e voltando entre a vala de água salobra e o barracão até saber, pelo movimento do sol, que dois dias tinham se passado. Abriu e fechou a boca. Talvez tivesse conseguido.

Nessa noite, ao se enfiar sob os lençóis do colchão no chão, com o pé coberto de lama enrolado num trapo velho, ela se perguntou se acordaria morta. Não, lembrou, não seria tão fácil assim: suas costas se arqueariam; seus membros se contorceriam.

Alguns minutos depois, sentiu uma fisgada na base das costas e sentou-se.

— Ah, não, ah, não. Ma, Ma. — A sensação nas costas se repetiu e a fez se calar. — É só uma coceira — sussurrou ela.

Por fim, realmente exausta, ela dormiu, e só abriu os olhos quando os pombos já arrulhavam no carvalho.

Passou uma semana indo à vala duas vezes por dia, vivendo à base de biscoitos e margarina, e durante todo esse tempo Pa não apareceu em casa. No oitavo dia, já conseguia girar o pé sem rigidez e a dor se limitava à superfície. Ela fez uma dancinha levantando o pé do chão, guinchando:

— Eu consegui, eu consegui!

Na manhã seguinte, tomou o rumo da praia para encontrar mais piratas.

— A primeira coisa que vou fazer é mandar minha tripulação catar todos os pregos.

Ela acordava cedo todo dia de manhã, ainda esperando o tumulto de Ma atarefada na cozinha. A comida preferida de Ma para o café da manhã eram ovos das próprias galinhas mexidos, tomates vermelhos maduros fatiados e bolinhos de milho de frigideira preparados com uma massa de fubá, água e sal e despejados numa gordura tão quente que a mistura borbulhava e as bordas fritavam até virar uma renda crocante. Ma costumava dizer que, se não fosse possível ouvir a comida fritando do cômodo ao lado, não era realmente fritura, e a vida inteira Kya acordara com o som daqueles bolinhos de milho estalando na gordura. Com o cheiro da fumaça de milho quente e azul. Mas agora a cozinha estava silenciosa e fria, e Kya saiu de sua cama na varanda e foi até a lagoa.

Meses se passaram e o inverno se instalou com suavidade, como fazem os ventos do sul. O sol, quente feito um cobertor, envolvia os ombros de Kya, chamando-a mais para o fundo do brejo. Às vezes ela escutava ruídos noturnos que não conhecia ou se assustava com algum relâmpago próximo demais, mas, sempre que titubeava, era a terra quem a amparava. Até, por fim, em algum instante que passou despercebido, a dor no coração se esvair para dentro da areia como água. A dor continuou ali, mas no fundo. Kya pousou a mão na terra molhada que respirava, e o brejo virou sua mãe.

5.

Inquérito

1969

Lá em cima, as cigarras se esgoelavam contra um sol cruel. Todas as outras formas de vida estavam escondidas do calor, emitindo apenas um zum-zum monótono na vegetação baixa.

O xerife Jackson enxugou a testa e disse:

— Vern, tem mais coisa para fazer aqui, mas não parece certo. A esposa e a família do Chase não sabem que ele morreu.

— Vou lá avisar para eles, Ed — respondeu o Dr. Vern Murphy.

— Agradecido. Pode pegar minha picape. Mande a ambulância vir buscar o Chase, e Joe trazer minha picape de volta. Só não fale nada com mais ninguém. Não quero todo mundo da cidade aqui, e é exatamente o que vai acontecer se você abrir o bico.

Antes de se mexer, Vern ficou um minuto olhando para Chase, como se houvesse deixado passar alguma coisa. Sendo médico, deveria dar um jeito naquilo. O ar pesado do pântano estava parado atrás deles, esperando sua vez.

— Fiquem aqui — disse Ed, virando-se para os meninos. — Não preciso de ninguém fofocando lá na cidade sobre o que aconteceu, e não metam as mãos em nada nem deixem mais pegadas na lama.

— Sim, xerife — disse Benji. — Acha que alguém matou Chase, né? Porque não tem nenhuma pegada. Será que alguém empurrou ele?

— Eu não disse nada disso. Isto aqui é um procedimento policial padrão. Então fiquem fora do nosso caminho e não repitam nada do que escutarem aqui.

O delegado Joe Purdue, um homem baixinho de costeletas grossas, apareceu na picape do xerife menos de quinze minutos depois.

— Não consigo acreditar. Chase está morto. Ele foi o melhor *quarterback* que esta cidade já viu. A casa caiu.

— É exatamente isso. Bom, vamos ao trabalho.

— O que achou até agora?

Ed se afastou um pouco mais dos meninos.

— Bom, é claro que à primeira vista parece um acidente: ele caiu da torre e morreu. Mas até agora não encontrei nenhuma das pegadas dele indo para a escada, nem pegadas de mais ninguém. Vamos ver se conseguimos encontrar algum indício de que alguém as escondeu.

Os dois oficiais de justiça dedicaram dez minutos inteiros passando pente fino na área.

— Tem razão, nenhuma pegada fora as dos meninos — disse Joe.

— É, e nenhum sinal de alguém ter apagado. Eu não entendo, não mesmo. Vamos sair daqui. Mais tarde eu penso nisso — falou Ed.

Eles fotografaram o corpo, sua posição em relação à escada, e fotos dos ferimentos na cabeça e da perna dobrada para o lado errado. Joe fazia anotações do que Ed ia ditando. Quando estavam medindo a distância do corpo até a trilha, ouviram a carroceria da ambulância arranhar os arbustos densos que margeavam a estradinha. O motorista, um homem negro e velho que se encarregava havia décadas de recolher os feridos, doentes, moribundos e mortos, baixou a cabeça em sinal de respeito e sussurrou sugestões.

— Então: não vai dar para juntar muito os braços dele, então não vai dar para rolar ele para a maca, vai ter que levantar ele do chão, e ele deve ser pesado. Xerife, segura por favor a cabeça do Sr. Chase. Isso, muito bom. Eita, caramba.

No fim da manhã, eles tinham conseguido colocar o corpo de Chase completamente coberto de lama na traseira da ambulância.

Como a essa altura o Dr. Murphy já devia ter avisado aos pais de Chase sobre a sua morte, Ed disse aos meninos que eles podiam ir para casa, e ele e Joe começaram a subir a escada que ziguezagueava até o topo e estreitava a cada nível. Conforme eles subiam, os cantos redondos do mundo foram se afastando e as exuberantes florestas arredondadas e o brejo alagado se estenderam até as bordas.

Quando eles chegaram ao último degrau, Jackson ergueu as mãos e levantou com um empurrão uma grade de ferro. Depois que pisaram na plataforma, tornou a fechá-la porque ela fazia parte do piso. Tábuas de madeira cheias de farpas e cinza de tão velhas formavam o centro da plataforma, mas em volta o piso era uma série de grades quadradas e vazadas que podiam ser abertas e fechadas. Contanto que estivessem baixadas, dava para caminhar sobre elas com segurança, mas se uma estivesse aberta corria-se o risco de cair quase vinte metros até lá embaixo.

— Ei, olhe isto aqui.

Ed apontou para o lado mais afastado da plataforma, onde uma das grades estava aberta.

— Que diabo é isso? — indagou Joe enquanto iam até o buraco.

Ao espiarem lá embaixo, viram o contorno perfeito do corpo torto de Chase impresso na lama. Uma gosma amarelada e plantas aquáticas se espalhavam para os lados como num desenho feito com espirros de tinta.

— Não faz sentido — disse Ed. — Às vezes as pessoas se esquecem de fechar a grade de cima da escada. Quando descem, sabe? Já achamos aberta algumas vezes, mas as outras quase nunca ficam abertas.

— Por que Chase iria abrir esta daqui, para início de conversa? Ou qualquer outra pessoa?

— A menos que alguém estivesse planejando matar outra pessoa empurrando ela lá embaixo — disse Ed.

— Então por que não fechar depois?

— Porque se Chase tivesse caído sozinho ele não poderia ter fechado a grade. Precisava ficar aberta para parecer um acidente.

— Olhe aquela viga de sustentação abaixo do buraco. Está toda amassada e cheia de farpas.

— É, estou vendo. Chase deve ter batido a cabeça ali quando caiu.

—Vou descer até lá e procurar amostras de sangue ou fios de cabelo. Colher algumas farpas da viga.

— Obrigado, Joe. E tire algumas fotos de perto. Vou pegar uma corda por segurança. Não precisamos de dois cadáveres na lama num dia só. E temos que recolher as digitais desta grade, da grade de cima da escada, do guarda-corpo, dos corrimões. De tudo que alguém possa ter tocado. E colher amostras de cabelo ou fiapos.

Mais de duas horas depois, eles alongaram as costas para aliviá-las de tanto se debruçar e se abaixar.

— Não estou dizendo que foi um crime — disse Ed. — Está muito cedo. Além disso, não consigo pensar em ninguém que quisesse matar Chase.

— Bom, já eu diria que tem uma lista e tanto — falou o delegado.

— Tipo quem? Do que você está falando?

— Ah, Ed, qual é. Você sabe como o Chase era. Sempre atrás de um rabo de saia, ouriçado feito um touro que acaba de ser solto do curral. Antes de se casar, depois de se casar, com moças solteiras, com mulheres casadas. Já vi cães excitados se comportarem melhor no meio das cadelas.

— Qual é, também não era tanto assim. É verdade. Tinha fama de mulherengo. Mas não imagino ninguém nesta cidade cometendo assassinato por causa disso.

— Só estou dizendo que tinha gente que não gostava dele. Algum marido ciumento. Com certeza foi alguém que ele conhecia. Alguém que todos nós conhecemos. É improvável que Chase tenha subido aqui com um desconhecido — disse Joe.

— A menos que ele tivesse com dívidas até o pescoço com alguém de fora da cidade. Algo desse tipo que a gente não soubesse. E um homem forte o suficiente para empurrar Chase Andrews. Não é tarefa fácil.

— Consigo pensar em alguns caras que fariam isso — disse Joe.

6.

Um barco e um menino

1952

Certa manhã, recém-barbeado e usando uma camisa de botão amarrotada, Pa entrou na cozinha e disse que ia pegar o ônibus da Trailways até Asheville para discutir algumas questões com o Exército. Estava achando que tinha direito a mais dinheiro por causa do ferimento de guerra, portanto iria viajar para conferir isso e só voltaria dali a três ou quatro dias. Ele nunca tinha dado satisfação nenhuma para Kya, dizendo para onde estava indo ou quando iria voltar, de modo que ela ficou ali parada, com seu macacão curto demais, encarando-o sem dizer nada.

— Estou achando que você deve ser surda e muda que nem um imbecil — disse ele, e a porta de tela estalou quando ele saiu.

Kya ficou observando-o mancar pela estradinha, puxando a perna esquerda primeiro para o lado, depois para a frente. Os dedos das mãos dela se contraíram. Talvez todos eles fossem abandoná-la e sumir por aquela estradinha, um depois do outro. Quando ele chegou à estrada de terra e inesperadamente olhou para trás, ela levantou a mão e acenou com força. Um gesto para prendê-lo. Pa ergueu um dos braços e deu um aceno rápido e casual. Mas já era alguma coisa. Era mais do que Ma tinha feito.

De lá Kya foi até a lagoa, onde a luz da manhã capturava o brilho de centenas de asas de libélulas. Carvalhos e arbustos densos rodeavam o espelho d'água, escurecendo-o feito uma caverna, e ela parou ao ver o barco de Pa flutuando ali, preso a uma corda. Se ela o levasse para o brejo e ele descobrisse, iria tomar uma surra de cinto. Ou apanharia com o remo que ele guardava junto à porta da varanda; o "taco de boas-vindas", como Jodie costumava chamá-lo.

Talvez um anseio de ir mais além a tenha atraído para o barco; um bote todo amassado de fundo plano que Pa usava para pescar. Ela havia passado a vida inteira saindo naquele barco, em geral com Jodie. Às vezes ele a deixava ser a timoneira. Ela até conhecia os caminhos por alguns dos canais e estuários intrincados que serpenteavam por uma colcha de retalhos de água e terra, terra e água, até finalmente darem no mar. Porque, embora o oceano ficasse logo depois das árvores ao redor do barracão, o único jeito de chegar lá de barco era ir na direção oposta, para o interior, e percorrer quilômetros do labirinto de cursos d'água que acabavam dando meia-volta e desaguando no mar.

No entanto, como tinha só sete anos e era menina, ela nunca tinha saído de barco sozinha. E ali estava ele, flutuando, preso a um tronco por uma única corda de algodão. Uma sujeira cinza, material de pesca velho e latinhas de cerveja amassadas cobriam o chão. Ao embarcar, ela disse em voz alta:

— Preciso ver a gasolina, como Jodie falou, para Pa não perceber que eu peguei o barco. — Ela espetou um junco partido dentro do tanque enferrujado. — Acho que o que tem dá para uma voltinha.

Como qualquer bom ladrão, ela olhou em torno, então soltou a linha de algodão do tronco e remou para a frente com a única pá. A nuvem silenciosa de libélulas se abriu diante dela.

Sem ter como resistir, ela puxou a cordinha da ignição e foi arremessada para trás quando o motor pegou de primeira, engasgando e arrotando fumaça branca. Segurou a cana do leme e girou o acelerador além da conta, e o barco fez uma curva fechada, com o motor aos berros. Ela soltou o acelerador, ergueu as mãos, e o barco diminuiu a velocidade e passou a ronronar.

Quando tiver problemas, é só soltar. Voltar para o ponto morto.

Acelerando com mais cuidado, ela rodeou o velho cipreste caído, *tuf, tuf, tuf,* e passou pelos gravetos empilhados da toca de castor. Então, prendendo a respiração, seguiu para a entrada da lagoa, quase escondida pelas amoreiras. Encolhendo-se para passar pelos galhos baixos de árvores gigantescas, seguiu devagar pelo meio do matagal por mais de cem metros, como uma tartaruga escorregando de um tronco caído. Um tapete flutuante de plantas aquáticas deixava a água tão verde quanto o teto cheio de folhas das copas, criando um túnel cor de esmeralda. Por fim, as árvores se abriram e ela deslizou para um lugar de céu aberto e capim alto, onde aves grasnavam. A visão de um pintinho quando finalmente rompe a casca, pensou.

Kya prosseguiu, um pontinho minúsculo de menina dentro de um barco, virando para lá e para cá conforme um sem-fim de estuários se ramificava e se entrelaçava à sua frente. *Vire sempre à esquerda em todas as curvas quando estiver saindo*, dissera Jodie. Ela mal tocava no acelerador, e ia guiando o barco pela correnteza, mantendo o ronco do motor baixo. Ao dar a volta numa moita de juncos, topou com uma fêmea de veado-de-cauda-branca e seu filhote nascido na última primavera bebendo água. Os animais ergueram a cabeça de forma brusca, espirrando gotículas pelo ar. Kya não parou, senão eles iriam fugir, lição que aprendera observando perus selvagens: se você agir como predador, eles agem como presas. Basta ignorá-los e seguir devagar. Ela passou vagarosamente, e os veados continuaram imóveis feito árvores até ela desaparecer atrás do capim alto.

Chegou a um lugar com lagoas escuras dentro de uma garganta de carvalhos e lembrou-se de um canal lá na ponta que dava num estuário enorme. Muitas vezes se deparou com becos sem saída, e teve de voltar para fazer uma curva diferente. Guardou na cabeça todos esses marcos para poder retornar. Por fim, o estuário surgiu à frente, com água se estendendo até tão longe que espelhava o céu inteirinho e todas as nuvens nele.

A maré estava baixando, ela percebia isso a partir das linhas d'água nas margens dos córregos. Quando baixasse o suficiente, a qualquer momento a partir de agora, alguns dos canais iriam secar e ela ficaria encalhada sem conseguir passar. Teria de voltar antes disso.

Ao contornar um tufo de capim alto, de repente o oceano — cinza, severo e pulsante — franziu o cenho para ela. Ondas se chocavam umas nas outras, cobertas pela própria saliva branca, e quebravam na praia com estrondos fortes: energia em busca de um anteparo. Então se aplainavam e viravam tranquilas línguas de espuma à espera do turbilhão seguinte.

A espuma a provocava, desafiando-a a enfrentar as ondas e entrar no mar, mas sem Jodie lhe faltou coragem. De toda forma, estava na hora de voltar. Nuvens de chuva se adensavam no céu a oeste, formando imensos cogumelos cinza prestes a rebentar.

Ela não tinha visto ninguém, nem mesmo em barcos distantes, de modo que foi uma surpresa quando voltou para o estuário grande e ali, bem rente ao capim da margem, encontrou um garoto pescando a bordo de outro bote surrado. Seu curso a faria passar a uns cinco metros dele. Ela estava mesmo a típica menina do pântano: cabelo ao vento até virar um ninho de rato, bochechas empoeiradas riscadas de lágrimas por causa do vento.

Nem a pouca gasolina nem a ameaça de um temporal lhe provocavam a mesma aflição que ver outra pessoa, principalmente um menino. Ma tinha dito às suas irmãs mais velhas que tomassem cuidado com eles; se sua aparência for tentadora, os homens viram predadores. Crispando bem os lábios, ela pensou: *O que eu vou fazer? Tenho que passar bem ao lado dele.*

De rabo de olho, viu que ele era magro e tinha os cachos louros enfiados em um boné vermelho. Era bem mais velho do que ela, onze anos, talvez doze. Kya exibia uma expressão fechada ao chegar perto, mas mesmo assim ele lhe deu um sorriso franco e simpático e tocou a aba do boné feito um cavalheiro cumprimentando uma dama elegante de vestido de baile e chapéu. Ela meneou de leve a cabeça, então olhou para a frente, acelerou e passou pelo menino.

Tudo em que conseguia pensar era em voltar para um terreno conhecido, mas devia ter feito uma curva errada em algum lugar, pois quando chegou à segunda série de lagoas não encontrou o canal que levava até sua casa. Deu várias voltas à procura, foi até troncos dobrados de carvalhos e arbustos de murta. Um pânico lento começou a se insinuar. Agora todas as margens de capim, todos os bancos de areia e todas as curvas se pareciam. Ela desligou o motor e ficou parada bem no meio do barco, equilibrando-se com os pés separados, enquanto tentava ver por cima dos juncos, mas não conseguiu. Sentou-se. Estava perdida. Com pouca gasolina. Um temporal se aproximava.

Roubando as palavras de Pa, xingou o irmão por ter ido embora.

— Que droga, Jodie! Tacou merda no ventilador. Tacou um monte de merda no ventilador.

Choramingou uma vez quando o barco começou a ser levado pela correnteza leve. Nuvens que ganhavam terreno em relação ao sol se moviam pesadamente lá em cima, mas sem fazer barulho, empurrando o céu e arrastando sombras pela água cristalina. A qualquer momento poderia vir um vendaval. Pior, pensou: se ela demorasse demais, Pa saberia que tinha pegado o barco. Foi seguindo devagar; talvez conseguisse encontrar aquele menino.

Mais alguns minutos de córrego fizeram surgir uma curva e o grande estuário mais à frente, e do outro lado o menino no barco. Garças levantaram voo, uma linha de bandeiras brancas em contraste com as nuvens cinzentas cada vez mais carregadas. Ela fixou o olhar nele com força. Com medo de chegar perto, com medo de não chegar. Por fim, atravessou o estuário.

Ele ergueu o rosto quando ela se aproximou.

— Ei — falou.

— Ei.

Ela olhou para os juncos atrás do ombro dele.

— Para onde você está indo? — perguntou o menino. — Espero que não para o mar. Está vindo um temporal.

— Não — disse ela, baixando os olhos para a água.

— Você está bem?

A garganta dela se apertou para conter um soluço. Ela aquiesceu, mas não conseguiu dizer nada.

— Está perdida?

Ela tornou a balançar a cabeça. Não iria chorar feito uma menina.

— Tudo bem. Eu me perco o tempo todo — disse ele, e sorriu. — Ei, eu conheço você. É a irmã do Jodie Clark.

— Eu era. Ele foi embora.

— Bom, você continua sendo a... — Mas ele deixou para lá.

— Como você me conhece?

Ela lançou um olhar rápido e direto para os olhos dele.

— Ah, eu ia pescar com o Jodie de vez em quando. Vi você algumas vezes. Você era pequenininha. Kya, né?

Alguém sabia seu nome. Ela ficou assustada. Sentiu-se ancorada a alguma coisa e livre de outra.

— É. Você sabe onde fica a minha casa? Daqui?

— Acho que sei. Já está na hora mesmo. — Ele indicou as nuvens com a cabeça. — Vem comigo.

Ele puxou a linha, guardou os apetrechos de pesca na caixa e ligou o motor. Ao rumar para o estuário, acenou, e Kya foi atrás. Avançando devagar, ele foi direto para o canal certo, olhou para trás certificando-se de que ela havia feito a curva, e seguiu. Fez isso em todas as curvas até as lagoas de carvalhos. Quando ele entrou no curso d'água escuro que dava na casa dela, Kya percebeu onde tinha errado e nunca mais cometeria o mesmo erro.

Ele a foi guiando na travessia da sua lagoa — mesmo depois de ela acenar dando a entender que sabia o caminho — até a margem onde o barracão ficava agachado na mata. Ela foi com o motor ligado até o velho tronco de pinheiro caído e amarrou o barco. Ele começou a se afastar, balançando-se nas esteiras opostas das duas embarcações.

— Está tudo bem agora?

— Sim.

— Bom, o temporal está vindo. É melhor eu ir.

Kya aquiesceu, então se lembrou do que Ma tinha lhe ensinado.

— Obrigada.

— De nada. Meu nome é Tate, caso a gente se veja de novo. — Como ela não respondeu, ele disse: — Tchau, então.

Quando ele estava indo embora, gotas vagarosas de chuva começaram a salpicar a margem da lagoa, e ela disse:

— Vai chover canivete... Aquele menino vai ficar ensopado.

Ela se abaixou junto ao tanque de combustível e enfiou o graveto de junco nele, unindo as mãos em concha ao redor da borda para não pingar lá dentro. Ela podia não saber contar moedas, mas tinha certeza de que não devia deixar cair água na gasolina.

Está muito baixo. Pa vai perceber. Preciso levar um latão até o Posto Sing antes de Pa voltar.

Ela sabia que o dono do posto, o Sr. Johnny Lane, sempre se referia à sua família como lixo do pântano, mas lidar com ele, com as tempestades e marés iria valer a pena, porque tudo em que ela conseguia pensar era em voltar àquele espaço de mato, céu e mar. Sozinha, tinha ficado com medo, mas o medo já estava reverberando como animação. E havia outra coisa também. A calma do menino. Ela nunca tinha visto ninguém falar ou se mover com tanta firmeza. Com tanta segurança e facilidade. O simples fato de estar perto dele, mas não tão perto assim, havia aliviado sua tensão. Pela primeira vez desde que Ma e Jodie tinham ido embora, Kya respirava sem dor, sentia algo além de mágoa. Precisava daquele barco e daquele menino.

Na mesma tarde, segurando sua bicicleta pelo guidom, Tate Walker tinha entrado na cidade, cumprimentando com a cabeça a Srta. Pansy, da Five and Dime, e passado pela Western Auto a caminho do cais. Vasculhou o mar em busca do barco de pescar camarão do pai, *The Cherry Pie*, e viu a tinta vermelha brilhante lá longe e as amplas redes laterais balançando nas ondas. Quando o barco se aproximou, escoltado pela própria nuvem de gaivotas, ele acenou, e seu pai, um homem grandalhão com ombros que pareciam montanhas, uma vasta cabeleira e barba ruivas, jogou-lhe a corda. Tate a prendeu e em seguida pulou a bordo para ajudar a tripulação a descarregar a pesca.

Scupper bagunçou o cabelo de Tate.

— Tudo bem, filho? Obrigado por passar aqui.

Tate sorriu e balançou a cabeça.

— Imagine.

Eles e a tripulação se ocuparam colocando camarões em caixotes, carregando-os até o cais, convidando uns aos outros aos gritos para uma cerveja na Dog-Gone, perguntando a Tate sobre a escola. Um palmo inteiro mais alto do que os outros, Scupper erguia três caixotes de metal por vez, atravessava a passarela com eles e voltava para buscar mais. Tinha os punhos do tamanho dos de um urso, com as articulações avermelhadas e feridas. Em menos de quarenta minutos o convés foi enxaguado; as redes, presas; as cordas, amarradas.

Scupper disse à tripulação que tomaria cerveja com eles outro dia, pois precisava fazer uns ajustes antes de ir para casa. Na cabine, pôs para tocar na vitrola presa à bancada um 78 rotações de Miliza Korjus e aumentou o volume. Ele e Tate se espremeram para dentro do compartimento do motor, onde Tate foi lhe passando as ferramentas à medida que ele ia lubrificando peças e apertando parafusos à luz de uma lâmpada fraca. E durante esse tempo todo a ópera melodiosa e encantadora se erguia cada vez mais em direção ao céu.

O trisavô de Scupper, emigrante escocês, fora o único sobrevivente de um naufrágio próximo ao litoral da Carolina do Norte na década de 1760. Nadara até a praia, indo parar no litoral formado por ilhas de barreira conhecido como Outer Banks, arrumara uma esposa e tivera treze filhos. Havia muitos descendentes daquele mesmo Sr. Walker, mas Scupper e Tate ficavam quase sempre só os dois. Não costumavam participar dos piqueniques dominicais dos parentes com salada de frango e ovos recheados, não como faziam quando a mãe e a irmã ainda estavam ali.

Por fim, sob o crepúsculo cada vez mais cinza, Scupper deu um tapa nos ombros do filho.

— Pronto. Vamos para casa fazer a janta.

Eles subiram o cais, desceram a Main e pegaram uma rua sinuosa até a casa onde moravam, uma construção de dois andares revestida com placas de cedro castigadas pelo tempo que datava do início do século XIX. O acabamento branco das janelas fora pintado recentemente, e o gramado que se estendia quase até o mar estava aparado. Mas as azaleias e roseiras junto à casa estavam sufocadas pelas ervas daninhas.

Scupper tirou as botas amarelas no vestíbulo e perguntou:

— Cansou de hambúrguer?

— Nunca canso de hambúrguer.

Em pé diante da bancada da cozinha, Tate separou pedaços de carne moída que foi moldando em bolinhos e colocando no prato. Sua mãe e sua irmã Carianne, ambas de boné, sorriam para ele de uma foto pendurada ao lado da janela. Carianne adorava aquele boné do Atlanta Crackers, usava-o em todo lugar.

Ele tirou os olhos das duas e começou a fatiar os tomates, mexer os feijões. Se não fosse por ele, elas estariam ali. Sua mãe assando um frango, Carianne cortando pãezinhos.

Como de costume, Scupper queimou um pouco os hambúrgueres, mas estavam suculentos por dentro e tão grossos quanto um pequeno catálogo telefônico. Ambos famintos, pai e filho passaram algum tempo comendo calados, então Scupper perguntou a Tate sobre a escola.

— Biologia é legal, eu gosto, mas a gente está estudando poesia na aula de inglês. Não posso dizer que gosto. Todo mundo tem que ler um poema em voz alta. Você recitava uns poemas antigamente, mas eu já esqueci.

— Tenho o poema certo para você, filho — disse Scupper. — Meu preferido: "A cremação de Sam McGee", de Robert Service. Eu costumava ler em voz alta para vocês. Era o preferido da sua mãe. Ela ria toda vez que eu lia, nunca se cansava.

Tate baixou os olhos ao ouvir a referência à mãe, e empurrou o feijão no prato.

Scupper continuou:

— Não pense que poesia é só coisa de mulherzinha. Existem poemas de amor piegas, claro, mas também têm os engraçados, vários sobre natureza, até alguns sobre guerra. O mais importante é que eles fazem você sentir algo. — Seu pai tinha lhe dito muitas vezes que um homem de verdade era aquele que chorava sem pudor, lia poesia com o coração, sentia a ópera na alma, e fazia o que fosse necessário para defender uma mulher. Scupper foi até a sala e gritou de lá: — Eu costumava saber quase tudo de cor, mas não sei mais. Ah, achei aqui, vou ler para você.

Ele tornou a se sentar à mesa e começou a leitura. Quando chegou a este trecho:

E sentado estava Sam, com um ar tranquilo e calmo, no coração do fogo abrasador;
E no seu rosto um sorriso que se via de longe, e ele disse: "Feche a porta, por favor."
Está gostoso aqui dentro, mas estou com muito medo de você deixar a chuva e o frio entrar...
Desde que saí de Plumtree no Tennessee eu não fico tão quentinho quanto neste lugar.

Scupper e Tate riram baixinho.

— Sua mãe sempre ria disso.

Ambos sorriram, recordando. Continuaram sentados ali por mais um minuto. Até que Scupper falou que iria tomar banho enquanto Tate fazia o dever de casa. No seu quarto, folheando o livro de poesia em busca de um poema para ler na aula, Tate encontrou um de Thomas Moore:

... ela se foi para o Lago do Pântano Sombrio
Onde a noite inteira, à luz de um vaga-lume frio,
Vai remando sua canoa branca.

E sua luz de vaga-lume eu em breve irei ver,
E *seu remo em breve ouvir;*
Longa e amorosa nossa vida vai ser,
E a donzela esconderei num cipreste aberto,
Quando os passos da morte chegarem perto.

As palavras o fizeram pensar em Kya, a irmã mais nova de Jodie. Ela parecera muito pequena e sozinha na imensa vastidão do brejo. Imaginou a própria irmã perdida lá. Seu pai tinha razão, poemas faziam você sentir algo.

7.

A temporada de pesca

1952

Naquela noite, depois de o menino pescador guiá-la pelo brejo até em casa, Kya ficou sentada de pernas cruzadas na sua cama na varanda. A névoa do temporal entrava pela tela remendada e tocava seu rosto. Ela pensou no menino. Gentil porém forte, como Jodie. As únicas pessoas com quem ela já tinha falado eram Pa, de vez em quando, e mais de vez em quando ainda a mulher do caixa no armazém Piggly Wiggly, a Sra. Singletary, que recentemente havia começado a lhe ensinar a diferença entre moedas de vinte e cinco, de cinco e de dez centavos, porque as de um ela já conhecia. Mas a Sra. Singletary também podia ser enxerida.

— Querida, qual é seu nome, hein? E por que sua mãe não aparece mais? Eu não vejo ela desde que as tulipas floriram.

— Ma é muito ocupada, então ela manda eu fazer as compras.

— Sim, meu bem, mas você nunca compra quanto daria para toda a família.

— Sabe do que mais, senhora, eu preciso ir. Ma está precisando desse mingau para agorinha.

Sempre que possível, Kya evitava a Sra. Singletary e ia no caixa da outra mulher, que não demonstrava qualquer interesse a não ser para dizer que crianças não deveriam ir ao mercado descalças. Ela pensou em dizer a essa senhora que não pretendia catar uvas com os dedos dos pés. Mas, afinal, quem tinha dinheiro para uvas?

Cada vez mais, Kya não falava com ninguém exceto as gaivotas. Considerou fazer algum acordo com Pa para usar o barco dele. No brejo, poderia catar penas e conchas, e quem sabe ver o menino às vezes. Nunca tivera um amigo, mas podia sentir a utilidade que isso teria, sentia o atrativo. Eles poderiam navegar um pouco pelos estuários, explorar os alagados. Ele podia até considerá-la uma criancinha, mas conhecia bem o brejo e poderia lhe ensinar.

Pa não tinha carro. Ele usava o barco para pescar, para ir à cidade, para navegar pelo pântano até o Swamp Guinea, um bar e casa de pôquer surrado conectado à terra firme por uma passarela de madeira instável em meio às tifas. Feito de tábuas grosseiramente cortadas e com um telhado de zinco, o estabelecimento era formado por vários puxadinhos, e o piso tinha níveis diferentes dependendo da altura das palafitas de tijolo que o mantinham acima do pântano. Quando Pa ia lá, ou a qualquer outro lugar, usava o barco e só raramente ia a pé, então por que o emprestaria para ela?

Mas ele havia deixado seus irmãos pegarem quando não estava usando, provavelmente porque eles pescavam peixes para o jantar. Kya não tinha interesse em pescar, mas talvez pudesse usar como moeda de troca, imaginando que fosse esse o jeito de convencê-lo. Cozinhar, quem sabe, fazer mais coisas na casa até Ma voltar.

A chuva diminuiu. Uma única gota, aqui e ali, sacudia alguma folha que se movia feito a orelha de um gato. Kya se levantou em um pulo, limpou a prateleira da geladeira, passou pano no piso de compensado manchado da cozinha, e raspou meses de canjica grudada nas bocas do fogão. Bem cedo na manhã seguinte, esfregou os lençóis de Pa, que fediam a suor e uísque, e os pendurou para secar nas palmeiras. Entrou no quarto dos irmãos, pouco maior do que um armário, tirou o pó e varreu. Havia meias sujas empilhadas no fundo do armário e gibis amarelados jogados ao lado dos dois colchões sujos no chão. Ela tentou ver o rosto dos irmãos, os pés que correspondiam àquelas meias, mas os detalhes eram borrões. Até mesmo o rosto de Jodie estava sumindo; ela via seus olhos por um instante, então eles se fechavam e sumiam.

Na manhã seguinte, levando um latão de quatro litros, ela percorreu as trilhas de areia até o Piggly e comprou fósforos, tutano e sal. Separou duas moedas de dez centavos.

— Não posso levar leite, preciso comprar gasolina.

Ela parou no posto Sing Oil, bem em frente a Barkley Cove, que ficava dentro de um bosque de pinheiros cercado por caminhões enferrujados e carcaças de carros empilhadas sobre blocos de cimento.

O Sr. Lane a viu chegar.

— Dê o fora daqui, sua mendigazinha. Lixo do brejo.

— Eu tenho dinheiro, Sr. Lane. Preciso de gasolina para o motor do barco de Pa.

Ela estendeu duas moedas de dez centavos, duas de cinco e cinco de um centavo.

— Ora, essa ninharia quase não vale o trabalho que eu vou ter, mas, vamos, dê aqui.

Ele estendeu a mão para o latão amassado e quadrado.

Kya agradeceu ao Sr. Lane, que tornou a grunhir. As compras e a gasolina pesavam mais a cada quilômetro, e ela demorou um pouco para chegar em casa. Por fim, na sombra da lagoa, esvaziou o latão dentro do tanque de combustível e esfregou o barco usando trapos e areia seca para areá-lo até as laterais de metal aparecerem sob a sujeira.

No quarto dia depois de Pa ir embora, ela passou a montar vigia. No fim da tarde, uma apreensão fria começou a dominá-la e sua respiração encurtou. Lá estava ela outra vez, olhando para a estradinha. Por mais cruel que ele fosse, precisava que voltasse. Por fim, no início da noite, ele apareceu caminhando pelos sulcos na areia. Ela correu até a cozinha e serviu um ensopado de folhas de mostarda cozidas, tutano de boi e mingau de milho. Como não sabia fazer molho, despejou o caldo do tutano — no qual flutuavam pedacinhos de gordura branca — num vidro de geleia vazio. Os pratos estavam rachados e não combinavam, mas ela pôs o garfo à esquerda e a faca à direita, como a mãe tinha lhe ensinado. Então esperou, espremida junto à geladeira feito uma cegonha atropelada na estrada.

Ele abriu a porta, deixando-a bater na parede, e atravessou com três passos a distância da sala até seu quarto, sem chamar Kya nem olhar para a cozinha. Era normal. Ela o ouviu largando a mala no chão, abrindo gavetas. Ele iria reparar na roupa de cama trocada e no chão limpo com certeza. Se não seus olhos, seu nariz perceberia a diferença.

Alguns minutos depois, ele saiu do quarto, foi direto até a cozinha e observou a mesa posta e os recipientes fumegantes de comida. Encontrou-a em pé junto à geladeira, e os dois se encararam como se nunca tivessem se visto na vida.

— Ora, menina, que que houve aqui? Parece que você ficou toda crescida, hein? Cozinhando e tudo.

Ele não sorriu, mas seu semblante estava calmo. Tinha a barba por fazer, e seu cabelo escuro e sujo pendia por sobre a têmpora esquerda. Mas ele estava sóbrio; Kya conhecia os sinais.

— Sim, senhor. Fiz pães de milho também, mas não deu certo.

— Ora, ah, obrigado. Mas que menina boazinha. Estou destruído e com uma fome de leão.

Ele puxou uma cadeira e se sentou, então ela fez o mesmo. Em silêncio, os dois encheram os pratos e tiraram alguns fiapos de carne dos ossos de boi mirrados. Ele ergueu uma das vértebras e sugou o tutano, e o suco gorduroso reluziu nas suas bochechas ásperas. Ele chupou os ossos até deixá-los lisos como fitas de seda.

— Isto aqui está melhor do que um sanduíche frio de couve — falou.

— Eu queria que os pães de milho tivessem dado certo. Eu devia ter colocado mais bicarbonato e menos ovo. — Kya não acreditava que estava falando tanto, mas não se conteve. — Ma fazia uns muito gostosos, mas acho que não prestei muita atenção nos detalhes...

Então se deu conta de que não deveria estar falando sobre Ma e se calou.

Pa empurrou o prato na sua direção.

— Tem mais?

— Sim, senhor, tem um montão.

— Ah, joga lá um pouco desse pão no ensopado. Quero secar todo esse caldo e estou apostando que esse pão está muito gostoso, molinho feito curau.

Ela sorriu enquanto servia o prato dele. Quem poderia imaginar que os dois fossem encontrar no pão de milho um terreno comum.

Mas depois de pensar bem, Kya ficou com medo de que, se pedisse para usar o barco, ele pensasse que ela só havia cozinhado e limpado em troca desse favor, que fora assim mesmo que tudo começara, só que agora parecia um pouco diferente. Ela estava gostando de se sentar e comer como uma família. Sua necessidade de conversar com alguém era urgente.

Portanto ela não comentou sobre usar o barco sozinha. Em vez disso, perguntou:

— Posso ir pescar com o senhor alguma hora?

Ele deu uma gargalhada, mas foi uma risada bondosa. Era a primeira vez que ele ria desde que Ma e os outros tinham ido embora.

— Quer dizer então que você quer pescar.

— Quero, sim, senhor.

— Você é menina — disse ele, olhando para o prato e chupando um osso.

— Sou, sim, senhor, sou a sua menina.

— Bom, quem sabe eu levo você alguma hora.

Na manhã seguinte, ao sair correndo pela estradinha de areia com os braços esticados à frente, Kya fazia ruídos molhados com os lábios, esguichando saliva. Iria zarpar e sair navegando pelo brejo à procura de ninhos, depois alçar voo e planar lado a lado com as águias. Seus dedos se transformaram em longas plumas abertas diante do céu, sustentadas pelo vento abaixo delas. Então, de repente, ela foi trazida com violência de volta à Terra por Pa gritando lá do barco. Suas asas desabaram, seu estômago despencou; ele devia ter percebido que ela o havia usado. Já sentia o remo no traseiro e atrás das pernas. Sabia se esconder, esperar até que estivesse bêbado para que nunca a encontrasse. Mas ela já tinha avançado demais pela estradinha, estava totalmente exposta, e lá estava ele, em pé com todas as varas e bastões, acenando para ela se aproximar. Kya foi até lá, calada e temerosa. Os apetrechos de pesca estavam todos espalhados pelo chão do barco, e havia uma garrafa de aguardente de milho enfiada debaixo do banco.

— Sobe — foi tudo que ele disse à guisa de convite.

Ela começou a expressar alegria ou gratidão, mas a expressão vazia dele a manteve quieta enquanto subia na proa e se sentava virada para a frente no banco de metal. Ele ligou o motor e os dois seguiram pelo canal, esquivando-se da vegetação conforme subiam e desciam os cursos d'água. Kya foi decorando as árvores quebradas e os tocos velhos de placas. Ele desligou o motor num canal secundário e acenou para ela se sentar no banco do meio.

— Vamos lá, raspa umas minhocas da lata — falou, com um cigarro de enrolar pendurado no canto da boca.

Ensinou-lhe a prender a isca, a lançar e puxar o anzol. Parecia contorcer o corpo em posições esquisitas para evitar roçar nela. Eles só falaram sobre pescaria; nunca se aventuravam por outros assuntos nem sorriram com frequência, mas se mantiveram firmes nesse terreno comum. Ele tomou um pouco de aguardente, mas depois ficou ocupado e não bebeu mais. No fim do dia, o sol suspirou e desbotou até ficar da mesma cor da manteiga, e eles talvez não tenham percebido, mas seus ombros finalmente se curvaram e seus pescoços relaxaram.

No fundo, Kya torcia para não pegar nenhum peixe, mas sentiu um puxão, recolheu a linha e tirou da água um bluegill graúdo que reluziu um brilho prateado e azul. Pa inclinou-se para fora do barco e capturou o peixe com a rede, então sentou-se, deu um tapa no próprio joelho e soltou um uivo de comemoração como ela jamais vira. Kya deu um sorriso largo e os olhares dos dois se encontraram, fechando um circuito.

Antes de Pa o amarrar, o bluegill ficou pulando no fundo do barco e Kya teve que observar uma fila distante de pelicanos, estudar o formato das nuvens, qualquer coisa que não fosse encarar os olhos moribundos de peixe vidrados no mundo sem água enquanto a boca escancarada sugava um ar inútil. Mas o que aquilo lhe custou e o que custou àquele peixe valeu a pena para ter uma pequena nesga de família. Talvez não para o peixe, mas ainda assim...

Eles saíram no barco de novo no dia seguinte, e numa lagoa escura Kya viu as penas macias do peito de um jacurutu boiando na superfície. Curvadas em ambas as pontas, elas flutuavam como barquinhos cor de laranja. Ela as pegou e as pôs no bolso. Mais tarde encontrou um ninho de beija-flor abandonado em meio a um galho esticado, e guardou-o em segurança na proa.

Naquela noite, Pa preparou para o jantar peixe frito — empanado com fubá e pimenta preta — acompanhado por mingau de milho e folhas cozidas. Depois, quando Kya estava lavando a louça, ele entrou na cozinha trazendo sua antiga bolsa de soldado da Segunda Guerra Mundial. Em pé junto à porta, jogou-a de qualquer jeito em uma das cadeiras. A bolsa escorregou até o chão com uma pancada que deu um susto em Kya e a fez se virar.

— Achei que você podia usar isso para suas penas, ninhos de passarinho e essas coisas todas que você vive catando aí.

— Ah — fez Kya. — Ah, obrigada.

Mas ele já tinha saído pela porta da varanda. Ela pegou a bolsa puída feita de uma lona grossa o bastante para uma vida inteira e coberta de bolsinhos e compartimentos secretos. Zíperes resistentes. Olhou pela janela. Ele nunca tinha lhe dado nada.

Em todos os dias mais quentes do inverno e em todo santo dia da primavera, Pa e Kya saíam de barco, subindo e descendo a costa até bem longe, pescando de corrico, lançando e puxando o anzol. Fosse num estuário ou num córrego, ela sempre procurava o menino Tate no seu barco, torcendo para vê-lo de novo. Pensava nele de vez em quando, queria ser sua amiga, mas não fazia a menor ideia de como conseguir isso ou de como encontrá-lo. Então, de repente, certa tarde ela e Pa fizeram uma curva e lá estava ele, pescando, quase no mesmo lugar em que o vira pela primeira vez. Na hora, ele sorriu e acenou. Sem pensar, Kya levantou a mão e acenou de volta, quase sorrindo. Então abaixou a mão muito rápido e Pa a encarou, espantado.

— Um dos amigos de Jodie de antes de ele ir embora — explicou ela.

— Tem que tomar cuidado com as pessoas daqui — disse ele. — A mata está cheia de lixo branco. Quase que não tem ninguém daqui que presta.

Ela aquiesceu. Quis se virar para trás e olhar o menino, mas não o fez. Então teve medo de que ele a considerasse antipática.

Pa conhecia o brejo como um gavião conhece sua campina: sabia como caçar, como se esconder, como aterrorizar os intrusos. E as perguntas que Kya lhe fazia com os olhos esbugalhados o incentivavam a explicar as temporadas dos gansos, os hábitos dos peixes, como prever o tempo pelas nuvens e pelas marés nas ondas.

Em alguns dias, ela enchia a bolsa militar com comida para piquenique e, enquanto o sol poente pairava acima do brejo, os dois comiam pão de milho esfarelento — cujo preparo ela agora praticamente dominava — com cebolas em rodelas. De vez em quando, ele esquecia a aguardente de fundo de quintal e eles tomavam chá em vidros de geleia.

— Minha família nem sempre foi pobre, sabe? — disse Pa de repente certo dia quando eles estavam sentados à sombra dos carvalhos, lançando as linhas de pesca numa lagoa marrom dominada pelo zumbido de insetos voando baixo.

— Eles tinham terras, terras ricas, plantavam tabaco, algodão e tal. Lá perto de Asheville. Sua vó do meu lado usava chapéus grandes feito roda de carroça e saias compridas. A gente morava numa casa com uma varanda que dava a volta toda na casa, uma casa de dois andares. Era coisa fina, coisa fina mesmo.

Uma *vó*. Kya entreabriu a boca. Em algum lugar havia ou houvera uma avó. Onde será que ela estava? Kya morreu de vontade de perguntar o que tinha acontecido com todo mundo. Mas teve medo.

Pa prosseguiu:

— Aí deu tudo errado junto. Eu era pequeno, então não sei direito, mas teve a Depressão, o gorgulho no algodão, ah, nem sei mais o que teve, e tudo virou pó. Só sobrou um monte de dívida, um monte de dívida.

Com esses detalhes superficiais, Kya se esforçou para visualizar o passado dele. Não havia nada em relação à história de Ma. Pa ficava uma fera sempre que algum deles comentava sobre a vida que tinha antes de Kya nascer. Ela sabia que antes do brejo sua família morava em algum lugar bem longe, perto dos seus outros avós, um lugar onde Ma usava vestidos comprados em loja, com botõezinhos perolados, fitas de cetim e detalhes em renda. Depois que se mudaram para o barracão, Ma guardara os vestidos em baús, e de tantos em tantos anos pegava um e o modificava para fazer uma roupa de trabalho, porque não tinham dinheiro para nada novo. Agora esses trajes elegantes e sua história já não existiam mais, todos queimados na fogueira que Pa acendera depois que Jodie fora embora.

Kya e Pa lançaram mais alguns anzóis, e as linhas sussurraram ao roçar o pólen amarelo e macio que flutuava na água parada. Ela pensou que fosse só isso, mas ele ainda acrescentou:

— Um dia vou levar você para Asheville e mostrar a terra que foi nossa, que tinha que ser sua. — Depois de um tempinho, ele puxou a linha. — Olhe, querida, peguei um grandão para a gente, grandão feito o Alabama!

De volta ao barracão, eles fritaram o peixe e bolinhos de fubá "gordurosos como ovos de ganso". Ela então expôs sua coleção, pregando cuidadosamente os insetos em pedaços de papelão e as penas na parede do quarto dos fundos numa colagem macia e esvoaçante. Mais tarde, ficou deitada em sua cama na varanda escutando os pinheiros. Fechou os olhos, depois os arregalou. Ele nunca a tinha chamado de "querida".

8.

Dados negativos

1969

Após concluir seu trabalho investigativo da manhã na torre, o xerife Ed Jackson e o delegado Joe Purdue foram com Pearl, a viúva de Chase, e os pais dele, Patti Love e Sam, vê-lo deitado numa mesa de aço debaixo de um lençol num laboratório gelado na clínica que servia de necrotério. Para se despedir. Mas aquilo lá era frio demais para qualquer mãe; insuportável para qualquer esposa. Ambas tiveram de sair do recinto amparadas.

De volta ao escritório do xerife, Joe disse:

— Bem, não daria para ser pior...

— É. Não sei como alguém consegue passar por isso.

— Sam não falou nada. Ele nunca foi muito falador, mas isso vai acabar com ele.

Um brejo de água salgada, dizem alguns, é capaz de devorar um bloco de cimento no café da manhã, e nem mesmo o escritório ao estilo bunker do xerife poderia contê-lo. Marcas d'água debruadas por cristais de sal ondulavam pela parte baixa das paredes e um mofo preto se espalhava em direção ao teto feito vasos sanguíneos. Minúsculos fungos escuros se acumulavam nos cantos.

O xerife tirou uma garrafa da gaveta de baixo da sua escrivaninha e serviu uma dose dupla para cada um em canecas de café. Eles ficaram bebendo até o sol, dourado e encorpado feito o bourbon, escorregar para dentro do mar.

Quatro dias mais tarde, Joe entrou no escritório do xerife balançando alguns documentos no ar.

— Recebi os primeiros resultados do laboratório.

— Vamos dar uma olhada.

Eles se sentaram em lados opostos da mesa do xerife e começaram a examinar os papéis. De vez em quando, Joe enxotava uma mosca solitária.

Ed leu em voz alta:

— Horário do óbito: entre meia-noite e duas da manhã, entre os dias 29 e 30 de outubro de 1969. Bem como pensamos. — Após um minuto lendo, ele continuou: — O que temos são dados negativos.

— Tem razão. Não tem nada aqui, não, xerife.

— A não ser pelos dois meninos subindo até a terceira curva da escada, não tem nenhuma impressão digital nova no guarda-corpo, nas grades, nada. Nem do Chase nem de mais ninguém.

Uma barba por fazer vespertina escurecia a tez normalmente avermelhada do xerife.

— Quer dizer que alguém limpou. Limpou tudo. Por que as impressões dele não estão pelo menos no guarda-corpo ou nas grades?

— Exato. Primeiro não tínhamos pegadas... e agora não temos digitais. Não há provas de que ele tenha caminhado pela lama até a escada, subido os degraus ou aberto as duas grades... a que fica em cima da escada e a outra de onde ele caiu. Ele ou qualquer outra pessoa, aliás. Mas dados negativos continuam sendo dados. Alguém fez uma faxina muito bem-feita, ou então matou o cara em outro lugar e levou o corpo até a torre.

— Mas se o corpo tivesse sido levado até a torre a gente teria visto marcas de pneu.

— Certo, precisamos voltar lá e procurar marcas de pneu que não sejam nossas ou da ambulância. A gente pode ter deixado passar alguma coisa.

Após mais um minuto de leitura, Ed falou:

— Enfim, agora estou confiante de que não foi um acidente.

— Concordo — disse Joe. — E não é qualquer um que consegue apagar os rastros tão bem assim.

— Estou com fome. Vamos passar no restaurante depois daqui.

— Bom, a gente tem que se preparar para uma emboscada. A cidade inteira está em polvorosa. O assassinato de Chase Andrews é a coisa mais importante que aconteceu aqui, talvez em todos os tempos. As fofocas estão se espalhando feito fogo de mata.

— Bom, fique de olho. Pode ser que a gente cate uma coisinha ou outra. A maioria dos malfeitores não consegue ficar de boca fechada.

Uma vitrine inteira de janelas emolduradas por venezianas de segurança ocupava a fachada do Barkley Cove Diner, que dava para o porto. Apenas a rua estreita separava a construção, erguida em 1889, dos degraus molhados do píer da cidade. Cestos de camarão descartados e redes de pesca emboladas margeavam a parede abaixo das janelas, e conchas de moluscos coalhavam a calçada aqui e ali. Por toda parte: gritos de aves marinhas, fezes de aves marinhas. Felizmente, o aroma de linguiça e pães, folhas de nabo cozidas e frango frito superava o cheiro forte dos barris de peixe que margeavam o cais.

Uma agitação leve escapou de dentro do pequeno restaurante quando o xerife abriu a porta. Todos os cubículos de mesas e cadeiras — cadeiras de encosto alto e estofadas de vermelho — estavam ocupados, assim como muitas das mesas avulsas. Joe apontou para dois bancos vagos diante do balcão com as torneiras de refrigerante, e os dois foram nessa direção.

No caminho, ouviram o Sr. Lane, do posto Sing Oil, dizer para seu mecânico de veículos a diesel:

— Acho que foi o Lamar Sands. Ele pegou a mulher se sassaricando com o Chase bem no convés do barco luxuoso de esqui de água, lembra? Ele tem motivo, e já teve problemas com a lei.

— Que problemas?

— Ele estava com aquele bando que furou os pneus do xerife.

— Eles eram crianças.

— Teve outra coisa também, eu é que não estou lembrando.

Atrás do balcão, o proprietário e cozinheiro Jim Bo Sweeny corria da chapa onde virava os bolinhos de caranguejo até o fogão para mexer uma panela de creme de milho e espetar as coxas de frango dentro da fritadeira; depois recomeçava. Entre uma coisa e outra, colocava pratos abarrotados de comida diante dos clientes. Diziam que ele era capaz de fazer massa de pão com uma das mãos enquanto cortava filés de bagre com a outra. Só preparava algumas vezes por ano sua famosa especialidade: linguado grelhado recheado com camarão e servido sobre mingau de milho com queijo apimentado. Não precisava nem divulgar; a notícia corria a cidade.

Enquanto passavam entre as mesas a caminho do balcão, o xerife e o delegado escutaram a Srta. Pansy Price, da Five and Dime, dizer a uma amiga:

— Pode ter sido aquela mulher que mora lá no brejo. Ela é louca de pedra. Aposto que faria esse tipo de coisa...

— Como assim? O que ela tem a ver com a história?

— Bom, por um tempo ela se envolveu com...

Quando o xerife e o delegado chegaram ao balcão, Ed falou:

— Vamos pedir uns sanduíches para viagem e sair daqui. A gente não pode ser arrastado para dentro disso.

9.

Pulinho

1953

Sentada na proa, Kya observou os dedos da névoa se estenderem em direção ao barco deles. No início, pedaços arrancados de nuvens passaram acima das suas cabeças, em seguida a bruma os afogou em cinza, e tudo que se ouvia era o *tchuf-tchuf-tchuf* do motor silencioso. Minutos depois, pequenas manchas de cor inesperada surgiram quando o contorno castigado pelo clima do posto de gasolina da marina surgiu, como se ele, e não o barco, estivesse em movimento. Pa entrou com o motor ligado e quicou de leve no cais. Kya só estivera ali uma vez. O dono, um senhor negro, levantou-se da cadeira em um salto para ajudá-los (motivo pelo qual todos o chamavam de Pulinho). Suas costeletas brancas e o cabelo grisalho emolduravam o rosto largo, generoso, com olhos de coruja. Alto e elegante, ele parecia nunca parar de falar, de sorrir ou de jogar a cabeça para trás, fechando os lábios com força na própria modalidade de sorriso. Não usava macacão, como a maioria dos trabalhadores por ali, mas uma camisa de botão azul passada a ferro, uma calça escura curta demais e botas. Não com frequência, mas de vez em quando, nos dias mais quentes de verão, um chapéu de palha esfarrapado.

Seu estabelecimento, que vendia gasolina e iscas, se equilibrava sobre o próprio cais flutuante. Um cabo de aço amarrado no carvalho mais próximo da margem percorria uns dez metros do canal e o prendia com toda a força. O bisavô de Pulinho havia construído o cais e o casebre de tábuas de cipreste muito antes do que qualquer pessoa lembrava, em algum momento anterior à Guerra Civil.

Três gerações haviam pregado placas brilhantes de metal por todo o barracão — Refrigerante de Uva Nehi, Cola Royal Crown, Cigarros Camel e vinte anos de placas de carro da Carolina do Norte —, e essa explosão de cores podia ser vista do mar, a não ser através da névoa mais densa.

— Olá, Sr. Jake. Como é que o senhor vai?

— Vou bem, acordei com o pé direito — respondeu Pa.

Pulinho riu como se nunca tivesse escutado aquela expressão batida.

— E veio com filhinha e tudo. Que beleza.

Pa assentiu. Então pareceu se lembrar de algo e disse:

— Sim, essa aqui é a minha filha, Srta. Kya Clark.

— Ora, estou muito orgulhoso de conhecer a senhora, Srta. Kya.

A menina examinou os dedos dos pés descalços, mas não encontrou palavra nenhuma.

Pulinho não se abalou e seguiu falando sobre a boa pescaria dos últimos tempos. Então perguntou a Pa:

— Encho o tanque, Sr. Jake?

— Isso, pode encher até a tampa.

Os dois falaram sobre clima, pescaria, depois outra vez sobre clima até o tanque encher.

— Então bom dia para vocês — disse Pulinho ao lhes jogar a corda.

Pa voltou devagarinho para o mar claro... O sol levava menos tempo para devorar a névoa do que Pulinho para encher um tanque. Eles rodearam resfolegando uma península coberta de pinheiros por vários quilômetros até Barkley Cove, onde Pa amarrou o barco nas estacas corroídas do cais da cidade. Pescadores iam para lá e para cá, embalando peixe, amarrando cordas.

— Acho que a gente pode comprar alguma coisa no restaurante — disse Pa, e conduziu-a pelo cais em direção ao Barkley Cove Diner.

Kya nunca tinha comido em restaurante; nunca tinha pisado lá dentro. Seu coração batia acelerado quando ela limpou a lama seca do macacão curto demais e arrumou o cabelo embaraçado. Quando Pa abriu a porta, todos os clientes imobilizaram no meio da mordida. Alguns homens balançaram de leve a cabeça para Pa; as mulheres franziram a testa e viraram o rosto. Uma delas falou com desdém:

— Bom, eles com certeza não sabem ler *camisa e sapatos obrigatórios*.

Pa fez um gesto para Kya se sentar a uma mesinha virada para o cais. Ela não conseguia ler o cardápio, mas ele lhe disse a maior parte, então ela pediu frango frito, purê de batatas, molho, feijão-verde e pães tão fofinhos quanto algodão recém-colhido. Ele pediu camarão frito, mingau de milho com queijo, quiabo e tomates verdes fritos. A garçonete pôs na mesa um prato inteiro de pacotes individuais de manteiga sobre cubos de gelo e um cesto de pão de milho e pãezinhos, e todo o chá gelado com açúcar que eles conseguissem beber. Eles então comeram de sobremesa torta de amora com sorvete. Kya ficou tão cheia que pensou que talvez fosse passar mal, mas tinha valido a pena.

Quando Pa estava no caixa pagando a conta, Kya foi para a calçada, onde o cheiro de podridão dos barcos de pesca pairava acima da baía. Segurava um guardanapo engordurado em volta do frango e dos pãezinhos que tinham sobrado. Os bolsos do seu macacão estavam cheios de pacotes de biscoito salgado que a garçonete havia deixado em cima da mesa para quem quisesse pegar.

— Oi.

Kya ouviu uma vozinha atrás de si e, ao se virar, viu uma menina de uns quatro anos e cachos louros com os olhos fixos nela. Usava um vestido azul-claro e estendeu a mão. Kya ficou encarando aquela mãozinha; era macia e fofa, e talvez fosse a coisa mais limpa que Kya já tinha visto na vida. Jamais esfregada com sabão de soda, certamente sem lama de mariscos sob as unhas. Ela então encontrou os olhos da menina, onde ela própria estava refletida exatamente como qualquer outra criança.

Kya passou o guardanapo para a mão esquerda e estendeu devagar a direita em direção à menina.

— Ei, saia daí!

De repente, a Sra. Teresa White, esposa do pastor metodista, saiu correndo pela porta da sapataria Buster Brown.

Barkley Cove caprichava no quesito religião. Por menor que fosse, o vilarejo tinha quatro igrejas, e isso só para os brancos; os negros tinham mais três.

Naturalmente, os pastores e ministros, e com certeza suas esposas, ocupavam posições muito respeitadas na cidade, e sempre se vestiam e se comportavam de forma condizente com isso. Teresa White muitas vezes usava saias em tom pastel e blusas brancas, além de sapatos de salto alto e bolsa combinando.

Ela se aproximou depressa da filha e a pegou no colo. Afastando-se de Kya, pôs a menina de volta na calçada e agachou-se ao seu lado.

— Meryl Lynn, querida, não chegue perto dessa menina, ouviu bem? Ela é suja.

Kya observou a mãe passar os dedos pelos cachos da menina, prestando atenção em quanto tempo as duas ficaram se encarando.

Uma mulher saiu do Piggly Wiggly e foi rapidamente até Teresa.

— Teresa, você está bem? O que houve aqui? Essa menina estava incomodando Meryl Lynn?

— Eu vi a tempo. Obrigada, Jenny. Eu queria que essa gente não viesse à cidade. Olhe só para ela. Imunda. Que nojo. Tem uma gastroenterite correndo por aí, e tenho certeza que veio deles. No ano passado eles trouxeram aquele caso de sarampo, e isso é muito sério.

Teresa se afastou segurando a menina pela mão com força.

Nesse exato instante, Pa, que trazia uma garrafa de cerveja dentro de um saco de papel pardo, chamou atrás dela:

— Que que você está fazendo? Vem, temos que dar o fora daqui. A maré está baixando.

Kya se virou e foi atrás dele. Enquanto voltavam para casa pelo brejo, ela ficou relembrando os cachos e os olhos da mãe e da filha.

Pa ainda sumia de vez em quando e passava vários dias sem dar as caras, mas não com a frequência de antes. E quando aparecia não caía de bêbado, em vez disso comia e conversava um pouco. Certa noite, eles jogaram cartas, ele morreu de rir quando ela ganhou, e Kya deu risadinhas com as mãos diante da boca feito uma menina normal.

Toda vez que descia da varanda, Kya olhava para a estradinha e pensava que, mesmo que a glicínia silvestre estivesse desbotada naquele fim de primavera e que a sua mãe tivesse ido embora no fim do verão anterior, ainda poderia ver Ma caminhando pela areia de volta para casa. Usando os mesmos sapatos de salto imitando jacaré. Agora que ela e Pa estavam pescando e conversando, quem sabe pudessem tentar ser uma família de novo. Pa tinha batido em todos eles, na maioria das vezes quando estava bêbado. Passava alguns dias bem; eles comiam frango ensopado. Certa vez tinham ido empinar uma pipa na praia. Então: bebia, gritava, batia. Detalhes de algumas dessas vezes eram nítidos em sua lembrança. Um dia, Pa havia empurrado Ma na parede da cozinha e a espancara até ela desabar, encolhida, no chão. Soluçando para ele parar, Kya havia tocado seu braço. Ele agarrara a filha pelos ombros, gritara para ela abaixar a calça jeans e a calcinha, e a fizera se curvar por cima da mesa da cozinha. Com um movimento fluido e experiente, tirou o cinto da calça e bateu nela. Claro que ela se lembrava da dor quente cortando suas nádegas nuas, mas curiosamente se lembrava com uma nitidez ainda maior da calça jeans embolada em volta dos tornozelos magros. E de Ma encolhida no chão junto ao fogão, gritando. Kya não sabia qual era o motivo de toda aquela briga.

Mas se Ma voltasse agora que Pa estava se comportando de modo decente, talvez eles pudessem recomeçar. Kya jamais havia imaginado que seria Ma quem partiria e Pa quem ficaria. Mas sabia que a mãe não iria abandoná-la para sempre; se ela estivesse em algum lugar do mundo lá fora, iria voltar. Lembrava-se dos lábios cheios e vermelhos quando Ma cantava acompanhando o rádio, e de ouvir suas palavras: "Preste atenção no Sr. Orson Welles, viu? Ele fala direito, como um homem decente. Nunca fale 'num é', isso não se diz."

Ma havia desenhado os estuários e poentes em óleo e aquarela, desenhos tão vívidos que pareciam destacados da terra. Trouxera alguns materiais de desenho, e conseguia comprar uma coisa ou outra na Kress's Five and Dime. Algumas vezes Ma tinha deixado Kya fazer os próprios desenhos em sacos de papel pardo do Piggly Wiggly.

No início de setembro daquele verão de pescaria, em uma tarde pálida de tão quente, Kya foi até a caixa de correio no fim da estradinha. Enquanto folheava os anúncios de mercearias, ficou petrificada ao ver um envelope azul endereçado com a caligrafia bem-feita de Ma. Algumas folhas de sicômoro estavam ganhando o mesmo tom de amarelo de quando ela fora embora. Todo aquele tempo sem sinal de vida, e agora uma carta. Kya encarou o envelope, segurou-o na contraluz, passou os dedos pela caligrafia oblíqua e perfeita. O coração esmurrava seu peito.

— Ma está viva. Morando em outro lugar. Por que não voltou para casa?

Pensou em rasgar o envelope e abrir a carta, mas a única palavra que conseguia ler com certeza era o próprio nome, e ele não estava no envelope.

Ela correu até o barracão, mas Pa tinha ido a algum lugar com o barco. Então apoiou a carta no saleiro em cima da mesa para ele ver. Enquanto cozinhava o feijão-fradinho com cebola, ficou de olho na carta, com medo de ela desaparecer.

De tantos em tantos segundos, ela se encolhia junto à janela da cozinha numa tentativa de escutar o *vrrrr* do barco. Então, de repente, Pa estava subindo mancando os degraus. Toda a coragem a abandonou, e ela passou correndo por ele, gritando que precisava ir à casinha; o jantar ficaria pronto logo. Ficou dentro da latrina fedida com o coração disparado e subindo pela boca. Equilibrada em pé no banco de madeira, ficou espiando pela fenda em forma de meia-lua da porta, sem saber exatamente o que esperava.

Então a porta da varanda bateu e ela viu Pa ir depressa na direção da lagoa. Ele seguiu direto para o barco, com uma garrafa de bebida na mão, ligou o motor e foi embora. Ela voltou correndo para casa e entrou na cozinha, mas a carta tinha sumido. Abriu as gavetas da cômoda dele e revirou o armário, procurando.

— Ela é minha também! Tão minha quanto sua.

De volta à cozinha, olhou na lixeira e encontrou as cinzas da carta, ainda debruadas de azul. Com uma colher, catou-as e as dispôs em cima da mesa, uma pequena pilha de restos pretos e azuis. Revirou pedacinho por pedacinho do lixo; talvez algumas palavras tivessem caído lá no fundo. Mas havia apenas vestígios de cinzas grudados na casca da cebola.

Ela se sentou diante da mesa, com o feijão ainda apitando na panela, e encarou o montinho.

— Ma tocou nesse papel. Talvez Pa me diga o que ela escreveu. Não seja burra... Isso é tão provável quanto nevar no pântano.

Até o carimbo do correio tinha sumido. Ela agora nunca saberia onde Ma estava. Guardou as cinzas numa garrafinha e a colocou dentro da caixa de charutos ao lado da sua cama.

Pa não voltou para casa nessa noite nem no dia seguinte. Quando finalmente apareceu, quem entrou cambaleando pela porta foi o velho bêbado. Assim que ela juntou coragem para perguntar sobre a carta, ele disparou:

— Num é nada da sua conta. — E então: — Ela não vai voltar, então pode esquecer essa história.

Carregando uma garrafa, ele foi com o passo arrastado até o barco.

— Isso não é verdade — berrou Kya para as costas dele, com os punhos cerrados junto ao corpo. Observou-o se afastar, então gritou para a lagoa vazia: — Não se fala "num é"!

Mais tarde, ela ficaria pensando se deveria ter aberto a carta sozinha, sem ter mostrado a Pa. Nesse caso poderia ter guardado as palavras para ler algum dia, e para ele teria sido melhor não saber quais eram.

Pa nunca mais a levou para pescar. Aqueles dias de calor foram apenas uma estação improvisada. As nuvens baixas tinham se aberto, o sol havia banhado o mundo de Kya por um breve instante, e as nuvens então tinham tornado a se fechar, escuras e cerradas.

Kya não lembrava como se fazia para rezar. O importante era como posicionava as mãos ou a força com que fechava os olhos?

— Quem sabe se eu rezar Ma e Jodie voltem para casa. Mesmo com todos os gritos e toda a confusão, aquela vida era melhor do que este mingau encaroçado.

Ela cantava trechos errados de hinos religiosos — "e Ele caminha ao meu lado, quando as rosas ainda estão úmidas de orvalho" —, tudo que conseguia recordar da igrejinha branca onde Ma a levara algumas vezes. A última ida delas fora no domingo de Páscoa antes de Ma ir embora, mas tudo que Kya se lembrava do feriado eram gritos e sangue, alguém caindo, ela e Ma correndo, então deixou a lembrança para lá de uma vez por todas.

Olhou por entre as árvores para a horta de milho e nabo de Ma, agora tomada pelas ervas daninhas. Com certeza não havia rosas ali.

— Esqueça isso. Nenhum deus vai vir a este jardim.

10.

Apenas capim ao vento

1969

A areia guarda segredos melhor do que a lama. O xerife estacionou a picape no início da estradinha que dava na torre, para eles não atropelarem nenhum indício de alguém que houvesse passado de carro ali na noite do suposto assassinato. Mas enquanto estavam andando pela trilha à procura de marcas de pneu que não fossem as deles, os grãos de areia se moviam e se transformavam em depressões sem forma a cada passo.

Então, nos buracos de lama e áreas pantanosas perto da torre, uma profusão de histórias se revelou em detalhes: um guaxinim com seus quatro filhotes havia entrado e saído da lama; uma lesma havia traçado um caminho intrincado interrompido pela chegada de um urso; e uma tartaruga pequena havia se deitado na lama fresca, formando com o ventre uma tigela lisa e rasa.

— Tudo cristalino, mas, tirando nosso carro, não há nada fabricado pelo homem.

— Sei não... — disse Joe. — Está vendo essa borda reta, depois um pequeno triângulo? Pode ser a marca de um pneu.

— Não, acho que isso é parte de uma pegada de peru que um veado pisou em cima depois, para fazer ficar geométrico assim.

Quinze minutos mais tarde, o xerife falou:

—Vamos até aquela pequena baía. Ver se alguém foi de barco até lá em vez de chegar de picape.

Afastando a murta fragrante do rosto, eles foram até a enseada minúscula. A areia úmida revelou pegadas de caranguejos, garças e maçaricos, mas nenhuma pegada humana.

— Ora, veja isto aqui. — Joe apontou para uma grande marca de cristais de areia intactos que se abria para formar um meio círculo quase perfeito. — Pode ser a marca de um barco de proa redonda que foi puxado até a margem.

— Não. O vento soprou esse caule de capim partido para a frente e para trás na areia e desenhou esse semicírculo. Foi capim ao vento, só isso.

Os dois ficaram parados olhando em volta. O restante da pequena praia em forma de meia-lua estava coberto por uma grossa camada de conchas quebradas, uma bagunça de pedaços de crustáceo e pinças de caranguejo. De todos, as conchas eram as que melhor guardavam segredos.

11.

Sacos cheios

1956

No inverno de 1956, quando Kya tinha dez anos, Pa chegava cambaleando ao barracão com cada vez menos frequência. Semanas se passavam sem nenhuma garrafa de uísque no chão, sem corpo esparramado na cama, sem dinheiro da segunda-feira. Ela vivia esperando vê-lo chegar mancando por entre as árvores com a garrafa na mão. Uma lua cheia e depois outra haviam passado desde que ela o vira.

Sicômoros e nogueiras estendiam galhos nus diante do céu opaco, e o vento inclemente sugava qualquer alegria que o sol de inverno pudesse ter espalhado pela paisagem desolada. Um vento inútil e ressecante numa terra marítima que não podia secar.

Sentada nos degraus da frente, ela ficou refletindo. Uma briga por causa do jogo de pôquer podia ter acabado com ele espancado e jogado no pântano numa noite fria e chuvosa. Ou talvez ele simplesmente tivesse ficado trôpego de tanto beber, entrado na mata e caído de cara no lamaçal.

— Acho que ele foi embora de vez.

Ela mordeu os lábios até a boca ficar branca. Não era a mesma dor de quando Ma tinha ido embora; na verdade, precisava se esforçar para ficar de luto por ele. Mas ser deixada totalmente sozinha era uma sensação tão vasta que chegava a ecoar, e as autoridades com certeza iriam descobrir e levá-la embora. Ela teria de fingir, até mesmo para Pulinho, que Pa continuava por perto.

E não haveria mais dinheiro da segunda-feira. Ela havia esticado durante semanas os últimos poucos dólares, sobrevivendo à base de mingau de milho, mariscos cozidos, e um ou outro ovo remanescente das galinhas fujonas. Os únicos mantimentos que restavam eram alguns fósforos, um pedacinho de sabão e um punhado de mingau. Alguns fósforos não durariam o inverno inteiro. Sem eles ela não poderia cozinhar o mingau, que preparava para si mesma, para as gaivotas e as galinhas.

— Eu não sei viver sem mingau.

Pelo menos, pensou, para onde quer que Pa houvesse desaparecido dessa vez, ele fora a pé. Kya ficara com o barco.

Teria de encontrar outro jeito de arranjar comida, claro, mas empurrou o pensamento para um canto distante da mente. Depois de jantar mariscos cozidos, que ela havia aprendido a amassar até formar uma pasta e espalhar pelos biscoitos salgados, folheou os livros amados de Ma, brincando de ler os contos de fadas. Mesmo aos dez anos, ainda não sabia ler.

Então o lampião de querosene tremeluziu, diminuiu e se apagou. Em um minuto o mundo era um círculo de luz suave; no seguinte, escuridão. Ela fez *ah*. Como Pa sempre havia comprado querosene e enchido o lampião, ela nunca tinha pensado muito nisso. Até ficar escuro.

Passou alguns segundos sentada, tentando extrair luz das sobras, mas não havia quase nada. Então a forma arredondada da geladeira e a moldura da janela começaram a se delinear na penumbra, e ela passou os dedos pela bancada até encontrar um toco de vela. Acendê-la gastaria um fósforo, restando apenas cinco. Mas a escuridão era um problema mais imediato.

Tchuf. Ela riscou o fósforo, acendeu a vela e o breu recuou para os cantos. Mas já tinha visto o suficiente dele para saber que precisava de luz, e querosene custava dinheiro. Ela abriu a boca, respirando em arquejos curtos.

— Talvez eu devesse ir até a cidade e me entregar às autoridades. Pelo menos me dariam comida e me mandariam para a escola. — Mas, após pensar um minuto, falou: — Não, não posso deixar as gaivotas, a garça, o barracão. O brejo é a única família que eu tenho.

Sentada à luz do que restava da vela, teve uma ideia.

Levantou-se na manhã seguinte, mais cedo do que de costume, quando a maré estava baixa, vestiu o macacão e saiu levando um balde, um canivete e dois sacos grandes de aniagem. De cócoras na lama, colheu mariscos nos canais como Ma tinha lhe ensinado, e em quatro horas agachada e ajoelhada juntou dois sacos cheios.

O sol vagaroso se afastou do mar enquanto ela guiava o barco por uma névoa densa até o posto de gasolina e iscas de Pulinho. Ele se levantou ao vê-la se aproximar.

— Olá, Srta. Kya, vai querer gasolina?

Ela encolheu o pescoço. Não falava com ninguém desde sua última visita ao Piggly Wiggly e sua fala estava falhando um pouco.

— Talvez gasolina. Mas depende. Ouvi dizer que o senhor compra mariscos, e tenho alguns aqui. Pode me pagar em dinheiro e colocar um pouco de gasolina?

Ela apontou para os sacos.

— É, pode ser. Estão frescos?

— Catei antes de amanhecer. Agorinha mesmo.

— Muito bem. Dá para dar cinquenta centavos por um saco e um tanque cheio pelo outro.

Kya deu um sorriso discreto. Dinheiro de verdade que ela mesma havia ganhado.

— Obrigada — foi tudo que disse.

Enquanto Pulinho enchia o tanque, Kya entrou na lojinha dele ali mesmo no cais. Nunca tinha prestado muita atenção porque fazia compras no Piggly, mas então viu que, além de iscas e tabaco, ele também vendia fósforos, banha, sabão, sardinhas, salsichas tipo Viena, mingau, biscoitos de água e sal, papel higiênico e querosene. Praticamente tudo de que ela precisava no mundo estava bem ali. Enfileirados no balcão havia cinco latões de quatro litros cheios de balas de um centavo: confetes sabor canela, balas duras multicoloridas, pirulitos de caramelo. Pareciam mais balas do que cabia no mundo inteiro.

Com o dinheiro dos mariscos, ela comprou fósforos, uma vela e mingau. Querosene e sabão teriam de esperar outro saco cheio. Foi preciso toda sua força de vontade para não comprar um pirulito de caramelo em vez da vela.

— Quantos sacos o senhor compra por semana? — perguntou ela.

— Ora, ora, a gente está fechando um acordo de negócio? — indagou ele, dando sua risada característica: boca fechada, cabeça jogada para trás. — Eu compro uns vinte quilos de dois em dois dias, três em três dias. Mas, veja, tem mais um monte de gente que traz também. Se você chega e eu já tenho o que eu preciso, bom, já era. Quem chega na frente leva. Esse é o jeito.

— Aham. Está bem assim, obrigada. Tchau, Pulinho. — Ela então acrescentou mais uma coisa: — Ah, aliás, meu pai mandou lembranças.

— É mesmo? Ora, ora. Diga que eu mandei de volta também, por favor. Tchau, Srta. Kya.

Ele deu um sorriso largo enquanto ela ia embora no barco a motor. Ela quase sorriu para si mesma. Comprar a própria gasolina e a comida com certeza faziam dela uma adulta. Mais tarde, no barracão, ao desembalar a pequena pilha de mantimentos, Kya encontrou no fundo da sacola uma surpresa amarela e vermelha. Não era adulta o suficiente para o pirulito de caramelo que Pulinho tinha colocado lá dentro.

Para ficar à frente dos outros catadores, Kya ia ao brejo à luz de uma vela ou da lua — sua sombra tremeluzia na areia reluzente — e catava os mariscos na escuridão da noite. Acrescentava ostras também, e às vezes dormia perto de valas debaixo das estrelas para chegar ao posto de Pulinho assim que amanhecesse. O dinheiro dos mariscos se mostrou mais confiável do que o da segunda-feira jamais fora, e em geral ela conseguia chegar antes dos outros.

Parou de ir ao Piggly, onde a Sra. Singletary sempre perguntava por que ela não estava na escola. Mais cedo ou mais tarde iriam pegá-la e tirá-la de lá. Virava-se com os mantimentos comprados no posto de Pulinho, e tinha mais mariscos do que conseguia comer. Não ficavam tão ruins misturados com mingau e esmigalhados até se tornarem irreconhecíveis. Não tinham olhos para encará-la como os peixes.

12.

Moedas e mingau

1956

Por semanas depois de Pa ir embora, Kya erguia os olhos ao ouvir corvos grasnarem: talvez eles o tivessem visto mancando pela mata. Qualquer barulho estranho no vento a fazia inclinar a cabeça, à escuta, para o caso de ser alguém. Qualquer um. Até mesmo sair correndo da agente educacional seria divertido.

Mais do que tudo, procurava o garoto pescador. Algumas vezes, ao longo dos anos vira-o ao longe, mas não falava com ele desde o dia em que ele havia lhe mostrado o caminho de volta para casa pelo charco, três anos antes. Ele era a única alma que ela conhecia no mundo além de Pulinho e algumas vendedoras. Sempre que percorria os canais, olhava em volta tentando encontrá-lo.

Certa manhã, ao entrar com o motor ligado num estuário de grama, viu o barco dele escondido nos juncos. Tate usava um boné diferente e estava mais alto, e mesmo a mais de cinquenta metros Kya reconheceu os cachos louros. Desligou o motor, manobrou silenciosamente o barco até o mato alto e ficou espiando. Mordendo os lábios, pensou em ir até lá, quem sabe perguntar se ele tinha pegado algum peixe. Parecia ser isso que Pa e qualquer outra pessoa no brejo dizia ao encontrar alguém: "Está pegando alguma coisa? Alguma fisgada?"

Mas ficou só olhando, sem se mexer. Sentia uma forte atração por ele e uma forte atração para se manter longe dele, e a consequência disso era ficar firme no lugar. Por fim, começou a seguir o caminho de casa, com o coração martelando as costelas.

Toda vez que o via era a mesma coisa: ficava olhando enquanto bancava a garça.

Ela ainda colecionava penas e conchas, mas as deixava espalhadas pelos degraus de tijolo e tábuas, salgadas e cheias de areia. Sempre passava uma parte do dia enrolando, enquanto a louça se acumulava na pia, e por que lavar macacões que ficariam sujos de lama outra vez? Havia muito tempo começara a usar os macacões velhos descartados por irmãos e irmãs que não estavam mais ali. Suas camisas estavam todas furadas. Ela não tinha mais nenhum sapato.

Certa noite, Kya tirou do cabide de arame o vestido sem mangas florido rosa e verde, o que Ma costumava usar para ir à igreja. Já fazia muitos anos que passava os dedos naquela lindeza — o único vestido que Pa não havia queimado — e tocava as florzinhas rosa. A parte da frente estava com uma mancha marrom desbotada logo abaixo das alças, sangue talvez. Mas já estava fraca, lavada e esfregada como outras lembranças ruins.

Kya passou o vestido pela cabeça, deslizando-o pelo corpo magro. A barra descia quase até os dedos dos pés; não estava bom. Ela o tirou, pendurou-o para aguardar mais alguns anos. Seria uma pena cortá-lo, usá-lo para catar mariscos.

Alguns dias mais tarde, Kya foi de barco até Point Beach, um avental de areia branca vários quilômetros ao sul do posto de Pulinho. O tempo, as ondas e os ventos a haviam moldado até transformá-la numa ponta alongada que acumulava mais conchas do que as outras praias, e ela havia encontrado algumas raras ali. Depois de amarrar o barco na ponta sul, começou a andar para o norte, à procura. De repente, vozes distantes — estridentes e animadas — chegaram flutuando no ar.

Na mesma hora, ela atravessou a praia correndo em direção à mata, onde havia um carvalho com quase vinte e cinco metros de um lado a outro mergulhado até os joelhos em samambaias tropicais. Escondeu-se atrás da árvore e observou um bando de crianças virem andando pela areia, correndo de vez em quando para o meio das ondas e chutando a espuma do mar. Um menino disparava na frente; outro lançava uma bola de futebol americano. Contrastando com a areia branca, as cores vivas dos shorts de algodão deles os faziam parecer pássaros coloridos e marcavam a mudança de estação. Era o verão que vinha andando pela praia na direção dela.

Conforme eles se aproximaram, ela se encostou no carvalho e espiou por trás do tronco. Cinco meninas e quatro meninos, um pouco mais velhos do que ela, com uns doze anos talvez. Ela reconheceu Chase Andrews lançando a bola para os meninos com quem ele andava sempre.

As meninas — Louraaltaemagra, Rabodecavalocomsardas, Cabelopretocurto, Semprecompérolas e Gordinhaebochechuda — vinham atrás num grupinho, caminhando mais devagar, conversando e dando risadinhas. Suas vozes chegavam até Kya feito sinos de vento. Ela era nova demais para se importar muito com os meninos; seu olhar se fixou no bando de meninas. Juntas, elas se agacharam para observar um siri correr de lado pela areia. Rindo, apoiaram-se nos ombros uma da outra até caírem emboladas na areia.

Kya mordeu o lábio inferior enquanto observava. Imaginando como seria estar entre elas. A alegria delas criava uma aura quase visível em contraste com o céu cada vez mais escuro. Ma lhe dissera que as mulheres precisam umas das outras mais do que precisam dos homens, mas nunca tinha lhe dito como fazer parte do grupinho. Sem dificuldade, ela entrou ainda mais na mata e ficou olhando por trás das samambaias gigantes até as crianças tornarem a se afastar pela praia na direção de onde tinham vindo, até se transformarem em pontinhos na areia.

A aurora incandescia por trás de nuvens cinza quando Kya atracou no cais de Pulinho. Ele saiu da sua lojinha balançando a cabeça.

— Desculpa, Srta. Kya — disse ele. — Eles chegaram antes da senhorita. Já completei minha cota de mariscos da semana, não dá para comprar mais não, senhorita.

Ela desligou o motor e o barco bateu num dos pilares do cais. Era a segunda semana que ela não chegava a tempo. Seu dinheiro tinha acabado e ela não podia comprar nada. Estava reduzida a moedas de um centavo e mingau.

— Srta. Kya, a senhorita precisa arrumar outro jeito de arranjar dinheiro. Não pode colocar todos os ovos numa cesta só, entende?

De volta ao barracão, ela se sentou nos degraus de tijolo e tábuas para pensar e teve outra ideia. Pescou durante oito horas seguidas, então deixou os vinte peixes que pegara de molho numa salmoura de água do mar durante a madrugada. Ao amanhecer, enfileirou-os nas prateleiras da velha casinha de defumar de Pa — do mesmo tamanho e formato de uma latrina —, acendeu um fogo no buraco e pôs uns gravetos verdes na fogueira, como ele fazia. Uma fumaça cinza-azulada subiu e começou a sair pela chaminé e por todas as rachaduras das paredes. A casinha inteira fumegava.

No dia seguinte, ela foi até o posto de Pulinho e, ainda de pé no barco, ergueu o balde. Aquilo não passava de um pouquinho de bluegills pequenos e carpas se desfazendo nas espinhas.

— O senhor compra peixe defumado, Pulinho? Eu tenho alguns aqui.

— Ora, e não é que tem mesmo, Srta. Kya? Então a gente faz assim, olha: eu fico com eles em consignação. Se eu vender, a senhorita fica com o dinheiro; se não conseguir vender, eu devolvo eles como eles estão. Pode ser assim?

— Fechado, Pulinho, obrigada.

Naquela noite, Pulinho pegou a estradinha de areia até Colored Town, um aglomerado de barracos, moradias improvisadas e até mesmo algumas casas espalhadas por lamaçais de água parada e valas lamacentas. O acampamento disperso ficava encravado bem fundo da mata, longe do mar, sem brisa, e "com mais mosquitos do que todo o estado da Geórgia".

Depois de uns cinco quilômetros, começou a sentir o cheiro da fumaça dos fogões improvisados flutuando por entre os pinheiros e a ouvir o rebuliço de alguns dos seus netos. Não havia ruas em Colored Town, apenas estradinhas como aquela, que cortavam a mata de um lado para outro até as casas das diferentes famílias. Ele e o pai tinham construído uma casa de verdade, com toras de pinheiro e uma cerca de madeira crua em volta do pátio de terra batida que Mabel, sua esposa de tamanho avantajado, varria até deixar impecável como se fosse um piso. Nenhuma cobra chegava a menos de dez metros dos degraus sem ser detectada pela sua pá.

Ela saiu da casa para recebê-lo com um sorriso, como fazia com frequência, e ele lhe entregou o balde com os peixes de Kya.

— O que é isso? — perguntou Mabel. — Parece coisa que nem cachorro ia trazer para casa.

— É aquela menina de novo. Foi a Srta. Kya que levou isso para mim. Às vezes não é ela que chega primeiro com os mariscos, então começou a defumar o peixe. E quer que eu venda isso.

— Deus do céu, a gente precisa fazer alguma coisa com essa menina. Ninguém vai comprar esse peixe dela, meu Deus, mas eu posso usar num ensopado. Talvez a nossa igreja possa arrumar algumas roupas, alguma coisa para ela. A gente pode dizer que tem uma família que troca suéter por carpa. Que tamanho ela tem?

— E está perguntando para mim? Magrinha. Tudo que eu sei é que ela é magrinha feito um varapau. Acho que vai aparecer lá cedinho, antes dos galos cantarem. Ela não tem mais um tostão.

Depois de comer mariscos requentados com mingau no café da manhã, Kya foi de barco até o posto de Pulinho para ver se o peixe defumado tinha rendido algum dinheiro. Durante todos aqueles anos, apenas ele estivera no posto ou então clientes, mas enquanto se aproximava devagar ela viu uma mulher negra e gorda varrendo o cais como se fosse o chão de uma cozinha. Pulinho estava sentado na sua cadeira, recostado na parede da loja, anotando números no livro-caixa. Ao vê-la, levantou-se com um salto e acenou.

— Bom dia — disse ela baixinho, deslizando com destreza até o cais.

— Olá, Srta. Kya. Tem alguém aqui para a senhorita conhecer. Esta aqui é minha esposa Mabel.

Mabel se aproximou e parou ao lado de Pulinho, portanto quando Kya subiu no cais as duas ficaram próximas.

A senhora estendeu a mão e segurou a de Kya, prendendo-a delicadamente na sua, e falou:

— É prazer conhecer a senhorita, Srta. Kya. Pulinho me disse que boa menina você é. Uma das melhores catadoras de ostra.

Apesar de cuidar da horta, passar metade do dia cozinhando e esfregar e remendar para os brancos, Mabel tinha a mão macia. Kya manteve os dedos dentro da luva preta, mas como não sabia o que dizer ficou calada.

— Srta. Kya, a gente tem uma família que troca roupa e outras coisas que você precisa por peixe defumado.

A menina aquiesceu. Sorriu para os próprios pés. Então perguntou:

— E gasolina para o meu barco?

Mabel olhou para Pulinho sem entender.

— Ora, ora — disse ele. — Vou te dar um pouco hoje porque sei que está quase sem. Mas continua trazendo mariscos e as outras coisas assim que puder.

Com seu vozeirão, Mabel falou:

— Meu Deus, menina, não se preocupa com os detalhes. Deixa eu olhar para você. Preciso calcular seu tamanho para dizer para eles. — Ela a levou até a lojinha. —Vamos sentar bem aqui e você vai me dizer que que você está precisando de roupa e de outras coisas.

Depois de elas conversarem sobre a lista, Mabel traçou o contorno dos pés de Kya num pedaço de saco de papel pardo e disse:

— Bem, volte amanhã e vai ter uma pilha aqui para você.

— Muito, muito obrigada, Mabel. — Então, em voz mais baixa, acrescentou: — Tem mais uma coisa. Encontrei uns pacotes velhos de sementes, mas não sei nada sobre jardinagem.

— Ora, ora. — Mabel se inclinou para trás e deu uma risada grave que saiu do fundo do seu peito generoso. — Claro que eu sei jardinar.

Ela percorreu o passo a passo com muitos detalhes, em seguida pegou sementes de abóbora, tomate e moranga em alguns jarros na prateleira. Separou cada tipo dentro de um pedaço de papel dobrado e desenhou o vegetal do lado de fora. Kya não sabia se Mabel tinha feito isso porque não sabia escrever ou porque sabia que Kya não conseguia ler, mas funcionou para ambas.

Enquanto subia no barco, ela agradeceu aos dois.

— Fico feliz em ajudar a senhorita, Srta. Kya. Volte amanhã para pegar suas coisas — disse Mabel.

Naquela mesma tarde, Kya começou a preparar as fileiras onde costumava ficar a horta de Ma. A pá fazia barulhos metálicos ao se mover pelos sulcos, espalhando um cheiro de terra e desencavando minhocas rosadas. Então Kya ouviu um *clic* diferente e se abaixou para desenterrar uma das antigas fivelas de cabelo feita de metal e plástico de Ma. Esfregou-a delicadamente no macacão até toda a sujeira sair. Como se estivessem refletidos no adorno barato, a boca vermelha e os olhos escuros de Ma ficaram mais nítidos do que em muitos anos. Kya olhou em volta; com certeza Ma estava subindo a estradinha naquele exato momento, vindo ajudá-la a revirar a terra. Finalmente em casa. Uma imobilidade como aquela era coisa rara; até mesmo os corvos tinham se calado, e ela escutava a própria respiração.

Separou mechas de cabelo e prendeu a fivela acima da orelha esquerda. Talvez Ma nunca fosse voltar. Talvez alguns sonhos devessem simplesmente passar. Ela levantou a pá e com um golpe esmigalhou um torrão de argila dura.

Quando Kya foi de barco até o cais de Pulinho na manhã seguinte, ele estava sozinho. Talvez a forma gorda de sua esposa e suas belas ideias houvessem sido uma ilusão. Mas ali, em cima do cais, estavam duas caixas de coisas para as quais ele apontava com um largo sorriso.

— Bom dia, Srta. Kya. Isto aqui é para você.

Kya pulou no cais e encarou os caixotes que transbordavam.

— Pode pegar — disse Pulinho. — É tudo seu.

Com delicadeza, ela tirou lá de dentro macacões, calças jeans e blusas de verdade, não apenas camisetas. Um par de Keds de cadarço azul-marinho e um par de sapatos de couro bicolores Buster Brown engraxado tantas vezes com cera branca e marrom que chegava a reluzir. Kya ergueu uma blusa branca com gola rendada e laço de cetim azul no pescoço. Sua boca se abriu um pouquinho.

A outra caixa continha fósforos, mingau, margarina, feijão, e um litro inteirinho de banha feita em casa. Por cima, enrolados em jornal, havia nabos e folhas de nabo, couves-nabos e quiabos.

— Pulinho — disse ela baixinho. — Isso é mais do que aqueles peixes poderiam custar. Talvez seja um mês de peixes.

— Ora, que que as pessoas vão fazer com um monte de roupa velha espalhada pela casa? Se elas têm essas coisas a mais e a senhorita precisa dessas coisas, e a senhorita tem peixes e elas precisam de peixe, então esse é o acordo. Agora precisa tirar tudo isso daí, porque não tenho espaço para quinquilharias aqui não.

Kya sabia que era verdade. Pulinho não tinha nenhum espaço sobrando, por isso ela estaria lhe fazendo um favor ao tirar aquilo do cais dele.

— Vou levar, então. Agradeça a eles, sim? E vou defumar mais peixe e trazer assim que puder.

— Está certo, então, Srta. Kya. Está ótimo assim. A senhorita traz os peixes quando tiver.

Kya voltou para o mar com o motor resfolegando. Ao passar pela península, fora do campo de visão do posto de Pulinho, pôs o motor em marcha neutra, enfiou a mão na caixa e pegou a blusa com gola de renda. Vestiu-a direto por cima do macacão áspero com os joelhos remendados, e amarrou a fitinha de cetim com laço no pescoço. Então, com uma das mãos na cana do leme, a outra na renda, seguiu pelo mar e pelos estuários em direção à sua casa.

13.

Penas

1960

Magra, porém musculosa para os seus quatorze anos, Kya estava na praia à tarde jogando migalhas para as gaivotas. Ainda não sabia contá-las; ainda não sabia ler. Não sonhava mais acordada em voar com as águias; talvez, quando é necessário arrancar o jantar da lama com as próprias mãos, a imaginação se achate e vire a de um adulto. O vestido sem mangas de Ma agora ficava justo no seu busto e batia logo abaixo dos joelhos. Ela imaginava que estivesse com a mesma altura da mãe, ou até mais. Voltou para o barracão, pegou uma vara com linha e foi pescar num matagal do outro lado da sua lagoa.

Bem na hora em que lançou a linha, um graveto estalou atrás dela. Virou a cabeça para trás com um tranco, à procura. Uma pegada no chão da mata. Não era um urso, cujas patas grandes produziam um ruído úmido nas folhas decompostas; era um *clang* sólido nos arbustos. Então os corvos grasnaram. Corvos guardam segredos tão mal quanto a lama: quando veem algo curioso na floresta, precisam contar para todo mundo. Quem escuta é recompensado: ou é avisado sobre a presença de predadores, ou então sobre a presença de comida. Kya sabia que algo estava acontecendo.

Puxou a linha e enrolou-a na vara ao mesmo tempo que avançava em silêncio pelo mato, abrindo caminho com os ombros. Tornou a parar, escutando com atenção. Uma clareira escura — um de seus lugares preferidos — se abria como uma caverna sob cinco carvalhos tão densos que apenas alguns filetes enevoados de luz do sol penetravam pelas copas, iluminando poças luxuriantes de lírio-do-bosque e violetas brancas. Seus olhos vasculharam a clareira, mas não encontraram ninguém.

Uma forma então atravessou furtivamente um arbusto mais adiante, e os olhos dela se fixaram lá. A forma parou. O coração dela acelerou. Ela se abaixou, e correu agachada, rápida e silenciosa, até a vegetação baixa na borda da clareira. Olhou para trás por entre os galhos e encontrou um menino mais velho andando depressa pela mata, virando a cabeça de um lado para outro. Ele parou ao vê-la.

Kya se escondeu atrás de uma moita de espinhos, então se espremeu para dentro de um túnel cavado por coelhos que serpenteava através de arbustos grossos feito a muralha de uma fortaleza. Ainda curvada, avançou atabalhoadamente, arranhando os braços nos espinhos. Parou outra vez e escutou. Ficou escondida ali, no calor escaldante, com a garganta ardendo de sede. Dez minutos se passaram e ninguém apareceu, portanto ela se esgueirou até a nascente que empoçava no meio do musgo e bebeu como um cervo. Perguntou-se quem seria aquele menino e por que ele tinha ido até ali. Era esse o problema de ir ao posto de Pulinho: as pessoas a viam lá. Feito a barriga de um porco-espinho, ela estava exposta.

Por fim, entre o crepúsculo e o anoitecer, naquela hora em que as sombras ficam incertas, ela refez o caminho até o barracão passando pela clareira de carvalhos.

— Eles ficam espreitando por aí e eu não pesquei nenhum peixe para defumar.

No meio da clareira havia um tronco apodrecido, tão atapetado de musgo que parecia um velho escondido sob uma capa. Kya chegou perto do tronco, então parou. Cravada no tronco e apontada bem para cima havia uma pena preta e fina de uns doze a quinze centímetros de comprimento. Para a maioria das pessoas aquilo teria parecido comum, quem sabe a pena da asa de um corvo. Mas ela sabia que era extraordinário, porque era a "sobrancelha" de uma garça-azul-grande, a pena que se curva graciosamente acima do olho e se estende para trás, projetando-se da cabeça elegante. Um dos mais belos fragmentos do charco litorâneo, bem ali. Ela nunca havia encontrado uma pena daquelas, mas soube na mesma hora o que era, afinal passara a vida inteira agachada diante de garças.

Uma garça-azul-grande tem a cor da névoa cinza refletida na água azul. E, assim como a névoa, se mistura ao fundo da paisagem e desaparece por completo, com exceção dos círculos concêntricos dos olhos alertas. É uma caçadora paciente e solitária, que fica em pé sozinha o tempo que for preciso para capturar a presa. Ou então, ao avistar a presa, dá um passo vagaroso de cada vez, feito uma dama de honra predadora. Apesar disso, em raras ocasiões, ela caça voando, dispara e dá um mergulho incisivo, feito uma espada com bico na ponta.

— Como é que ela ficou presa bem neste toco? — sussurrou Kya, olhando em volta. — Aquele menino deve ter colocado aqui. E pode estar me observando agorinha mesmo.

Ela ficou parada, o coração batendo com força outra vez. Então recuou para longe da pena, correu até o barracão e trancou a porta de tela, algo que raramente fazia, já que a proteção oferecida era ínfima.

No entanto, assim que foi amanhecendo entre as árvores, ela sentiu uma forte atração pela pena, ao menos para vê-la outra vez. Quando o sol nasceu, correu até a clareira, olhou em volta com cuidado, então caminhou até o toco e a pegou. Era muito lisa, quase sedosa. De volta ao barracão, encontrou um lugar especial para ela no meio da sua coleção — de minúsculas penas de beija-flor a grandes caudas de águia — que se curvava pela parede. Perguntou-se por que um menino lhe levaria uma pena.

Na manhã seguinte, Kya quis correr até o toco para ver se alguma outra pena tinha sido deixada, mas obrigou-se a esperar. Não podia esbarrar com o garoto. Por fim, já perto do meio-dia, andou até a clareira e se aproximou devagar, escutando com atenção. Como não ouviu nem viu ninguém, deu um passo à frente, e um raro e efêmero sorriso iluminou seu rosto quando ela viu uma pena fina e branca cravada no alto do toco. Ia da ponta dos seus dedos até o cotovelo, fazendo uma curva graciosa que terminava numa ponta fina. Ela a ergueu e deu uma gargalhada. A pena magnífica da cauda de um rabo-de--palha-de-bico-laranja. Kya nunca tinha visto aquela ave marinha, pois não havia nenhuma na região, mas em raras ocasiões era trazida até a costa pelos ventos dos furacões.

O coração de Kya se encheu de admiração por alguém ter tamanha coleção de penas raras a ponto de poder se desfazer daquela ali.

Como ela não conseguia ler o velho guia de Ma, não sabia o nome da maioria das aves e insetos, portanto inventava os próprios. E, mesmo sem saber escrever, havia encontrado um modo de catalogar seus espécimes. Seu talento havia se aprimorado, e agora ela era capaz de desenhar, pintar e esboçar qualquer coisa. Usando giz ou aquarelas compradas na Five and Dime, desenhava pássaros, insetos ou conchas nas sacolas do mercado e pregava os desenhos nos espécimes.

Naquela noite, deu-se ao luxo de acender duas velas e as colocou em pires em cima da mesa da cozinha para ver todos os tons do branco e poder pintar a pena de um rabo-de-palha-de-bico-laranja.

Mais de uma semana se passou sem nenhuma pena no toco. Kya foi lá várias vezes ao dia e espiou com cautela por entre as samambaias, mas não viu nada. Ao meio-dia, estava sentada no barracão, o que raramente fazia.

— Devia ter colocado o feijão de molho para a janta. Agora já não dá mais.

Percorreu a cozinha revirando os armários, tamborilando os dedos na mesa. Pensou em pintar, mas não o fez. Foi outra vez até o toco.

Mesmo a distância, viu a pena comprida e listrada da cauda de um peru selvagem. Ficou comovida. Os perus já tinham sido um dos seus preferidos. Ela já vira uns doze filhotes escondidos debaixo das asas da mãe enquanto a ave caminhava, alguns escapulindo por trás e correndo para alcançá-la.

Cerca de um ano antes, porém, quando estava atravessando um bosque de pinheiros, Kya havia escutado um grito agudo. Um bando de quinze perus selvagens — a maioria fêmeas, poucos machos — se alvoroçava ali perto, bicando o que parecia ser um trapo engordurado no chão sujo. Suas patas levantavam uma poeira que enevoava a mata, subia flutuando por entre os galhos e ficava presa ali. Ao chegar mais perto, Kya vira que era uma fêmea no chão, e que as outras aves do seu bando a bicavam e arranhavam seu pescoço e sua cabeça com as garras. Ela emaranhara as asas nos arbustos de tal forma que as penas apontavam em direções estranhas e ela não voava mais. Jodie tinha dito que, se uma ave fica diferente das outras — desfigurada ou ferida —, tem mais chance de atrair um predador, então o resto do bando a mata, o que é melhor do que atrair uma águia que talvez possa acabar levando um dos outros.

Uma fêmea grande arranhou a companheira desgrenhada com suas patas grandes de garras duras, depois a imobilizou no chão enquanto outra fêmea atacava seu pescoço e sua cabeça. A fêmea caída guinchava e lançava um olhar aterrorizado para o próprio bando que a atacava.

Kya entrou correndo na clareira, balançando os braços.

— Ei!! Que que estão fazendo? Saiam daí. Parem com isso!

A revoada de asas levantou mais poeira quando os perus se espalharam na direção dos arbustos, dois deles trombando com força num carvalho. Mas Kya chegou tarde demais. A fêmea, com os olhos arregalados, estava inerte. Sangue escorria do seu pescoço enrugado e todo torto no chão.

— Xô, saiam daqui!

Kya perseguiu as últimas aves grandes até elas se afastarem, arrastando as patas pelo chão, seu trabalho concluído. Ajoelhou-se junto da fêmea morta e cobriu os olhos da ave com uma folha de sicômoro.

Naquela noite, depois de ver os perus, jantou sobras de bolinhos de milho com feijão e ficou deitada em sua cama na varanda vendo a lua encostar na lagoa. De repente, ouviu vozes na mata se aproximando do barracão. Soavam nervosas, estridentes. Eram meninos, não homens. Ela se sentou com um tranco. Não havia porta dos fundos. Ou ela saía naquele instante, ou ainda estaria sentada na cama quando eles chegassem. Rápida feito um camundongo, correu até a porta, mas nesse exato instante velas apareceram se movendo para cima e para baixo, as luzes se agitando em halos. Tarde demais para fugir.

As vozes ficaram mais altas.

— Estamos chegando, Menina do Brejo!

— Ei... você está aí dentro? Menina do Elo Perdido!

— Mostre para a gente os seus dentes! Mostre para a gente a sua aranha do brejo!

Muitas risadas.

Ela se encolheu um pouco mais atrás da meia parede da varanda conforme os passos iam se aproximando. As chamas das velas tremeluziam loucamente, então se apagaram de vez quando cinco meninos, com uns treze ou quatorze anos, atravessaram correndo o quintal. Todas as vozes se calaram enquanto eles vinham a toda velocidade até a varanda e começavam a bater na porta de tela com as mãos espalmadas.

Cada batida era uma punhalada no coração da peru fêmea.

Imprensada contra a parede, Kya quis choramingar, mas prendeu a respiração. Eles poderiam arrombar facilmente a porta. Um tranco mais forte e estariam lá dentro.

Mas eles recuaram escada abaixo e voltaram correndo para as árvores, uivando e gritando com o alívio de ter sobrevivido à Menina do Brejo, à Menina Lobo, à menina que não sabia soletrar *dez*. As palavras e os risos deles continuaram chegando até ela pela mata enquanto eles desapareciam noite adentro e voltavam à segurança. Ela ficou olhando para as velas novamente acesas que saltitavam por entre as árvores. Então permaneceu sentada, olhando fixo para o silêncio pétreo da escuridão. Envergonhada.

Kya pensava naquele dia e naquela noite toda vez que via um peru selvagem, mas ficou animada ao encontrar a pena de cauda no toco da árvore. Só por saber que a brincadeira não tinha terminado.

14.

Fibras vermelhas

1969

Um calor pegajoso embaçava a manhã e a transformava numa névoa sem mar nem céu. Joe saiu do prédio do xerife e encontrou Ed descendo da viatura.

— Chegue aqui, xerife. Recebi mais coisa do laboratório sobre o caso Chase Andrews. Lá dentro está quente feito a goela de um javali.

Ele seguiu na frente até um carvalho grande cujas raízes muito antigas perfuravam o chão de terra feito punhos fechados. O xerife foi atrás pisando em bolotas que se esmigalharam sob seus pés, e os dois pararam em pé na sombra, com os rostos virados para a brisa do mar.

Joe leu em voz alta:

— "Contusões no corpo, ferimentos internos condizentes com uma queda de altura considerável." Chase Andrews bateu com a nuca mesmo naquela viga... As amostras de sangue e fios de cabelo batem com as dele. Isso provocou hematomas graves e danos ao lóbulo posterior, mas não tão graves a ponto de matar o cara.

— Pronto, é isso: ele morreu onde nós o encontramos, não foi levado até lá. O sangue e os cabelos na viga provam isso. "Causa da morte: impacto súbito nos lóbulos occipital e parietal do córtex cerebral posterior, medula seccionada"... por ter caído da torre.

— Então alguém destruiu mesmo todas as pegadas e impressões digitais. Algo mais?

— Escute só. Encontraram várias fibras externas na jaqueta dele. Fibras de lã vermelha que não constam em nenhuma das peças de roupa dele. Tem uma amostra incluída.

O xerife balançou um pequeno invólucro plástico.

Os dois homens espiaram os fios vermelhos e ondulados pressionados entre as camadas de plástico feito uma teia de aranha.

— Lã, segundo eles. Pode ser de um suéter, um cachecol, um gorro — disse Joe.

— Uma camisa, uma saia, meias, uma capa. Ora, pode ser de qualquer coisa. E a gente tem que encontrar.

15.

O jogo

1960

Ao meio-dia do dia seguinte, com as mãos nas bochechas, Kya se aproximou devagar do toco, quase rezando. Mas não havia nenhuma pena ali. Seus lábios se contraíram.

— Mas é claro. Eu preciso deixar alguma coisa para ele.

Tirou do bolso a pena da cauda de uma águia-calva ainda jovem que tinha encontrado naquela manhã mesmo. Só alguém que entendesse muito bem de aves saberia que aquela pena malhada e feia pertencia a uma águia. Uma águia de três anos, ainda não coroada. Não era tão preciosa quanto a pena da cauda de um rabo-de-palha-de-bico-laranja, mas ainda assim era valiosa. Ela a colocou com cuidado no toco e apoiou uma pedrinha por cima para o vento não levar.

Naquela noite, com os braços cruzados sob a cabeça, ficou deitada em sua cama na varanda com um sorrisinho no rosto. Sua família a abandonara à própria sorte para sobreviver num pântano, mas havia alguém que ia até lá sozinho para lhe deixar presentes na floresta. Alguma incerteza ainda perdurava, mas, quanto mais ela refletia, menos provável parecia que o menino quisesse lhe fazer algum mal. Não fazia sentido que um apreciador de aves fosse mau.

Na manhã seguinte, ela pulou da cama e começou a fazer o que Ma costumava chamar de "faxina pesada". Na cômoda de Ma, pretendia apenas se livrar dos resquícios que havia nas gavetas, mas ao pegar a tesoura de latão e aço da mãe — cujos buracos para os dedos eram curvos e tinham intrincados formatos de lírio — puxou de repente o cabelo para trás; não o aparava desde que Ma fora embora, mais de sete anos antes. Tirou fora vinte centímetros, deixando-o logo abaixo dos ombros. Olhou-se no espelho, virou um pouco a cabeça, sorriu. Limpou as unhas e penteou o cabelo até deixá-lo brilhante.

Guardou a escova e a tesoura e examinou alguns dos cosméticos velhos de Ma. A base líquida e o ruge tinham secado e rachado, mas batons deviam durar décadas, porque, quando abriu um, pareceu novo. Pela primeira vez, ela que na infância nunca havia brincado de se fantasiar, passou um pouco nos lábios. Estalou-os, então tornou a sorrir para o espelho. Achou que estava um pouco bonita. Não como Ma, mas agradável o suficiente. Deu uma risadinha, então tirou o batom. Logo antes de fechar a gaveta, viu um vidro de esmalte ressecado: Quase Rosa.

Kya pegou o vidrinho, e lembrou o dia em que Ma tinha voltado da cidade com aquele vidro de esmalte, algo muito inusitado. Tinha dito que combinaria muito bem com a pele morena delas. Pôs Kya e suas duas irmãs mais velhas sentadas uma ao lado da outra no sofá desbotado, disse para elas esticarem os pés descalços e pintou as unhas dos pés e depois as das mãos das meninas. Então pintou as próprias unhas, e todas riram e se divertiram se pavoneando pelo quintal exibindo as unhas cor-de-rosa. Pa estava fora não se sabia onde, mas o barco continuava atracado na lagoa. Ma deu a ideia de todas saírem de barco, algo que elas nunca tinham feito.

As quatro subiram na embarcação velha, ainda animadas como se estivessem bêbadas. Foi preciso puxar a cordinha algumas vezes para fazer o motor de popa pegar, mas ele finalmente ganhou vida com um pulo e elas partiram, com Ma manejando a cana do leme, e atravessaram a lagoa até chegar ao canal estreito que dava no brejo. Foram deslizando pelos cursos d'água, mas Ma não conhecia muito bem a região, e, ao entrarem numa lagoa rasa, elas encalharam na lama preta, viscosa e grossa feito alcatrão. Empurraram daqui e dali com varas, mas não conseguiram se mover. Não houve nada a fazer senão saltar do barco, de saia e tudo, e afundar na lama até os joelhos.

Ma gritava:

— Não deixem o barco virar, meninas, não deixem ele virar!

Elas puxaram e empurraram até soltá-lo, dando gritinhos de tanto rir ao ver os rostos enlameados umas das outras. Foi preciso algum esforço para embarcar novamente, escorregando pelas laterais feito peixes fora d'água. E, em vez de se sentarem nos bancos, as quatro se espremeram no fundo do barco, esticaram os pés em direção ao céu e mexeram os dedos, as unhas cor-de-rosa brilhando através da lama.

Ali deitada, Ma falou:

— Escutem agora o que eu vou dizer: o que aconteceu foi uma verdadeira lição de vida. Sim, nós encalhamos, mas o que nós, meninas, fazemos? Nos divertimos e rimos. É para isso que servem as irmãs e as amigas. Para ficarem juntas mesmo no meio da lama, especialmente no meio da lama.

Ma não havia comprado acetona, então, quando o esmalte começou a sair e lascar, elas ficaram com unhas cor-de-rosa desbotadas e falhadas nas mãos e nos pés, lembrando-as da diversão e da lição da vida real.

Ao olhar para o velho vidro de esmalte, Kya tentou ver os rostos das irmãs. E disse em voz alta:

— Onde você está, Ma? Por que você não ficou junta?

Assim que chegou à clareira de carvalhos na tarde seguinte, Kya viu cores vivas e nada naturais destacadas em meio aos verdes e marrons discretos da mata. Em cima do toco havia uma caixinha vermelha e branca de leite com outra pena ao lado. O menino parecia ter aumentado a aposta. Ela foi até lá e pegou a pena.

Prateada e macia, era uma pena da coroa de um savacu-de-coroa, uma das mais lindas do brejo. Então olhou dentro da caixa de leite. Bem enroladinhos, encontrou alguns pacotes de sementes — de nabo, cenoura e vagem — e, no fundo da caixa, enrolada em papel pardo, uma vela de ignição para o motor do barco. Ela tornou a sorrir e girou o pequeno círculo. Havia aprendido a viver sem a maioria das coisas, mas de vez em quando precisava de uma vela de ignição. Pulinho tinha lhe ensinado alguns reparos de motor, porém cada peça exigia uma ida à cidade e dinheiro em espécie.

Mas ali estava uma vela de ignição sobressalente para guardar até quando fosse preciso usá-la. Um extra. Seu coração se animou. A mesma sensação de ter um tanque cheio de gasolina ou de ver o sol se pôr sob um céu pincelado de cores. Ela ficou totalmente imóvel tentando absorver aquilo, o significado.

Havia observado aves machos cortejando fêmeas com presentes. Mas ela ainda era muito nova para aninhar.

Debaixo da caixa de leite havia um bilhete. Ela o desdobrou e olhou para as palavras escritas cuidadosamente com uma letra simples que uma criança teria conseguido ler. Kya conhecia de cor o horário das marés, era capaz de se guiar pelas estrelas para chegar em casa, sabia cada pena que existia em uma águia, mas mesmo aos quatorze anos não tinha condições de ler aquelas palavras.

Esquecera-se de trazer algo para deixar. Em seus bolsos só havia penas, conchas e favas comuns, então ela voltou depressa até o barracão e parou diante da parede de penas para escolher uma. As mais graciosas eram as penas da cauda de um cisne-pequeno. Ela tirou uma da parede para deixar no toco na próxima vez em que passasse por lá.

Quando começou a anoitecer, pegou o cobertor e foi dormir no brejo, perto de um canal repleto de luar e de mariscos, e ao amanhecer já tinha enchido dois sacos grandes. Dinheiro para gasolina. Como os sacos eram pesados demais para carregar, ela arrastou o primeiro de volta em direção à lagoa. Embora aquele não fosse o caminho mais curto, cruzou a clareira de carvalhos para deixar a pena de cisne. Passou pelas árvores sem prestar atenção, e ali, recostado no toco da árvore, estava o menino das penas. Reconheceu Tate, que tinha lhe mostrado o caminho de casa pelo brejo quando ela era pequena. Tate, que durante anos ela havia observado de longe sem coragem de se aproximar. Ele estava mais alto e mais velho, claro, devia ter uns dezoito anos. Seu cabelo dourado escapulia do boné para todos os lados em cachos e mechas soltas, e seu rosto era bronzeado, agradável. Estava calmo e exibia um sorriso largo, o rosto inteiro radiante. Mas o que a deixou emocionada foram seus olhos; eram castanho-dourados salpicados de verde, e estavam fixos nos dela como os de uma garça em um peixinho-dourado.

Ela estacou, abalada com a súbita quebra das regras tácitas. A graça era essa, um jogo em que eles não precisavam conversar ou ser vistos. Um calor subiu pelo seu rosto.

— Oi, Kya. Por favor... por favor, não fuja. Sou... só eu... Tate — disse ele bem baixinho e devagar, como se ela fosse burra ou algo assim.

Devia ser isso que o pessoal da cidade dizia a seu respeito, que ela mal falava a língua deles.

Tate não pôde evitar encará-la. Ela devia estar com treze ou quatorze anos, pensou. Mesmo com essa idade, porém, tinha o rosto mais impressionante que ele já vira. Os olhos grandes quase pretos e o nariz fino acima dos lábios bem desenhados lhe davam um ar exótico. Ela era alta e magra, o que lhe dava um aspecto frágil e flexível, como se houvesse sido moldada pelo vento. No entanto, era possível notar uma musculatura jovem e forte, de potência discreta.

O impulso de Kya, como sempre, foi sair correndo. Mas houve outra sensação. Uma plenitude que ela não sentia fazia anos. Como se algo morno houvesse sido derramado no seu coração. Ela pensou nas penas, na vela de ignição e nas sementes. Tudo poderia terminar se ela saísse correndo. Sem dizer nada, ergueu a mão e estendeu para ele a pena elegante de cisne. Bem devagar, como se ela pudesse sair em disparada como um veado assustado, ele se aproximou e observou a pena estendida na sua mão. Ela ficou em silêncio olhando apenas para a pena, não para o rosto dele, nem para qualquer lugar perto dos seus olhos.

— Cisne-pequeno, né? Incrível, Kya. Obrigado — disse ele.

Ele era bem mais alto do que ela, e curvou-se ligeiramente ao pegar a pena da sua mão. É claro que aquele era o momento de Kya agradecer pelos presentes, mas ela ficou calada desejando que ele fosse embora, desejando que os dois pudessem se ater à brincadeira.

Tentando preencher o silêncio, ele continuou falando:

— Foi meu pai quem me ensinou das aves.

Por fim, ela ergueu os olhos para ele e disse:

— Eu não consigo ler seu bilhete.

— Bom, claro que não, você não foi à escola. Eu esqueci. O bilhete só dizia que eu tinha te visto uma ou duas vezes pescando, e pensei que talvez a vela de ignição e as sementes pudessem ser úteis. Eu tinha algumas sobrando, e achei que poderia poupar uma ida à cidade. Imaginei que fosse gostar das penas.

Kya baixou a cabeça e disse:

— Obrigada por elas. Foi gentileza sua de verdade.

Tate reparou que, embora o rosto e o corpo dela exibissem os primeiros indícios e curvas da idade adulta, o comportamento e o modo de falar eram um pouco infantis, contrastando com os das meninas da cidade, cujo comportamento — maquiagem exagerada, palavrões, cigarros — superava em muito as suas curvas.

— De nada. Bem, é melhor eu ir andando, está ficando tarde. Vou aparecer de vez em quando, se você não se importar.

Kya não respondeu. O jogo devia ter acabado. Assim que ele entendeu que ela não ia falar mais nada, balançou a cabeça, tocou o boné com a mão e virou-se para ir. Mas, quando estava abaixando a cabeça para passar pelos arbustos, tornou a olhar para ela.

— Eu poderia ensinar você a ler, sabe?

16.

Leitura

1960

Durante dias, Tate não voltou para as aulas de leitura. Antes do jogo das penas, a solidão havia se tornado um apêndice natural para Kya, como um braço. Agora criava raízes dentro dela e pressionava seu peito.

Em um fim de tarde, ela saiu de barco.

— Não posso ficar sentada esperando.

Em vez de atracar no posto de Pulinho, onde seria vista, ela escondeu a embarcação numa enseada pequena um pouquinho mais ao sul e, carregando um saco de aniagem, percorreu o caminho sombreado em direção a Colored Town. Uma chuva fraca havia caído durante a maior parte do dia, e no momento, conforme o sol se aproximava do horizonte, a floresta criava uma névoa própria que flutuava pelas clareiras de suculentas. Ela nunca tinha ido a Colored Town, mas sabia onde ficava, e pensou que, uma vez lá, encontraria a casa de Pulinho e Mabel.

Estava usando uma calça jeans e uma blusa rosa dadas por Mabel. Dentro do saco de aniagem havia dois vidros de meio litro de uma geleia de amora bem rala que ela própria tinha feito para retribuir a gentileza do casal. A necessidade de estar com alguém e a oportunidade de conversar com uma amiga mulher a impeliam na direção deles. Se Pulinho ainda não tivesse chegado em casa, quem sabe ela poderia se sentar e conversar com Mabel.

Então, perto de uma curva no caminho, Kya ouviu vozes vindo na sua direção. Parou e escutou atentamente. Saiu depressa da estrada, entrou na mata e se escondeu atrás de um arbusto de murta. Um minuto mais tarde, dois garotos brancos usando macacões esfarrapados surgiram pela curva trazendo material de pesca e uma fieira de peixes-gato tão comprida quanto o braço de Kya. Ela ficou paralisada atrás do arbusto e aguardou.

Um dos garotos apontou para um lugar mais à frente no caminho.

— Olha só aquilo.

— Que sorte. Lá vem um macaco vindo para a Cidade dos Macacos.

Kya olhou para o caminho, e de fato, voltando para casa depois do trabalho, lá vinha Pulinho. Estava bem perto e com certeza tinha escutado os garotos, mas simplesmente baixou a cabeça, entrou na mata para passar longe deles, e seguiu em frente.

O que ele tem, por que não faz alguma coisa?, esbravejou Kya consigo mesma. Sabia que *macaco* era ruim de se dizer; sabia disso pelo modo como Pa costumava usar a palavra feito um palavrão. Pulinho poderia ter batido a cabeça daqueles garotos uma na outra, ensinado uma lição a eles. Mas apressou o passo.

— Só um macaco velho indo para a cidade. Cuidado aí, neguinho, vê se não vai cair — disseram eles para provocar Pulinho, que manteve os olhos fixos nos próprios pés.

Um dos garotos estendeu a mão para o chão, pegou uma pedra e a lançou nas costas de Pulinho. Acertou logo abaixo da escápula com uma pancada. Ele se desequilibrou um pouco e continuou andando. Os garotos riram quando ele desapareceu depois da curva, então cataram mais pedras e o seguiram.

Kya se esgueirou pelo meio dos arbustos até ultrapassá-los, com os olhos fixos em seus bonés balançando acima dos galhos. Agachou-se num ponto em que os arbustos densos se aproximavam do caminho por onde eles passariam dali a segundos a menos de meio metro dela. Pulinho estava mais à frente, fora do campo de visão. Ela torceu o saco de aniagem com a geleia até deixá-lo bem apertado num nó em volta dos vidros. Quando os garotos chegaram na altura do arbusto, ela brandiu o saco pesado e acertou o mais próximo com força na nuca. O garoto caiu para a frente e desabou de cara no chão. Aos gritos e guinchos, ela partiu para cima do outro, pronta para quebrar sua cabeça também, mas o garoto saiu correndo. Ela adentrou uns cinquenta metros entre as árvores e ficou observando até o primeiro garoto se levantar, segurando a cabeça e xingando.

Carregando o saco de vidros de geleia, Kya deu meia-volta em direção ao seu barco e foi para casa. Pensou que provavelmente nunca mais faria uma visita.

No dia seguinte, quando o barulho do motor de Tate resfolegou pelo canal, Kya correu até a lagoa e ficou parada no meio dos arbustos observando-o saltar do barco com uma mochila. Ele olhou em volta e chamou seu nome, e bem devagar ela deu um passo à frente vestindo uma calça jeans do seu tamanho e uma blusa branca com botões descombinados.

— Oi, Kya. Desculpe não ter conseguido vir antes. Tive que ajudar meu pai, mas vamos fazer você ler em dois tempos.

— Oi, Tate.

— Vamos sentar aqui.

Ele apontou para a curva em um galho de carvalho imerso nas sombras da lagoa. Pegou na mochila um livro fino e gasto do alfabeto e um bloco pautado. Com uma letra cuidadosa e lenta, traçou as letras entre as linhas, *a A*, *b B*, e pediu para ela fazer o mesmo, paciente com o esforço que a fazia pôr a língua para fora. Conforme ela escrevia, ele ia dizendo as letras em voz alta. Suave e lentamente.

Ela se lembrava de algumas das letras que Jodie e Ma tinham lhe mostrado, mas não sabia quase nada sobre juntá-las em palavras de verdade.

Em questão de minutos, ele disse:

— Viu? Você já pode escrever uma palavra.

— Quê?

— *B-e-c-a*. Pode escrever a palavra *beca*.

— Que que é beca? — perguntou ela.

Ele sabia que não devia rir.

— Não se preocupe se não souber. Vamos em frente. Logo logo você vai escrever uma palavra que conhece. — Depois de um tempo, ele disse: — Você vai ter que estudar bastante o alfabeto. Vai demorar um pouco para pegar, mas você já sabe ler um pouquinho. Vou mostrar.

Como ele não tinha nenhuma gramática, o primeiro livro dela foi a cópia do pai de Tate de *Pensar como uma montanha*, de Aldo Leopold. Ele apontou para a primeira frase e pediu que lesse em voz alta. A primeira palavra era

Existem, e ela teve de voltar ao alfabeto e treinar o som de cada letra, mas ele foi paciente, explicou o som da letra *x*, e ergueu os braços e riu quando ela finalmente pronunciou a palavra. Radiante, continuou a observá-la.

Aos poucos, ela foi desvendando a frase palavra por palavra. "Existem pessoas que conseguem viver sem coisas selvagens, e pessoas que não."

— Ah — disse ela. — Ah.

— Você sabe ler, Kya. Não vai mais ter um dia em que você não saiba ler.

— Não é só isso. — Ela quase sussurrou. — Eu não sabia que palavras podiam ter tanta coisa. Não sabia que uma frase podia ser tão cheia.

Ele sorriu.

— Essa é uma frase muito boa. Nem todas as palavras têm tanta coisa assim.

Ao longo dos dias seguintes, sentados na curva do carvalho na sombra ou na margem da lagoa debaixo do sol, Tate lhe ensinou a ler as palavras que falavam sobre os gansos e grous de verdade ao seu redor. "E se não houver mais a música dos gansos?"

Entre ajudar o pai ou jogar beisebol com os amigos, ele ia à casa de Kya várias vezes por semana, e agora, não importava o que estivesse fazendo — tirando ervas daninhas da horta, dando comida às galinhas, catando conchas —, ela ficava atenta ao barulho do barco dele roncando canal acima.

Na praia, certo dia, lendo sobre o que os chapins almoçavam, ela lhe perguntou:

— Você mora com a sua família em Barkley Cove?

— Moro com meu pai. Sim, em Barkley.

Kya não perguntou se ele tinha outros parentes que não estavam mais lá. A mãe dele também devia ter abandonado a família. Parte dela quis tocar a mão dele, uma vontade estranha, mas seus dedos se recusaram. Em vez disso, ela decorou as veias azuladas na parte interna do pulso dele, tão intrincadas quanto aquelas desenhadas nas asas das vespas.

À noite, sentada à mesa da cozinha, ela repassava as lições à luz do lampião de querosene, cuja iluminação suave vazava pelas janelas do barracão e tocava os galhos baixos dos carvalhos. Era a única luz em muitos e muitos quilômetros de breu, exceto pelo brilho discreto dos vaga-lumes.

Com cuidado, ela escrevia e pronunciava diversas vezes cada palavra. Segundo Tate, palavras compridas eram apenas palavras pequenas amarradas umas nas outras; assim ela não teve medo delas, aprendeu *pleistoceno* ao mesmo tempo que aprendeu *sol*. Aprender a ler era a coisa mais divertida que já tinha feito na vida. Mas não entendia por que Tate havia se oferecido para ensinar um lixo branco e pobre feito ela, nem por que tinha ido até lá para início de conversa, levando penas bonitas. Mas ela não perguntou, com medo de que a pergunta o fizesse refletir e ir embora.

Agora Kya podia enfim catalogar todos os seus espécimes preciosos. Pegou cada pena, cada inseto, cada concha e cada flor, verificou nos livros de Ma como se soletrava o nome, e escreveu-o com cuidado no desenho do papel pardo das sacolas.

— O que vem depois de vinte e nove? — perguntou ela a Tate certo dia.

Ele a encarou. Ela sabia mais sobre as marés e os gansos-da-neve, sobre as águias e as estrelas do que a maioria das pessoas jamais saberia, mas não sabia contar até trinta. Ele não queria deixá-la com vergonha, por isso não demonstrou surpresa. Kya era muito talentosa interpretando olhares.

— Trinta — respondeu apenas. — Olha, eu vou te mostrar os números e a gente vai fazer algumas contas básicas. É fácil. Vou trazer uns livros para você.

Ela lia tudo que aparecia: as instruções no pacote de mingau, as anotações de Tate, e as histórias dos livros de contos de fadas que passara anos fingindo ler. Então, certa noite, emitiu um débil *ah* e pegou a velha Bíblia na prateleira. Sentada à mesa, virou as páginas finas com cuidado até chegar a "Esta Bíblia pertence a...". Encontrou o próprio nome bem no final. Ali estava ele, o dia do seu aniversário: *Srta. Catherine Danielle Clark, 10 de outubro de 1945*. Então tornou a subir pela lista e leu os nomes verdadeiros de seus irmãos e irmãs:

Sr. Jeremy Andrew Clark, 2 de janeiro de 1939.

— Jeremy — falou em voz alta. — Jodie, nunca pensei que você fosse um Sr. Jeremy.

Srta. Amanda Margaret Clark, 17 de maio de 1937. Kya tocou o nome com os dedos. Repetiu o gesto várias vezes.

Continuou lendo. *Sr. Napier Murphy Clark, 4 de abril de 1936*. Kya falou baixinho:

— Murph, seu nome era Napier.

No alto, a mais velha, *Srta. Mary Helen Clark, 19 de setembro de 1934*. Ela tornou a esfregar os nomes com os dedos, o que fez rostos surgirem diante de seus olhos. Os rostos ficaram borrados, mas ela viu todos eles espremidos ao redor da mesa comendo ensopado, passando bolinhos de milho, até rindo um pouco. Sentiu vergonha por ter esquecido os nomes deles, mas agora que os havia encontrado nunca mais os deixaria escapar.

Acima da lista dos filhos ela leu: *O Sr. Jackson Henry Clark casou-se com a Srta. Julienne Maria Jacques em 12 de junho de 1933*. Só nesse instante ela ficou sabendo o verdadeiro nome dos pais.

Passou alguns minutos sentada ali, com a Bíblia aberta em cima da mesa. Com a família na sua frente.

O tempo garante que os filhos nunca conheçam os pais quando jovens. Kya jamais veria o belo Jake entrar com passo firme num bar de Asheville que servia refrigerantes no início dos anos 1930 e se deparar com Maria Jacques, uma formosura de cachos negros e lábios vermelhos vindos de Nova Orleans. Enquanto os dois tomavam milk-shake, ele contou que a sua família tinha uma fazenda, e que depois do segundo grau iria estudar para ser advogado e morar numa mansão com fachada de colunas.

Mas quando a Depressão piorou o banco leiloou as terras e as arrancou dos Clark, e o pai de Jake o tirou da escola. Eles se mudaram para uma cabana de pinheiros mais adiante na mesma rua, que nem tanto tempo antes assim fora ocupada por escravos. Jake trabalhava nas plantações de tabaco, empilhando folhas ao lado de homens e mulheres negros com bebês amarrados às costas por xales coloridos.

Certa noite, dois anos depois, sem se despedir, Jake foi embora antes do raiar do dia levando consigo tantas roupas de qualidade e tesouros de família quanto pôde carregar, incluindo o relógio de bolso de ouro do avô e o anel de brilhante da avó. Pegou carona até Nova Orleans e encontrou Maria morando com a família numa casa elegante perto do rio. A família era descendente de um comerciante francês e tinha uma fábrica de sapatos.

Jake empenhou os objetos de valor e a levou para comer em restaurantes elegantes decorados com cortinas de veludo vermelho, dizendo-lhe que iria comprar a tal mansão com fachada de colunas. Quando ele se ajoelhou sob um pé de magnólia, ela aceitou ser sua esposa, e os dois se casaram em 1933 numa cerimônia religiosa pequena durante a qual a família dela nada disse.

A essa altura, o dinheiro tinha acabado, e ele aceitou um emprego oferecido pelo sogro na fábrica de sapatos. Imaginou que fosse ser gerente, mas o Sr. Jacques, um homem que não se deixava enredar facilmente, insistiu para o genro aprender o ofício desde o princípio, como qualquer outro funcionário. Jake então foi trabalhar cortando solados.

Ele e Maria moravam num apartamento pequeno em cima da garagem, mobiliado com algumas peças luxuosas do dote dela misturadas com mesas e cadeiras compradas em mercados de pulgas. Ele se matriculou em aulas noturnas para terminar o segundo grau, mas costumava matar as aulas para jogar pôquer e, fedendo a uísque, voltava tarde para casa e para sua jovem esposa. Após apenas três semanas, a professora o expulsou da turma.

Maria implorou para ele parar de beber e demonstrar entusiasmo pelo emprego, de modo que o pai o promovesse. Mas os bebês começaram a chegar e a bebida nunca cessou. Entre 1934 e 1940, eles tiveram quatro filhos, e Jake só foi promovido uma vez.

A guerra contra a Alemanha serviu de equalizador. Reduzido à mesma cor de uniforme de todos os outros, Jake escondeu a vergonha que sentia e bancou outra vez o orgulhoso. Certa noite, porém, sentado num abrigo enlameado na França, alguém gritou que o sargento deles tinha levado um tiro e estava caído se esvaindo em sangue a vinte metros dali. Nada mais que garotos, eles deveriam estar sentados no banco esperando para rebater um lançamento de beisebol, nervosos com alguma bola de efeito. Mesmo assim, levantaram-se em um pulo na mesma hora e saíram correndo para salvar o homem ferido; todos menos um.

Jake ficou encolhido num canto, apavorado demais para se mexer, mas um morteiro explodiu em amarelo e branco bem na beira do abrigo, estilhaçando em mil pedaços os ossos da sua perna esquerda. Quando os soldados voltaram para a trincheira arrastando o sargento, supuseram que Jake tinha sido atingido durante o resgate. Ele foi declarado herói. Ninguém jamais saberia. Exceto o próprio Jake.

Com uma medalha e uma dispensa médica, ele foi mandado de volta para casa. Decidido a nunca mais trabalhar na fábrica de sapatos, passou apenas algumas noites em Nova Orleans. Maria assistiu enquanto ele sem dizer nada vendia todos os móveis bons e toda a prataria, então enfiou a família no trem e fez todos se mudarem para a Carolina do Norte. Descobriu por meio de um velho amigo que a mãe e o pai tinham morrido, abrindo caminho para o seu plano.

Ele havia convencido Maria de que morar no chalé que o pai construíra como refúgio de pesca no litoral da Carolina do Norte seria um recomeço.

Não haveria aluguel, e Jake poderia terminar o segundo grau. Ele comprou um barquinho de pesca em Barkley Cove e percorreu muitos quilômetros de cursos d'água no meio do brejo com a família e todos os pertences empilhados em volta, além de algumas caixas de chapéu elegantes equilibradas por cima. Quando finalmente chegaram à lagoa onde o barracão frágil com telas enferrujadas se encolhia sob os carvalhos, Maria agarrou o caçula Jodie e conteve o choro.

— Não se preocupe — garantiu Pa. — Vou dar um jeito nisto aqui num piscar de olho.

Mas Jake nunca ajeitou o barracão nem terminou o segundo grau. Pouco depois de eles chegarem, começou a beber e a jogar pôquer no Swamp Guinea, tentando esquecer aquela trincheira num copo de aguardente.

Maria fez o que pôde para construir um lar. Comprou lençóis de segunda mão para os colchões no chão e uma banheira de latão; lavava a roupa na torneira do quintal, e aprendeu sozinha a ter uma horta e criar galinhas.

Pouco depois de eles chegarem, todos usando suas melhores roupas, ela levou as crianças até Barkley Cove para fazer a matrícula na escola. Jake, porém, desdenhava do conceito de estudo, e na maior parte dos dias dizia a Murph e Jodie para matarem aula e irem caçar esquilos ou pescar algo para o jantar.

Jake levou Maria para apenas um passeio de barco ao luar, o que resultou no último filho deles, uma menina chamada Catherine Danielle; mais tarde apelidada de Kya, porque, na primeira vez que lhe perguntaram, foi assim que ela disse se chamar.

Vez ou outra, quando estava sóbrio, Jake tornava a sonhar em terminar a escola e dar uma vida melhor para todos eles, mas a sombra da trincheira surgia em sua mente. Antes seguro e confiante, bonito e em boa forma, ele não suportava mais o homem em que havia se tornado, e combatia isso com um gole de bebida. Misturar-se aos briguentos, beberrões e desbocados renegados do brejo foi a coisa mais fácil que Jake já fez.

17.

Cruzando o limiar

1960

Um dia, durante o verão da leitura, quando ela foi de barco até o posto de Pulinho, ele falou:

— E tem mais uma coisa, Srta. Kya. Uns homens têm aparecido aqui perguntando sobre a senhorita.

Ela o encarou em vez de desviar o olhar.

— Quem, o que eles queriam?

— Acho que são do Serviço Social, senhorita. Fizeram um monte de pergunta. Se seu pai continua por aqui, cadê sua mãe, se a senhorita vai para a escola no outono. Quando é que a senhorita aparece aqui... Eles queriam saber principalmente que hora que a senhorita aparece aqui.

— O que disse a eles, Pulinho?

— Bem, eu fiz o que deu para disfarçar. Disse que seu pai vai bem, obrigado, que saiu para pescar. — Ele riu e inclinou a cabeça para trás. — Depois falei que eu nunca sei quando que a senhorita vai aparecer aqui de barco. Não precisa se preocupar, não, Srta. Kya. Pulinho vai despachar esses homens para procurar a senhorita num lugar imaginário se eles aparecerem de novo.

— Obrigada.

Depois de encher o tanque, Kya foi direto para casa. Teria de ser mais vigilante, quem sabe achar um esconderijo no brejo por um tempo, até desistirem dela.

No fim da tarde, quando Tate encostou na margem e seu casco arranhou suavemente a areia, ela perguntou:

— Podemos se encontrar em outro lugar sem ser aqui?

— Oi, Kya. É um prazer ver você.

Tate a cumprimentou ainda sentado à cana do leme.

— O que você acha?

— Não se diz "podemos se encontrar", o certo é "podemos nos encontrar", e é educado cumprimentar as pessoas antes de pedir um favor.

— Você fala assim às vezes — disse ela, quase sorrindo.

— É, todo mundo fala meio errado aqui na zona rural da Carolina do Norte, mas a gente precisa se esforçar.

— Boa tarde, Sr. Tate — disse ela, fazendo uma pequena mesura. Ele notou a audácia e a petulância em algum lugar lá dentro. — Mas podemos nos encontrar em algum lugar sem ser aqui? Por favor.

— Claro, acho que sim, mas por quê?

— Pulinho disse que o Serviço Social está atrás de mim. Estou com medo de eles me fisgarem como se eu fosse uma truta e me colocarem num lar adotivo ou algo assim.

— Bom, é melhor a gente se encontrar bem longe, lá onde cantam os lagostins. Tenho pena de qualquer família adotiva que receba você.

O rosto inteiro de Tate sorria.

— Como assim, onde cantam os lagostins? Ma dizia isso.

Kya recordou Ma sempre incentivando-a a explorar o brejo: "Vá o mais longe que puder, para um lugar bem longe daqui, lá onde cantam os lagostins."

— Quer dizer bem no meio do mato, onde os animais são selvagens e ainda se comportam como animais. Você tem alguma ideia de onde a gente pode se encontrar?

— Tem um lugar que eu achei uma vez, um chalé velho, caindo aos pedaços. Se você souber onde virar, consegue chegar lá de barco; eu posso ir a pé daqui.

— Então sobe aqui. Me mostra desta vez; da próxima a gente pode se encontrar lá mesmo.

— Se eu não estiver, vou deixar uma pilha pequena de pedras bem aqui ao lado do tronco de amarrar barcos. — Kya apontou para um ponto na faixa de areia da lagoa. — Senão estou por aqui em algum lugar e vou aparecer quando ouvir o seu motor.

Eles saíram devagar pelo brejo, com o motor cuspindo, então seguiram rumo ao sul pelo mar aberto, na direção contrária à da cidade. Ela ia se balançando na proa, as lágrimas causadas pelo vento riscando suas bochechas e fazendo cócegas frias em suas orelhas. Quando eles chegaram a uma pequena enseada, ela o guiou por um córrego estreito de água doce sombreado por arbustos baixos. Em vários momentos o córrego parecia se extinguir, mas Kya sinalizou que dava para prosseguir, e eles entraram no meio de mais arbustos.

Por fim, chegaram a um vasto terreno baixo onde o curso d'água passava por um chalé velho de um cômodo só feito com toras de madeira e desmoronado de um dos lados. As toras tinham se soltado, e havia algumas espalhadas pelo chão como um jogo de pega-varetas. O telhado, ainda apoiado em meia parede, descia do ponto mais alto ao mais baixo feito um chapéu torto. Tate atracou o barco na lama e eles caminharam em silêncio até a porta aberta.

Lá dentro estava escuro e fedia a urina de rato.

— Bom, espero que você não esteja pretendendo morar aqui... O chalé inteiro pode desmoronar na sua cabeça.

Tate empurrou a parede. Pareceu razoavelmente sólida.

— É só um esconderijo. Posso estocar um pouco de comida caso eu precise passar um tempo fora.

Tate se virou e a encarou enquanto seus olhos se ajustavam à penumbra.

— Kya, você já pensou em voltar à escola e ponto? Não iria te matar, e talvez eles te deixassem em paz.

— Eles devem ter entendido que estou sozinha, e se eu for vão me pegar e me deixar com uma família. De qualquer forma, já estou velha demais para a escola agora. Em que série que eles iriam me colocar, na primeira?

Seus olhos se arregalaram quando ela pensou em se sentar numa cadeira minúscula cercada por criancinhas que conseguiam pronunciar palavras e contar até cinquenta.

— Então você pretende morar sozinha no brejo para sempre?

— Melhor do que ir para uma família adotiva. Pa dizia que ia mandar a gente para uma se a gente fizesse má-criação. Dizia que elas são más.

— Não são, não. Nem sempre. A maioria é gente de bem que gosta de crianças — falou Tate.

— Quer dizer que você preferiria uma família adotiva do que morar no brejo? — perguntou ela, com o queixo espichado e a mão no quadril.

Ele passou um minuto calado.

— É bom você trazer cobertores e fósforos para o caso de ficar frio. Quem sabe algumas latas de sardinha. Elas duram uma eternidade. Mas não deixe comida fresca aqui; vai atrair ursos.

— Tenho medo de urso não.

— Não tenho medo de urso.

Durante o resto do verão, Kya e Tate tiveram aulas de leitura no chalé em ruínas. Em meados de agosto, eles já tinham lido *Pensar como uma montanha* inteiro, e embora ela não conseguisse ler todas as palavras entendeu a maior parte. Aldo Leopold lhe ensinou que as planícies aluviais são extensões vivas dos rios, que podem tomá-las de volta na hora em que bem entenderem. Qualquer pessoa que more numa planície aluvial só está aguardando nas coxias do rio. Ela aprendeu para onde os gansos vão no inverno e o que significa o canto deles. As palavras suaves do autor, quase poemas aos seus ouvidos, lhe ensinaram que o solo está repleto de vida e é uma das riquezas mais preciosas da Terra; que secar os alagados seca a terra num raio de muitos quilômetros, matando junto com a água plantas e animais. Algumas das sementes ficam adormecidas na terra ressecada por décadas, à espera, e quando a água finalmente volta para o seu devido lugar elas explodem da superfície do solo e revelam seus rostos. Maravilhas e conhecimentos da vida real que ela jamais teria aprendido na escola. Verdades que todo mundo deveria saber, mas que, embora estivessem evidentes por toda parte, pareciam se manter em um segredo semelhante ao das sementes.

Eles se encontravam no chalé várias vezes por semana, mas na maioria das noites ela dormia em seu barracão ou então na praia com as gaivotas. Como precisava juntar lenha antes do inverno, transformou isso em missão, e trazia levas de perto e de longe, que foi empilhando de modo mais ou menos ordenado entre dois pinheiros. Os nabos da sua horta mal tinham espichado a cabeça acima das varas-de-ouro; mesmo assim, Kya tinha mais legumes e verduras do que ela e os veados conseguiam comer. Colheu o que ainda restava da safra do fim do verão e guardou as abóboras e beterrabas na sombra fresca debaixo dos degraus de tijolo e tábuas.

Durante todo o tempo, porém, manteve os ouvidos atentos ao resfolegar de um carro cheio de homens vindo para levá-la embora. Às vezes essa atenção a deixava cansada e com medo, então ela ia a pé até o chalé de madeira e passava a noite no chão de terra batida enrolada em seu cobertor sobressalente. Calculava o tempo de catar mariscos e defumar peixes para que Tate pudesse levá-los ao posto de Pulinho e lhe trazer os mantimentos. Assim ela se expunha menos.

— Lembra quando você leu sua primeira frase e disse que algumas palavras têm muita coisa? — perguntou Tate um dia, sentado na margem do córrego.

— Lembro, sim, por quê?

— Bom, principalmente poemas. As palavras dos poemas fazem mais do que dizer coisas. Elas despertam emoções. Fazem rir até.

— Ma costumava ler poesia, mas eu não me lembro de nenhum poema.

— Escute este aqui; é de Edward Lear.

Ele pegou um envelope dobrado e leu:

Então Dona Aranha Pernuda
Junto com Seu Mosca Mole
Correram para o mar de espuma
Gritando como se fossem um fole.

E lá encontraram um barquinho
De vela rosa e cinza flutuante
E foram embora pelas ondas,
Até se perderem no mar distante.

Sorrindo, ele falou:

— Ele cria um ritmo, feito as ondas na praia.

Depois disso, ela entrou na fase de escrever poemas, inventando-os enquanto percorria o brejo de barco ou catava conchas. Eram versos simples, cadenciados e bobos. "Uma fêmea de gaio-azul salta de um galho e voa; eu também voaria se pudesse na lagoa." Eles a faziam gargalhar, preenchendo alguns minutos solitários de um dia longo e solitário.

Certo fim de tarde, enquanto lia à mesa da cozinha, ela se lembrou do livro de poemas de Ma e procurou até achá-lo. Estava muito gasto, as capas havia muito já perdidas, e as páginas, presas por dois elásticos puídos. Kya os retirou com cuidado e folheou o livro, lendo as anotações de Ma nas margens. E ao fim havia uma lista com os números das páginas dos poemas preferidos de Ma.

Kya encontrou um de James Wright:

Desolado e frio de repente,
O quintal estava deserto, eu sabia,
Desejei tocar e segurar no colo
Meu filho, meu filho a falar,
A rir ou bulir ou calado ficar...

As árvores e o sol tinham sumido.
Tudo já sumira exceto nós.
Dentro de casa a mãe dele cantava
E mantinha quente o nosso jantar,
E nos amava, sabe Deus como,
A vasta terra escura assim.

E esse de Galway Kinnell:

Eu me importei...
Disse tudo que pensava
Com as palavras mais suaves que sabia. E agora...
Devo dizer que estou feliz porque acabou:
No final só conseguia sentir pena
Daquela ânsia por mais vida.
... Adeus.

Kya tocou as palavras como se fossem um recado, como se Ma as houvesse sublinhado especialmente para a filha ler e compreender um dia à luz fraca do lampião de querosene. Não eram grande coisa, não um bilhete escrito à mão guardado no fundo da gaveta de meias, mas eram algo. Ela sentiu que as palavras tinham um significado potente, mas não foi capaz de sacudi-las para liberá-lo. Se algum dia virasse poeta, deixaria a mensagem clara.

Quando começou o último ano da escola, em setembro, Tarte não conseguiu mais ir à casa de Kya com a mesma frequência, mas, quando ia, levava livros escolares de segunda mão. Não disse nada sobre o fato de os livros de biologia serem avançados demais para ela, de modo que Kya leu capítulos que só teria estudado na escola dali a quatro anos.

— Não se preocupe — dizia ele. — Você vai entender um pouquinho mais a cada vez que ler.

E era verdade.

Conforme os dias foram encurtando, eles voltaram a se encontrar no barracão, porque a luz do dia já não bastava para iluminar o chalé. Sempre tinham estudado fora de casa, mas certa manhã, enquanto um vento louco soprava, Kya acendeu o fogão a lenha. Ninguém havia cruzado o limiar do barracão desde o sumiço de Pa, mais de quatro anos antes, e pareceria inconcebível convidar qualquer um a entrar. Qualquer um menos Tate.

— Quer sentar na cozinha perto do fogão? — perguntou ela quando ele puxou o barco para a margem da lagoa.

— Com certeza — respondeu ele, sabendo que não deveria dar muita importância ao convite.

Assim que ele pisou na varanda, levou quase vinte minutos explorando e admirando as penas, conchas, ossos e ninhos que ela havia juntado. Quando eles finalmente se acomodaram à mesa, ela puxou a cadeira para perto da dele até os braços e cotovelos dos dois quase se tocarem. Só para senti-lo perto de si.

Com Tate tão ocupado ajudando o pai, os dias se arrastavam do início ao fim. Um dia, já tarde da noite, Kya tirou da prateleira de Ma um romance, *Rebecca*, de Daphne du Maurier, e leu sobre amor. Depois de algum tempo, fechou o livro e foi até o armário. Pôs o vestido sem mangas de Ma e começou a deslizar pelo quarto, rodando a saia e rodopiando em frente ao espelho. Com o cabelo e os quadris ondulando, imaginou Tate tirando-a para dançar. A mão dele na sua cintura. Como se ela fosse a Sra. De Winter.

Então conteve-se e inclinou o corpo, às risadinhas. E ficou imóvel.

— Vem cá, menina — entoou Mabel certa tarde. — Tem umas coisas aqui para você.

Normalmente quem trazia as caixas de artigos para Kya era Pulinho, mas quando Mabel aparecia costumava ter algo especial.

— Vai lá pegar as coisas, senhorita. Vou encher seu tanque — disse Pulinho, então Kya pulou no cais.

— Olhe aqui, Kya — disse Mabel, erguendo um vestido em tom de pêssego com uma camada de chiffon por cima da saia florida, a peça de roupa mais linda que a menina já vira na vida, mais bonita do que o vestido sem mangas de Ma. — Um vestido feito para uma princesa como você.

Ela o segurou diante de Kya, que tocou o tecido e sorriu. Então, virando as costas para Pulinho, Mabel se curvou com esforço e tirou um sutiã branco da caixa.

Kya sentiu um calor percorrer seu corpo.

— Ora, Kya, não precisa ficar com vergonha, não, meu bem. Você vai precisar disto aqui é já. E, menina, se algum dia precisar falar sobre qualquer coisa que não entender, é só contar para a velha Mabel. Tudo bem?

— Sim, senhora. Obrigada, Mabel.

Kya enfiou o sutiã bem no fundo da caixa, debaixo de algumas calças jeans e camisetas, um saco de feijão-fradinho e um vidro de pêssego em conserva.

Algumas semanas depois, enquanto seu barco subia e descia as ondas e ela observava os pelicanos planarem e se alimentarem no mar, Kya sentiu uma cólica na barriga. Nunca tinha enjoado no mar, e aquela dor era diferente de qualquer outra que já sentira. Ela atracou em Point Beach e se sentou na areia com as pernas dobradas para um lado só, feito uma asa. A dor piorou, e ela fez uma careta e deu um gemido discreto. Devia estar com dor de barriga.

De repente, ouviu o ronronar de um motor e viu o barco de Tate cortando as ondas encimadas de branco. No instante em que a viu, ele virou o barco para a praia e foi em direção à margem. Ela repetiu alguns dos palavrões de Pa. Sempre gostava de ver Tate, mas não naquele momento em que talvez precisasse correr para a mata de carvalhos com uma diarreia repentina. Depois de puxar o barco até perto do dela, ele se jogou na areia ao seu lado.

— Oi, Kya. O que está fazendo? Eu estava indo para a sua casa.

— Oi, Tate. Que bom ver você.

Ela tentou soar normal, mas sua barriga se contraiu com força.

— Qual é o problema? — perguntou ele.

— Como assim?

— Sua cara não está boa. Qual é o problema?

— Acho que estou doente. Estou com umas dores bem fortes na barriga.

— Ah.

Tate deixou os olhos se perderem no mar. Enterrou os dedos dos pés descalços na areia.

— Talvez seja melhor você ir embora — disse ela, com a cabeça baixa.

— Talvez seja melhor eu ficar até você melhorar. E se você não conseguir voltar sozinha para casa?

— Talvez eu precise ir para o mato. Talvez eu passe mal.

— Talvez. Mas acho que isso não vai resolver não — disse ele baixinho.

— Como assim? Você não sabe o que tem de errado comigo.

— É uma sensação diferente de outras dores de barriga?

— É.

— Você tem quase quinze anos, né?

— É. O que isso tem a ver?

Ele ficou calado por um minuto. Arrastou os pés, enterrando os dedos mais fundo na areia. Sem olhar para ela, falou:

— Pode ser que seja, você sabe, aquilo que acontece com as meninas da sua idade. Lembra? Alguns meses atrás eu trouxe um folheto sobre isso. Estava junto com aqueles livros de biologia.

Tate olhou para ela de relance, com o rosto pegando fogo de tão vermelho, e tornou a desviar o olhar.

Kya baixou os olhos, pois seu corpo inteiro enrubesceu. É claro que não houvera mãe para lhe ensinar nada, mas um folheto escolar trazido por Tate realmente explicara alguma coisa. Tinha chegado a hora, e ali estava ela, sentada na praia, virando mulher bem na frente de um menino. Sentiu a vergonha e o pânico a dominarem. O que deveria fazer? O que iria acontecer exatamente? Quanto sangue teria? Imaginou o sangue escorrendo na areia à sua volta. Ficou sentada sem dizer nada enquanto uma dor aguda atormentava o meio do seu corpo.

— Você consegue chegar em casa sozinha? — perguntou ele, ainda sem encará-la.

— Acho que sim.

— Vai ficar tudo bem, Kya. Toda menina passa por isso e fica tudo bem. Volte para casa. Vou seguir você bem de longe para ter certeza de que chegou bem.

— Não precisa.

— Não ligue para mim. Agora vá indo.

Ele se levantou e foi até o barco sem olhar para ela. Ligou o motor, afastou-se da praia e ficou esperando distante da margem até ela começar a subir a costa em direção ao seu canal. Assim ao longe, ele era apenas um pontinho, e seguiu-a até que chegasse à sua lagoa. Em pé na margem, ela lhe deu um breve aceno, com a cabeça baixa, evitando o contato visual.

Da mesma forma que dera um jeito na maioria das coisas, Kya deu um jeito de virar mulher sozinha. Mas, no dia seguinte, assim que amanheceu, pegou o barco e foi até o posto de Pulinho. Um sol pálido parecia boiar suspenso numa névoa espessa quando ela se aproximou do cais dele e procurou Mabel, sabendo que havia pouca chance de ela estar ali. Dito e feito: apenas Pulinho saiu para recebê-la.

— Oi, Srta. Kya. Já está precisando de gasolina?

Ainda sentada no barco, Kya respondeu baixinho:

— Preciso falar com Mabel, Pulinho.

— Eu sinto muito, menina, mas Mabel não está hoje não. Será que eu posso ajudar?

Com a cabeça bem baixa, ela respondeu:

— Eu preciso muito falar com Mabel. Depressa.

— Ora, ora. — Pulinho olhou para o mar do outro lado da pequena baía e não viu nenhum barco chegando. Qualquer um que precisasse de gasolina a qualquer hora do dia e em que dia fosse, inclusive no Natal, podia ter certeza de que Pulinho estaria ali, afinal ele não havia faltado uma única vez em cinquenta anos, exceto quando seu anjinho Daisy tinha morrido. Não podia abandonar seu posto. — Segura firme aí, Srta. Kya, vou subir correndo a estradinha e pedir para alguma criança chamar Mabel. Se aparecer algum barco, diga que eu já volto.

— Pode deixar. Obrigada.

Pulinho subiu depressa o cais e desapareceu. Kya ficou esperando, olhando para a baía de tantos em tantos segundos, apavorada que algum outro barco aparecesse. Mas ele voltou em um instante e disse que algumas crianças tinham ido chamar Mabel; Kya só precisava "esperar um pouquinho".

Pulinho se ocupou desembalando pacotes de fumo de mascar e colocando-os nas prateleiras, arrumando as coisas em geral. Kya ficou no barco. Por fim, Mabel veio apressada pelas tábuas, que se sacudiam com seu peso como se um piano pequeno estivesse sendo empurrado pelo cais. Com uma sacola de papel na mão, não bradou um cumprimento, como teria feito normalmente, mas ficou em pé no cais acima de Kya e disse baixinho:

— Bom dia, Kya, que história toda é essa, menina? Qual que é o problema, meu bem?

A garota baixou ainda mais a cabeça e balbuciou alguma coisa que Mabel não escutou.

— Pode sair desse barco, ou quer que eu entre aí com você?

Como Kya não respondeu, Mabel, com seus quase cem quilos, pôs os pés um depois do outro no barquinho, que reclamou se chocando nas estacas do cais. Sentou-se no banco do meio de frente para Kya na popa.

— Agora me diga qual que é o problema, menina.

As duas aproximaram as cabeças, Kya cochichou, e então Mabel a puxou bem para o meio do seu peito farto, abraçando-a e ninando-a. No início Kya ficou rígida, desacostumada a ceder a abraços, mas nem por isso Mabel se deixou desencorajar, e por fim Kya se soltou e afundou no conforto daqueles travesseiros. Depois de algum tempo, Mabel se inclinou para trás e abriu a sacola de papel pardo.

— Bom, eu imaginei qual seria o problema, então trouxe umas coisas.

E ali, sentadas a bordo do barco no cais de Pulinho, Mabel explicou os detalhes para Kya.

— Não tem nada para ter vergonha, não, menina. Isso não é uma maldição coisa nenhuma como as pessoas ficam falando; é o início de toda a vida, e só uma mulher pode fazer isso. E agora você é uma mulher, filha.

As escutar o barco de Tate na tarde seguinte, Kya escondeu-se no meio dos densos arbustos e ficou observando. Já parecia estranho o suficiente alguém conhecê-la, mas ele agora sabia do acontecimento mais íntimo e pessoal de toda a sua vida. Suas bochechas arderam quando ela pensou nisso. Ficaria escondida até ele ir embora.

Ele parou o barco na margem da lagoa e saltou, carregando uma caixa branca amarrada com barbante.

— Ei! Kya, cadê você? — chamou. — Trouxe uns bolinhos da Parker's.

Fazia anos que Kya não provava nada parecido com bolo. Tate tirou alguns livros do barco, então ela saiu devagarinho dos arbustos por trás dele.

— Ah, você está aí. Olha só isso. — Ele abriu a caixa, e lá dentro, bem arrumadinhos, estavam os bolinhos, cada um deles um quadrado com apenas dois centímetros e meio, cobertos por glacê de baunilha e com uma pequenina rosa cor-de-rosa espetada no centro. — Vai, pode comer.

Kya pegou um e, ainda sem olhar para Tate, deu uma mordida. Depois enfiou o resto inteiro na boca. E lambeu os dedos.

— Toma. — Tate colocou a caixa perto do carvalho. — Pode comer quantos quiser. Vamos começar. Eu trouxe um livro novo.

E foi isso. Eles começaram as aulas sem dizer uma palavra sequer sobre o outro assunto.

O outono estava chegando; as sempre-vivas podiam não ter reparado, mas os sicômoros, sim. As árvores irradiavam milhares de folhas douradas diante do céu cinza de ardósia. Num fim de tarde, depois da aula, quando Tate ainda estava lá embora já devesse ter ido, ele e Kya se sentaram em um tronco na mata. Ela enfim fez a pergunta que vinha querendo fazer havia meses.

— Tate, obrigada por ter me ensinado a ler e por todas essas coisas que você me deu. Mas por que você fez isso? Você não tem uma namorada ou algo do tipo?

— Não... Bom, às vezes sim. Eu tive uma, mas agora não. Gosto de ficar aqui no silêncio, e gosto do jeito como você se interessa tanto pelo brejo, Kya. A maioria das pessoas não presta atenção nenhuma a ele a não ser para pescar. Acham que é um descampado que deveria ser aterrado e desenvolvido. As pessoas não entendem que a maioria dos animais marinhos precisa do brejo, inclusive os que elas comem.

Ele não mencionou a pena que sentia por ela estar sozinha nem que ele sabia como as crianças a haviam tratado tantos anos atrás; como os moradores da cidadezinha a chamavam de Menina do Brejo e inventavam histórias a seu respeito. Esgueirar-se correndo até o barracão dela durante a noite e bater na porta de tela tinha se tornado uma tradição, uma iniciação para meninos virarem homens. O que isso dizia sobre os homens? Alguns deles já estavam apostando quem seria o primeiro a tirar sua virgindade. Coisas que o deixavam furioso e preocupado.

Mas esse não era o principal motivo pelo qual ele havia deixado penas para Kya na floresta, ou pelo qual continuava a visitá-la. As outras palavras que Tate não disse eram os seus sentimentos por ela, que pareciam embolados entre o doce amor por uma irmã perdida e o amor ardente por uma menina. Ele próprio não conseguia nem chegar perto de compreender aquilo, porém jamais fora atingido por uma onda tão forte. Uma potência de emoções ao mesmo tempo dolorida e prazerosa.

Enfiando uma folha de grama num buraco de formiga, ela finalmente perguntou:

— Onde está a sua mãe?

Uma brisa passou por entre as árvores e sacudiu de leve os galhos. Tate não respondeu.

— Não precisa falar nada não, se não querer — disse ela.

— Se não quiser.

— Não precisa falar nada não, se não quiser.

— Minha mãe e minha irmã mais nova morreram em um acidente de carro em Asheville. O nome da minha irmã era Carianne.

— Ah. Desculpa, Tate. Aposto que a sua mãe era muito legal e bonita.

— Sim. As duas eram. — Ele falava olhando para o chão, por entre os joelhos. — Eu nunca falei disso. Com ninguém.

Nem eu, pensou Kya. Em voz alta, ela disse:

— Minha mãe foi embora um dia e nunca mais voltou. A mãe veado sempre volta.

— Bom, pelo menos você pode torcer para ela voltar. A minha com certeza não vai voltar.

Eles passaram alguns instantes calados, então Tate tornou a falar:

— Eu acho que...

Mas parou e desviou o olhar.

Kya o encarou, mas ele observava o chão. Sem dizer nada.

Ela perguntou:

— O quê? Você acha o quê? Pode me falar o que quiser.

Ele continuou sem dizer nada. Com a paciência conquistada pela compreensão, Kya aguardou.

Por fim, bem baixinho, ele disse:

— Acho que elas foram a Asheville comprar o meu presente de aniversário. Tinha uma bicicleta lá que eu queria, que eu precisava. Como a Western Auto não vendia essa bicicleta, eu acho que elas foram a Asheville comprar para mim.

— Isso não quer dizer que foi culpa sua — disse ela.

— Eu sei, mas eu sinto que foi — retrucou Tate. — Nem lembro mais que bicicleta era.

Kya chegou mais perto dele, não o suficiente para tocá-lo. Mas sentiu algo... quase como se o espaço entre seus ombros tivesse mudado. Pensou se Tate estaria sentindo também. Quis se aproximar mais, só o suficiente para seus braços roçarem de leve os dele. Quis tocá-lo. E se perguntou se ele iria perceber.

Nesse exato instante o vento ganhou força, e milhares e milhares de folhas amarelas de sicômoro se soltaram da árvore e começaram a flutuar pelo céu. Folhas de outono não caem; elas voam. Demoram-se bastante e passeiam devagar, sua única chance de voar. Refletindo a luz do sol, elas rodopiaram, avançaram e estremeceram nas correntezas do vento.

Tate se levantou do tronco com um pulo e a chamou:

— Veja quantas folhas você consegue pegar antes de elas caírem no chão!

Kya ficou de pé depressa, e os dois começaram a pular e saltitar por entre as cortinas de folhas que caíam, estendendo bastante os braços para agarrá-las antes que caíssem. Rindo, Tate mergulhou na direção de uma folha a poucos centímetros do chão, pegou-a e rolou, erguendo no ar seu troféu. Kya jogou as mãos para cima e soltou de volta no vento todas as folhas que havia resgatado. Quando passou correndo no meio, elas refletiram no seu cabelo feito ouro.

Então, ao girar, ela trombou com Tate, que tinha se levantado, e os dois ficaram paralisados, encarando-se. Pararam de rir. Ele a segurou pelos ombros, hesitou um segundo, então a beijou nos lábios enquanto as folhas choviam e dançavam ao redor deles, silenciosas como a neve.

Ela não sabia nada sobre beijos, e manteve a cabeça e os lábios rígidos. Eles se afastaram e se entreolharam, perguntando-se de onde aquilo tinha vindo e o que fariam depois. Ele tirou uma folha do cabelo dela com um gesto delicado e a largou no chão. O coração de Kya batia alucinadamente. De todos os amores esgarçados que ela já conhecera dos parentes desajustados, nenhum a tinha feito se sentir daquele jeito.

— Eu sou sua namorada agora? — perguntou.

Ele sorriu.

— Você quer ser?

— Quero.

— Pode ser que você seja muito nova — disse ele.

— Mas eu conheço as penas. Aposto que as outras meninas não sabem nada das penas.

— Então está bem.

E ele a beijou de novo. Dessa vez ela inclinou a cabeça para o lado e suavizou os lábios. Pela primeira vez na vida seu coração ficou completo.

18.

Canoa branca

1960

Agora cada palavra nova começava com um gritinho, cada frase era uma corrida. Tate agarrava Kya e os dois caíam, meio crianças, meio não, na azedinha avermelhada de outono.

— Fique séria um instante — pediu ele. — O único jeito de aprender multiplicação é decorar a tabuada.

Escreveu na areia *12 x 12 = 144*, mas ela passou correndo por ele, mergulhou na espuma da arrebentação, foi até o mar calmo, nadou até que ele a seguisse e os dois chegassem a um lugar onde fachos de luz azul-acinzentada caíam oblíquos pelo silêncio, realçando seus contornos. Lustrosos feito dois botos. Mais tarde, salgados e sujos de areia, eles rolaram pela praia abraçados um no outro com força como se fossem uma só pessoa.

Na tarde seguinte, ele foi de barco até a lagoa dela, mas depois de atracar continuou a bordo. Aos seus pés havia um cesto grande coberto por um pano vermelho quadriculado.

— O que que é isso? O que que você trouxe? — perguntou ela, intrigada com o pacote.

— Uma surpresa. Vai, sobe.

Eles percorreram os canais vagarosos até o mar, então rumaram para o sul, chegando a uma enseada minúscula em forma de meia-lua. Depois de estender o cobertor na areia, ele colocou o cesto por cima e, quando eles se sentaram, levantou o pano.

— Feliz aniversário, Kya — falou. — Hoje você está fazendo quinze anos.

No cesto havia um bolo de confeitaria de dois andares, alto como uma caixa de chapéu e decorado com conchinhas de glacê cor-de-rosa. Com o nome dela escrito em cima. Presentes rodeavam o bolo, embrulhados em papel colorido e amarrados com laços.

Ela encarou aquilo embasbacada e boquiaberta. Ninguém lhe desejava feliz aniversário desde que Ma fora embora. Ninguém nunca tinha lhe dado um bolo comprado em loja com seu nome escrito. Ela nunca tinha ganhado presentes embrulhados em papel decorado de verdade, com fitas.

— Como você sabe o dia do meu aniversário?

Como não tinha calendário, ela não fazia ideia de que fosse naquele dia.

— Eu li na sua Bíblia.

Enquanto ela lhe implorava para não cortar no meio do seu nome, ele fatiou o bolo em pedaços imensos e os serviu em pratos de papel. Encarando-se, os dois partiram pedaços com a mão e foram enfiando na boca um do outro. Estalaram os lábios bem alto. Lamberam os dedos. Sorriram exibindo as bocas sujas de glacê. Comeram bolo como bolo deve ser comido, do jeito que todo mundo quer comer.

— Quer abrir seus presentes?

Ele sorriu.

O primeiro: uma pequena lupa, "para você ver os detalhes das asas dos insetos". O segundo: uma presilha de plástico, pintada de prateado e enfeitada com uma gaivota de cristal, "para o seu cabelo". Com gestos um pouco desajeitados, ela pôs algumas mechas atrás da orelha e colocou a presilha no lugar. Encostou nela. Mais bonita do que a de Ma.

O último presente estava numa caixa maior, e ao abri-la Kya encontrou dez vidrinhos de tinta a óleo, latinhas de aquarela e pincéis de diferentes tamanhos.

Pegou cada cor, cada pincel.

— Posso trazer mais quando você precisar. Até tela eu posso trazer, de Sea Oaks.

Ela baixou a cabeça.

— Obrigada, Tate.

* * *

— Calma. Devagar agora — instruiu Scupper, enquanto Tate, cercado por redes de pesca, panos sujos de óleo e pelicanos grasnando, girava a manivela.

A proa do *The Cherry Pie* bateu no suporte, estremeceu de leve, então deslizou para o trilho submerso do Pete's Boat Yard, a única oficina de barcos de Barkley Cove, formada por um cais torto e uma casa de barcos enferrujada.

— Ótimo, encaixou. Pode tirar da água.

Tate girou a manivela com mais força, e o barco subiu devagar os trilhos até sair da água. Eles o prenderam com cabos e começaram a raspar cracas acumuladas no casco enquanto árias cristalinas de Miliza Korjus vinham da vitrola. Teriam de passar zarcão, em seguida a demão anual de tinta vermelha. Quem escolhera a cor fora a mãe de Tate, e Scupper nunca iria mudá-la. De vez em quando, ele parava de raspar e mexia os braços grandes ao ritmo sinuoso da música.

Era o início do inverno, e Scupper pagava a Tate um salário de adulto pelo seu trabalho depois da escola e nos fins de semana, mas o menino não conseguia mais visitar Kya com tanta frequência. Não comentou isso com o pai; nunca tinha mencionado nada sobre Kya com o pai.

Eles ficaram raspando cracas até escurecer e os braços de Scupper arderem.

— Estou cansado demais para cozinhar, e acho que você também deve estar. Vamos comer alguma gororoba na lanchonete indo para casa.

Após fazer um gesto com a cabeça para todos, já que não havia sequer uma pessoa que não conhecessem, eles se sentaram a uma mesa de canto. Ambos pediram o especial do dia: filé de frango na chapa, purê de batatas com molho, nabos e salada de repolho. Pãezinhos. Torta de noz-pecã com sorvete. Na mesa ao lado, uma família de quatro pessoas se deu as mãos e baixou a cabeça enquanto o pai recitava uma bênção em voz alta. Ao dizerem "amém", eles beijaram o ar, apertaram-se as mãos e começaram a passar os bolinhos de milho.

— Filho, eu sei que esse trabalho está afastando você das coisas — disse Scupper. — A vida é assim, mas você não foi no baile de formatura nem nada no outono passado, e eu não quero que deixe de fazer tudo isso, já que é seu último ano na escola. O baile importante do pavilhão está chegando. Você vai convidar alguma menina?

— Não. Pode ser que eu vá, mas não tenho certeza. Mas não tem ninguém que eu queira convidar.

— Não tem nenhuma menina da escola com quem você queira ir?

— Não.

— Bom. — Scupper se recostou na cadeira enquanto a garçonete colocava seu prato na mesa. — Obrigado, Betty. Você caprichou de verdade.

Betty deu a volta na mesa e colocou o prato de Tate, ainda mais bem servido.

— Comam — disse ela. — Tem mais de onde saiu. O especial é servido à vontade.

Ela sorriu para Tate antes de voltar para a cozinha rebolando os quadris de forma exagerada.

— As meninas da escola são bobas — disse Tate. — Só sabem falar de penteados e salto alto.

— Ora, é isso que as meninas fazem. Às vezes você precisa aceitar as coisas como elas são.

— Pode ser.

— Escute, filho, eu não dou muita importância ao que as pessoas falam por aí, nunca dei. Mas corre o boato de que você está tendo uma coisa com aquela menina do brejo lá. — Tate ergueu as mãos. — Espere, espere um instante — continuou Scupper. — Eu não acredito em todas as histórias que contam sobre ela; ela deve ser uma menina legal. Mas, filho, tome cuidado. Você não quer começar uma família antes da hora. Entende o que estou dizendo, né?

Mantendo a voz baixa, Tate sibilou:

— Primeiro você diz que não acredita nas histórias que contam sobre ela, depois diz que eu não devo começar uma família, o que mostra que você acredita, sim, que ela é esse tipo de garota. Bom, eu vou dizer uma coisa: ela não é. Ela é mais pura e inocente do que qualquer uma dessas meninas com quem você quer que eu vá ao baile. Ah, cara, tem umas meninas nesta cidade... Bom, podemos dizer que elas caçam em bando e não fazem prisioneiros. E, sim, eu tenho visitado Kya de vez em quando. Sabe por quê? Estou ensinando ela a ler, porque as pessoas desta cidade foram tão cruéis com ela que nem à escola ela pôde ir.

— Tudo bem, Tate. Bom para você. Mas, por favor, entenda que é meu dever dizer essas coisas. Pode não ser um assunto agradável para a gente conversar, mas os pais têm que alertar os filhos sobre coisas assim. É o meu dever, então não precisa ficar ofendido.

— Eu sei — resmungou Tate enquanto passava manteiga no pão, sentindo-se muito ofendido.

— Deixe disso. Vamos pedir outro prato e depois um pedaço da torta de noz-pecã.

Quando a torta chegou, Scupper disse:

— Bom, já que a gente falou sobre assuntos que nunca fala, talvez seja bom eu dizer outra coisa que tem estado na minha cabeça.

Tate revirou os olhos para a torta.

Scupper prosseguiu:

— Filho, eu quero que você saiba como estou orgulhoso de você. Sozinho, você estudou a vida do brejo, foi muito bem na escola, se candidatou para uma vaga para se formar em ciências. E foi aceito. Eu não sou do tipo que fala muito. Mas estou orgulhoso demais de você, meu filho. Está bem?

— Aham, está bem.

Mais tarde, no quarto, Tate recitou um trecho do seu poema preferido:

Ah, quando verei o Lago à meia-luz,
E a canoa branca da minha amada?

Quando não estava trabalhando, sempre que possível, Tate ia à casa de Kya, mas nunca podia ficar muito. Às vezes passeavam de barco por quarenta minutos e depois caminhavam por mais dez, de mãos dadas. Com muitos beijos. Não desperdiçavam um só minuto. Voltavam de barco. Ele queria tocar nos seios dela; teria dado tudo só para vê-los. Ficava acordado à noite pensando nas coxas dela, em como deviam ser macias, mas firmes. Pensar além das coxas o fazia se revirar sob o lençol. Mas ela era muito nova e muito tímida. Se ele fizesse algo errado, poderia afetá-la de algum modo, e nesse caso ele seria pior do que os meninos que só falavam em transar com ela. Seu desejo de protegê-la era tão forte quanto o outro. Às vezes.

A cada ida à casa de Kya, Tate levava livros da escola ou da biblioteca, principalmente sobre as criaturas do brejo e biologia. A evolução dela era surpreendente. Ele disse a ela: agora você sabe ler qualquer coisa, e quando se sabe ler qualquer coisa, é possível aprender qualquer coisa. Só depende de você.

— Ninguém chegou perto de encher o próprio cérebro — disse ele. — Todos nós somos girafas que não usam o pescoço para alcançar as folhas mais altas.

Sozinha durante horas à luz do lampião, Kya lia sobre como plantas e animais se modificam ao longo do tempo para se adaptarem à terra em constante mudança; como algumas células se dividem e se especializam para virar pulmões ou corações, enquanto outras permanecem neutras como células-tronco para o caso de serem necessárias mais tarde. Os pássaros cantam sobretudo ao amanhecer porque o ar fresco e úmido da manhã leva seus cantos e o que eles significam para bem mais longe. Como ela havia passado a vida inteira vendo essas maravilhas da natureza de perto, era fácil entender seu funcionamento.

Em todos os mundos da biologia, ela procurava uma explicação para o fato de uma mãe abandonar as crias.

Num dia frio, muito tempo depois de as folhas dos sicômoros terem caído, Tate saltou do barco com um presente embrulhado em papel vermelho e verde.

— Não tenho nada para você — disse ela quando ele lhe estendeu o presente. — Não sabia que era Natal.

— Não é. — Ele sorriu. — Falta muito ainda — mentiu. — Ah, é só uma lembrancinha.

Com cuidado, ela desfez o embrulho e encontrou um dicionário Webster's de segunda mão.

— Ah, obrigada, Tate.

— Olhe dentro — disse ele.

Na letra *P* havia uma pena de pelicano, um cogumelo seco na *C*, flores de não-me-esqueças achatadas entre duas páginas na *N*. Eram tantos os tesouros guardados dentro das páginas que o livro nem fechava totalmente.

— Vou tentar voltar no dia depois do Natal. Talvez dê para eu trazer um pouco de peru.

Tate lhe deu um beijo de despedida. Depois que ele foi embora, ela disse um palavrão. Era a primeira oportunidade de dar um presente a alguém que ela amava desde que Ma fora embora, e ela havia deixado passar.

Alguns dias mais tarde, tremendo de frio no vestido de chiffon pêssego sem mangas, ela ficou esperando Tate na beira da lagoa. Andando de um lado para outro, segurava com força o presente para ele — o penacho da cabeça de um cardeal macho — embrulhado no mesmo papel que ele havia usado. Assim que ele saiu do barco, ela pôs o presente nas mãos dele e insistiu para que o abrisse ali mesmo, então ele o fez.

— Obrigado, Kya. Essa eu não tenho ainda. — O Natal dela estava completo. — Agora vamos entrar. Você deve estar congelando nesse vestido.

A cozinha estava aquecida por causa do fogão, mas mesmo assim ele sugeriu que ela se trocasse e vestisse um suéter e uma calça jeans.

Esquentaram juntos a comida que ele trouxera: peru recheado com bolinhos de milho, molho de cranberry, batata-doce ensopada e torta de abóbora: restos da ceia de Natal de Tate com o pai. Kya tinha feito pães de minuto e os dois comeram na mesa da cozinha, que ela havia decorado com azevinho silvestre e conchas.

—Vou lavar a louça — disse ela, despejando água quente do fogão a lenha na bacia.

—Vou ajudar.

E ele chegou por trás dela e enlaçou sua cintura. Ela recostou a cabeça no seu peito, de olhos fechados. Os dedos dele entraram lentamente debaixo do suéter dela, passaram pela barriga lisa e subiram em direção aos seios. Como sempre, ela estava sem sutiã, e os dedos dele rodearam seus mamilos. Tate manteve a mão ali, mas uma sensação se espalhou pelo corpo de Kya, como se ele a houvesse tocado entre as pernas. Um vazio que precisava ser preenchido com urgência a dominou, pulsante. Mas ela não sabia o que fazer nem o que dizer, então se afastou.

— Está tudo bem — disse ele.

E simplesmente a abraçou. Ambos respirando fundo.

O sol, ainda tímido e subjugado pelo inverno, surgia de vez em quando entre dias de vento cortante e chuva torrencial. Então, certa tarde, sem qualquer aviso, a primavera chegou para ficar. O dia esquentou e o céu brilhou como se alguém o tivesse encerado. Kya falava baixinho enquanto caminhava com Tate pela margem coberta de grama de um córrego fundo coberto por pés altos de liquidâmbar. De repente, ele segurou a mão dela para que ficasse quieta. Seus olhos seguiram os dele até a beira d'água, onde um sapo enorme de quinze centímetros de largura estava agachado sob a folhagem. Uma visão bastante comum se aquele sapo não fosse totalmente branco e reluzente.

Tate e Kya trocaram um sorriso e ficaram observando até o sapo desaparecer após um único salto silencioso com as patas compridas. Mesmo assim, continuaram em silêncio ao entrarem mais cinco metros na vegetação. Kya tapou a boca com a mão e deu um risinho. Então saltitou para longe dele com uma dancinha infantil em seu corpo não tão infantil assim.

Tate ficou observando durante um segundo, sem pensar mais em sapos. Deu um passo decidido na direção de Kya. A expressão dele a fez parar em frente a um carvalho largo. Ele a segurou pelos ombros e a empurrou com firmeza na direção do tronco. Segurando os braços dela junto às laterais do corpo, beijou-a, pressionando seus quadris nos dela. Desde o Natal, eles vinham se beijando e se explorando devagar, mas não daquele jeito. Ele sempre tomava a iniciativa, sem deixar de observá-la com ar questionador, atento a sinais de resistência, mas não como naquele momento.

Ele se afastou um pouco, as camadas profundas cor de mel de seus olhos se cravaram nos dela. Bem devagar, ele desabotoou a blusa dela e a tirou, deixando os seios à mostra. Demorou um tempo examinando-os com os olhos e os dedos, traçando círculos ao redor dos mamilos. Então abriu o zíper do short dela e o baixou, deixando-o cair no chão. Quase nua pela primeira vez na frente dele, ela arfou e mexeu as mãos para se cobrir. Com delicadeza, ele afastou as mãos dela e se demorou observando seu corpo. Ela sentia um latejar entre as pernas, como se todo o seu sangue tivesse ido para lá. Então ele tirou os pés de dentro do próprio short e, sem deixar de encará-la, encostou sua ereção nela.

Quando ela virou o rosto, tímida, ele ergueu seu queixo e falou:

— Olhe para mim, Kya. Olhe nos meus olhos.

— Tate, Tate.

Ela estendeu a mão para tentar beijá-lo, mas ele a segurou, forçando seus olhos a se fixarem nele. Ela não sabia que a nudez total podia provocar tanto desejo. Ele deslizou as mãos pela parte interna das coxas dela, e instintivamente Kya afastou os pés. Os dedos dele começaram a se mover e massagear bem devagar partes do corpo que ela nem sequer sabia que existiam. Inclinou a cabeça para trás e gemeu.

De modo brusco, ele se afastou e recuou um passo.

— Meu Deus, Kya, me desculpe, me desculpe.

— Tate, por favor, eu quero.

— Assim não, Kya.

— Por que não? Por que assim não? — Ela estendeu a mão para os ombros dele e tentou puxá-lo de volta para perto. — Por que não? — tornou a perguntar.

Ele catou as roupas dela e a vestiu. Sem tocá-la onde ela queria ser tocada, nas partes do seu corpo que ainda pulsavam. Então a pegou no colo e a carregou até a margem do córrego. Colocou-a no chão e se sentou ao seu lado.

— Kya, eu quero você mais do que tudo. Quero para sempre. Mas você é nova demais. Tem só quinze anos.

— E daí? Você é só quatro anos mais velho. Não é como se de repente fosse um adulto sabichão.

— É, mas eu não posso engravidar ninguém. Não posso me prejudicar assim tão fácil. Eu não vou fazer isso, Kya, não vou fazer porque te amo.

Amor. Ela não entendia nada sobre essa palavra.

— Você ainda acha que eu sou uma menininha — gemeu ela.

— Kya, a cada segundo que passa você está parecendo mais e mais uma menininha. — Mas ele disse isso com um sorriso e a puxou para perto de si.

— Então quando, se não agora? Quando a gente pode?

— Ainda não, só isso.

Eles passaram um tempo em silêncio, então ela perguntou, de cabeça baixa, tímida outra vez:

— Como você sabia o que fazer?

— Do mesmo jeito que você.

Numa tarde de maio, quando eles estavam saindo da lagoa a pé, ele falou:

— Logo mais eu vou ter que ir embora, sabe. Para a faculdade.

Ele comentara sobre estudar em Chapel Hill, mas Kya havia afastado esse pensamento da mente, sabendo que eles tinham pelo menos o verão.

— Quando? Não é agora.

— Falta pouco. Algumas semanas.

— Mas por quê? Achei que a faculdade começasse no outono.

— Consegui um emprego no laboratório de biologia do campus. Não posso deixar passar. Então vou começar no trimestre de verão.

De todas as pessoas que a tinham abandonado, Jodie fora o único que se despedira. Todos os outros haviam ido embora para sempre, mas aquilo não melhorava em nada a situação. Sentiu o peito arder.

— Vou voltar sempre que puder. Na verdade, não é tão longe assim. Menos de um dia de ônibus.

Ela ficou sentada sem dizer nada. Por fim, falou:

— Por que você tem que ir, Tate? Por que não pode ficar aqui e pescar camarão que nem seu pai?

— Você sabe por quê, Kya. Simplesmente não dá. Eu quero estudar o brejo, ser pesquisador na área de biologia.

Eles tinham chegado à praia e se sentaram na areia.

— E depois? Não tem nenhum trabalho assim por aqui. Você nunca mais vai voltar para cá.

— Vou, sim. Eu não vou te deixar, Kya. Juro. Vou voltar para você.

Ela ficou de pé com um pulo, espantando os maçaricos que levantaram voo grasnando. Saiu da praia correndo e entrou na mata. Tate foi atrás dela, mas assim que chegou à orla das árvores parou e olhou em volta. Ela já o tinha despistado.

Só para o caso de ela estar no raio de alcance da sua voz, gritou:

— Kya, você não pode fugir de tudo. Às vezes tem que conversar. Encarar as coisas. — Então perdeu um pouco a paciência. — Que droga, Kya. Mas que inferno!

Uma semana mais tarde, Kya ouviu o barco de Tate atravessar zumbindo a sua lagoa e se escondeu atrás de um arbusto. Quando ele entrou no canal, a garça levantou voo com suas asas lentas de prata. Parte dela queria fugir, mas foi até a margem e aguardou.

— Ei — falou ele.

Dessa vez não estava de boné, e os cachos louros revoltos esvoaçavam ao redor do seu rosto bronzeado. Nos últimos poucos meses, seus ombros pareciam ter se alargado e se transformado nos de um homem.

— Ei.

Ele saltou do barco, pegou a mão dela e a levou até o tronco da leitura, onde eles se sentaram.

— Acabou que vou embora antes do que pensei. Vou pular as festas de formatura para começar logo no trabalho. Vim me despedir, Kya.

Até mesmo a sua voz soava máscula, pronta para um mundo mais sério.

Ela não respondeu; ficou sentada sem encará-lo. Sentiu um nó na garganta. Ele colocou aos seus pés duas sacolas com livros descartados da escola e da biblioteca, a maioria de ciências.

Ela achava que não conseguiria falar. Quis que ele a levasse outra vez ao lugar do sapo branco. Caso ele nunca mais voltasse, quis que ele a levasse lá naquele momento.

— Vou sentir saudades, Kya. Todos os dias, o dia inteiro.

— Talvez você me esqueça. Quando estiver ocupado com todas as coisas da faculdade e vendo todas aquelas garotas bonitas.

— Nunca vou te esquecer. Nunca. Cuide do brejo até eu voltar, viu? E tome cuidado.

— Vou tomar.

— Estou falando sério, Kya. Cuidado com as pessoas; não deixe nenhum desconhecido se aproximar.

— Acho que consigo me esconder ou sair correndo de qualquer um.

— É, acredito que consegue mesmo. Volto em mais ou menos um mês, prometo. No 4 de Julho. Antes que você perceba, vou estar de volta.

Ela não respondeu. Ele se levantou e enfiou as mãos nos bolsos da calça jeans. Ela ficou em pé ao seu lado, mas ambos olhavam para longe, para o meio das árvores.

Ele a segurou pelos ombros e a beijou demoradamente.

— Tchau, Kya.

Por um momento ela ficou olhando para algum lugar acima do ombro dele, então olhou dentro de seus olhos. Um precipício que ela conhecia até as profundezas mais abissais.

— Tchau, Tate.

Sem dizer mais nada, ele subiu no barco, ligou o motor e atravessou a lagoa. Logo antes de passar pelos arbustos densos do canal, virou-se e acenou. Ela ergueu a mão bem acima da cabeça, depois a levou ao coração.

19.

Fazendo alguma coisa

1969

Na manhã depois de ler o segundo parecer do laboratório, oito dias após encontrar o corpo de Chase Andrews no pântano, o delegado Purdue empurrou com o pé a porta do escritório do xerife para abri-la e entrou. Trazia dois copos de papel com café e um saco de donuts quentinhos, recém--saídos da fritadeira.

— Ai, nossa, o cheiro da Parker's — comentou Ed enquanto Joe colocava a comida em cima da mesa.

Cada um pegou do saco de papel pardo um donut imenso encharcado de óleo. Estalaram os lábios bem alto e lamberam o açúcar dos dedos.

Falando um por cima do outro, ambos anunciaram ao mesmo tempo:

— Bom, encontrei uma coisa.

— Pode falar — disse Ed.

— Eu soube de várias fontes que Chase andava fazendo alguma coisa lá no brejo.

— Fazendo alguma coisa? Como assim?

— Não tenho certeza, mas segundo uns caras na Dog-Gone há uns quatro anos ele passou a ir ao brejo com frequência, sozinho, e fazia segredo disso.

Continuava indo pescar ou passear de barco com os amigos, mas saía muito sozinho. Eu estava pensando que talvez ele tenha se envolvido com alguns maconheiros ou coisa pior. Que talvez tenha se metido com algum traficante perigoso. Quem dorme com cachorros acorda com pulga. Ou, nesse caso, nem acorda.

— Não sei. Ele era atleta... Difícil imaginar um cara desses metido com drogas — falou o xerife.

— Ex-atleta. E, de toda forma, muitos atletas se metem com drogas. Quando os dias grandiosos de herói acabam, eles precisam procurar emoção em outro lugar. Ou quem sabe ele tinha uma mulher por lá.

— Mas não conheço nenhuma mulher que fizesse o tipo dele. Chase só frequentava a elite de Barkley, por assim dizer. Não se metia com lixo.

— Bom, talvez ele tenha sido discreto exatamente por achar que estava se rebaixando.

— Verdade — falou o xerife. — Enfim, o que quer que estivesse acontecendo por lá, isso revela uma nova faceta da vida dele que a gente não conhecia. Vamos bisbilhotar um pouco, descobrir o que ele andava fazendo.

— Você disse que tinha encontrado alguma coisa também.

— Não sei bem o que é. A mãe do Chase ligou, falou que tinha uma coisa importante para dizer sobre o caso. Algo a ver com um colar de concha que ele usava o tempo todo. Ela jura que é uma pista. Quer vir aqui contar tudo.

— Ela vem quando?

— Hoje à tarde. Daqui a pouquinho.

— Seria bom ter uma pista de verdade. Melhor do que sair por aí atrás de um cara que, além de usar suéter de lã vermelha, tenha um motivo. Temos que admitir: se foi assassinato, foi um assassinato bem inteligente. O brejo mastigou e engoliu todas as provas, se é que havia alguma. Temos tempo de almoçar antes de Patti Love chegar?

— Claro. E o especial do dia é costeleta de porco frito. Com torta de amora.

20.

4 de julho

1961

Usando o vestido de chiffon pêssego agora curto, Kya foi descalça até a lagoa no dia 4 de julho e se sentou no tronco da leitura. Um calor cruel dispersou os últimos resquícios de névoa, e uma umidade densa que ela mal conseguia respirar tomou o ar. De vez em quando, ela se ajoelhava na lagoa para jogar água fresca no pescoço, sem deixar de prestar atenção no barulho do barco de Tate. Não se importava de esperar; ficou lendo os livros que ele lhe dera de presente.

Cada minuto do dia se arrastou, e o sol ficou preso no meio do céu. Como o tronco começou a ficar desconfortável, ela se sentou no chão, com as costas apoiadas numa árvore. Por fim, com fome, voltou correndo para o barracão e comeu a salsicha e o pão de minuto que tinham sobrado. Comeu rápido, com medo de ele aparecer enquanto ela não estivesse no seu posto.

A tarde pegajosa juntou mosquitos. Nada de barco; nada de Tate. No crepúsculo, ela ficou em pé, imóvel e silenciosa como uma cegonha, encarando o canal vazio e tranquilo. Respirar doía. Tirou o vestido, entrou na água e nadou no frescor escuro, sentindo a água deslizar pela pele e liberar o calor de dentro dela. Saiu da lagoa e se sentou num trecho de musgo da margem, nua até secar, até a lua se esconder debaixo da terra. Então, carregando as roupas nas mãos, foi para casa.

Sentou-se para esperar no dia seguinte. As horas foram ficando cada vez mais quentes até o meio-dia, escaldantes à tarde, e latejantes até depois do pôr do sol. Mais tarde, a lua lançou esperança através da água, mas isso também morreu. Outro nascer do sol, outro meio-dia escaldante e branco. Pôr do sol outra vez. Toda esperança neutralizada. Seus olhos se moviam de forma apática, e embora ela continuasse atenta ao barco de Tate, não estava mais tensa.

A lagoa recendia a vida e morte ao mesmo tempo, um amontoado orgânico de promessa e putrefação. Sapos coaxavam. Sem ânimo, ela observou vaga-lumes riscarem a noite. Nunca capturava insetos de luz dentro de vidros; aprende-se bem mais sobre as coisas quando elas não estão num vidro. Jodie lhe ensinara que a vaga-lume fêmea pisca a luz abaixo da cauda para sinalizar ao macho que está pronta para acasalar. Cada espécie de vaga-lume tem uma linguagem própria de luz. Enquanto Kya observava, algumas fêmeas sinalizaram *tlim, tlim, tlim, tilim*, voando numa dancinha em zigue-zague, enquanto outras piscaram *tilim, tilim, tlim*, outro padrão de dança. Os machos, é claro, conheciam os sinais da sua espécie e só voavam até essas fêmeas. Então, como Jodie costumava dizer, os insetos esfregavam os traseiros uns nos outros, como a maioria das coisas fazia, para gerar filhotes.

De repente, Kya se sentou mais ereta e prestou atenção: uma das fêmeas tinha mudado de código. Primeiro piscou a sequência correta de *tlins* e *tilins*, atraindo um macho da sua espécie, e eles acasalaram. Então piscou um sinal diferente, e um macho de outra espécie voou até ela. Ao decodificar a mensagem, o segundo macho teve certeza de que havia encontrado uma fêmea disponível da própria espécie, e pairou acima dela para acasalar. Mas de repente a vaga-lume fêmea se projetou para cima dele, o capturou com a boca e o devorou, mastigando todas as seis patas e as duas asas.

Kya observou outros vaga-lumes. As fêmeas conseguiam o que queriam — primeiro um parceiro, depois uma refeição — simplesmente modificando seus sinais.

Sabia que aquela situação não permitia julgamentos. Não era a maldade que estava em jogo, era apenas a vida pulsando, ainda que em detrimento de alguns dos participantes. A biologia vê o certo e o errado como a mesma cor sob uma luz diferente.

Ela ficou mais uma hora esperando Tate, até que finalmente voltou a pé para o barracão.

Na manhã seguinte, xingando os fiapos da esperança cruel, ela voltou à lagoa. Sentada na beira d'água, ficou atenta ao ruído de um barco descendo o canal aos engasgos ou cruzando os estuários distantes.

Ao meio-dia, levantou-se e berrou:

— TATE, TATE, NÃO, NÃO.

Então caiu de joelhos com o rosto na lama. Sentiu algo sumir sob seus pés, um puxão forte. Um movimento da maré que ela conhecia muito bem.

21.

Coop

1961

O vento quente chacoalhava as folhas do palmeiral como se fossem pequenos ossos secos. Três dias depois de desistir de Tate, Kya não levantou da cama. Entorpecida pelo desespero e pelo calor, livrou-se das roupas e dos lençóis úmidos de suor, sentindo a pele grudenta. Despachava os dedos dos pés em missões na tentativa de encontrar pontos de frescor entre os lençóis, mas eles fracassavam.

Não reparou a hora em que a lua nasceu nem quando um jacurutu grande mergulhou durante o dia para atacar um gaio azul. Da cama, ouvia o brejo lá fora no movimento das asas dos melros, mas não saiu. Sofreu ao ouvir o canto choroso das gaivotas chamando-a enquanto sobrevoavam a praia. Mas pela primeira vez na vida não foi ao encontro delas. Torceu para que a dor de ignorá-las deslocasse o rasgo em seu coração. Mas não.

Apática, perguntou-se o que tinha feito para mandar todas as pessoas embora. A própria mãe. As irmãs. A família inteira. Jodie. E agora Tate. Suas lembranças mais pungentes eram datas desconhecidas de parentes desaparecendo pela estradinha afora. O último vislumbre de um cachecol branco flutuando por entre as folhas. Uma pilha de meias largadas em um colchão no chão.

Tate, a vida e o amor tinham sido uma coisa só. Agora não havia mais Tate.

— Por quê, Tate, por quê? — balbuciou ela em meio aos lençóis. — Era para você ter sido diferente. Era para você ter ficado. Você disse que me amava, mas isso não existe. Não tem ninguém no mundo com quem a gente possa contar.

De algum lugar bem lá no fundo, ela prometeu a si mesma que nunca mais confiaria ou amaria alguém.

Sempre encontrara força e coragem para se erguer da lama, para dar o passo seguinte, por mais bambo que fosse. Mas aonde essa garra a tinha levado? Ela acordava e caía em um sono leve.

De repente, o sol — pleno, claro e ofuscante — atingiu seu rosto. Nunca na vida ela havia dormido até o meio-dia. Ouviu um farfalhar suave e, ao se erguer sobre os cotovelos, viu um gavião-de-cooper do tamanho de um corvo do outro lado da porta de tela, olhando para dentro. Pela primeira vez em dias, seu interesse foi despertado. Ela se levantou ao mesmo tempo que o gavião alçou voo.

Por fim, preparou uma papa com água quente e mingau e seguiu até a praia para dar comida às gaivotas. Quando pisou lá, todas elas começaram a girar e mergulhar emboladas, e ela se ajoelhou e jogou a comida na areia. Enquanto as aves se aglomeravam ao seu redor, sentiu as penas roçarem nos braços e coxas e inclinou a cabeça para trás, sorrindo com as aves. Mesmo que ao mesmo tempo as lágrimas escorressem por seu rosto.

Durante um mês depois do dia 4 de julho, Kya não saiu de casa, não foi ao brejo nem ao posto de Pulinho buscar gasolina ou mantimentos. Viveu de peixe seco, mariscos, ostras. Mingau e verduras.

Quando todas as prateleiras ficaram vazias, pegou o barco e foi até o posto de Pulinho comprar mantimentos, mas não conversou com ele como de costume. Fez o que precisava e o largou lá em pé, encarando-a. Precisar das pessoas acabava em sofrimento.

Algumas manhãs depois disso, o gavião-de-cooper voltou aos degraus da sua porta e espiou através da tela. *Que estranho*, pensou, inclinando a cabeça para o animal.

— Ei, Coop.

Com um saltinho, o gavião saiu do chão, deu um rasante, então se ergueu bem alto em direção às nuvens. Enquanto olhava para ele, Kya finalmente falou para si mesma:

— Preciso voltar para o brejo.

Então pegou o barco e saiu, percorrendo os canais e as valas, procurando ninhos de pássaros, penas ou conchas pela primeira vez desde que Tate a havia abandonado. Mesmo assim, não deixava de pensar nele. O fascínio intelectual de Chapel Hill ou as garotas bonitas o tinha fisgado. Não conseguia imaginar as universitárias, mas fosse qual fosse o formato delas devia ser melhor do que o de uma catadora de mariscos de cabelo emaranhado e descalça que morava num barracão.

Quando agosto chegou ao fim, sua vida voltara aos eixos: andar de barco, colecionar objetos, desenhar. Meses se passaram. Ela só ia ao posto de Pulinho quando o estoque baixo de mantimentos exigia, mas falava muito pouco com ele.

Suas coleções amadureceram, catalogadas metodicamente por ordem, gênero e espécie; por idade, de acordo com o desgaste dos ossos; por tamanho em milímetros de penas; ou pelos matizes de verde mais frágeis. A ciência e a arte se entrelaçavam na força uma da outra: as cores, luzes, espécies, a vida; tecendo uma obra-prima de conhecimento e beleza que preenchia cada canto do seu barracão. Seu mundo. E Kya foi crescendo junto — o caule da trepadeira —, sozinha, mas mantendo todas aquelas maravilhas unidas.

Contudo, à medida que sua coleção crescia, o mesmo acontecia com sua solidão. Uma dor do tamanho do seu coração morava no seu peito. Nada a aliviava. Nem as gaivotas, nem um pôr do sol espetacular, nem a mais rara das conchas.

Meses se tornaram um ano.

A solidão ficou maior do que ela era capaz de aguentar. Desejava a voz, a presença, o toque de alguém, porém desejava ainda mais proteger seu coração.

Os meses se tornaram mais um ano. Depois outro.

PARTE 2

O pântano

22.

Maré igual

1965

Com dezenove anos, as pernas mais compridas, os olhos mais redondos e aparentemente mais escuros, Kya estava sentada em Point Beach vendo os siris se enterrarem de costas na areia quando as ondas recuavam. De repente, do sul, ouviu vozes e se levantou num pulo. O grupo de crianças — agora jovens adultos — que ela vira ocasionalmente ao longo dos anos vinha a passos lentos na sua direção, jogando uma bola de futebol americano, correndo e chutando a espuma das ondas. Com medo de que a vissem, ela correu para o meio das árvores, levantando areia com os calcanhares, e se escondeu atrás do tronco grosso de um carvalho. Sabendo como isso a tornava esquisita.

Pouca coisa mudou, pensou ela, *eles rindo, eu me escondendo feito um siri.* Uma selvagem com vergonha do próprio comportamento esquisito.

Louraaltaemagra, Sardentarabodecavalo, Semprecompérolas e Gordinhaebochechuda corriam pela praia, todas emaranhadas em risos e abraços. Nas raras idas ao vilarejo, havia escutado o que elas comentavam. "É, a Menina do Brejo pega roupas com os negros; é obrigada a trocar mariscos por mingau."

Mas depois de todos aqueles anos elas continuavam amigas. Já era alguma coisa. Pareciam bobas vistas de fora, sim, mas como Mabel dissera várias vezes eram um grupo certo. "Você precisa de umas amigas, meu bem, porque amigas são para sempre. Sem precisar de aliança. Um grupo de mulheres é o lugar mais carinhoso e sólido que existe."

Kya se flagrou rindo suavemente com as moças enquanto elas chutavam água do mar umas nas outras. Então, dando gritinhos agudos, correram em bando mais para o fundo. O sorriso de Kya sumiu quando elas saíram da água e deram seu tradicional abraço coletivo.

Os gritinhos delas tornavam o silêncio de Kya ainda mais alto. A união do grupo cutucava a solidão de Kya, mas ela sabia que a etiqueta de lixo do brejo a mantinha atrás do carvalho.

Seus olhos se voltaram na direção do rapaz mais alto. De short cáqui e sem camisa, ele estava lançando a bola. Kya observou os desenhos dos músculos se contraindo nas costas dele. Os ombros bronzeados. Sabia que aquele era Chase Andrews, e ao longo dos anos, desde o dia que ele quase a atropelara com a bicicleta, ela o tinha visto com aqueles amigos na praia, entrando na lanchonete para tomar um milk-shake, ou então abastecendo no posto de Pulinho.

Nesse dia, conforme o grupo se aproximava, olhou só para ele. Quando outro rapaz jogou a bola, ele correu para pegá-la e chegou mais perto da sua árvore, os pés descalços se enterrando na areia quente. Quando ergueu o braço para arremessar, por acaso virou o rosto e encontrou o olhar de Kya. Depois de passar a bola, sem dar qualquer sinal para os outros, virou-se e sustentou a mirada. Tinha o cabelo preto como o dela, mas os olhos eram azul-claros; o rosto forte, bonito. Um esboço de sorriso se formou nos seus lábios. Ele então voltou para os outros, ombros relaxados, seguro de si.

Mas tinha notado a presença dela. Sustentado seu olhar. A respiração de Kya congelou ao mesmo tempo que um calor fluía por seu corpo.

Ela os acompanhou pela praia, sobretudo ele. Sua mente olhava para um lado, seu desejo para outro. Foi seu corpo, não seu coração, que observou Chase Andrews.

No dia seguinte, ela voltou: mesma maré, horário diferente, mas não havia ninguém lá, apenas maçaricos barulhentos e siris surfando nas ondas.

Tentou se forçar a evitar aquela praia e se ater ao brejo para catar ninhos e penas de aves. Manter-se segura dando mingau para as gaivotas comerem. A vida a havia transformado numa especialista em esmagar sentimentos até que ficassem de um tamanho possível de guardar.

Mas a solidão tem uma bússola própria. E ela voltou à praia para procurá-lo no dia seguinte. E no outro.

No fim de uma tarde, depois de ficar esperando Chase Andrews aparecer, Kya sai do barracão e se deita numa nesga de praia ainda molhada da última onda. Ergue os braços acima da cabeça, roçando-os na areia úmida, e estica as pernas com as pontas dos pés espichadas. De olhos fechados, vai rolando lentamente em direção ao mar. Seus quadris e braços deixam leves depressões na areia cintilante, clareando e depois escurecendo conforme ela se mexe. Rolando mais para perto das ondas, ela sente o rugido do oceano com toda a extensão do corpo e a pergunta: *Quando o mar vai me tocar? Onde ele vai me tocar primeiro?*

A onda cheia de espuma cobre a areia e se estende na sua direção. Formigando de expectativa, ela respira fundo. Rolando cada vez mais devagar. A cada giro, logo antes de o seu rosto encostar na areia, ergue um pouquinho a cabeça e sente o cheiro de sol e sal. *Estou perto, muito perto. Ele está chegando. Quando vou sentir?*

Uma febre vai aumentando. A areia fica mais úmida; o barulho das ondas, mais alto. Mais lentamente ainda ela gira, centímetro por centímetro, esperando o contato. Dali a pouco, muito pouco. Quase sentindo antes de acontecer.

Quer abrir os olhos para espiar, saber quanto tempo falta. Mas resiste e aperta as pálpebras com ainda mais força, o céu muito claro atrás dela, sem dar nenhuma pista.

Dá um gritinho quando de repente a água chega por debaixo dela, acaricia suas coxas e entre as pernas, passa pelas costas, rodopia sob a cabeça, puxa seu cabelo em fios negros de tinta. Ela gira mais depressa para dentro da onda que cresce, de encontro a uma cascata de conchas e pedacinhos de oceano, e a água a envolve. Ao encontrar o corpo forte do mar, ela é segurada, abraçada. Não está sozinha.

Kya se senta e abre os olhos para o oceano espumando em volta dela com desenhos brancos e suaves, nunca os mesmos.

Desde que Chase a olhara na praia, Kya fora ao cais de Pulinho duas vezes na mesma semana. Sem admitir para si mesma que torcia para encontrar Chase lá. Ser notada por alguém tinha feito vibrar uma corda de sociabilidade. E nesse dia ela perguntou a Pulinho:

— E como vai Mabel? Seus netos estão de visita?

Como nos velhos tempos. Pulinho reparou na mudança, mas soube que era melhor não comentar.

— Ah, sim, tem quatro com a gente agora, senhorita. Casa cheia de risada, coisa e tal.

Algumas manhãs depois, entretanto, quando Kya chegou de barco ao cais, Pulinho não estava por perto. Pelicanos marrons encolhidos em estacas a observaram como se vigiassem a loja. Kya sorriu para eles.

Um toque no seu ombro a fez se sobressaltar.

— Oi.

Virou-se e encontrou Chase em pé atrás dela. Seu sorriso sumiu.

— Meu nome é Chase Andrews.

Os olhos dele, azuis como gelo, penetraram os seus. Ele parecia totalmente à vontade ao encará-la.

Ela não disse nada, mas moveu o peso do corpo de uma perna para outra.

— Já vi você por aí. Ao longo dos anos, no brejo, sabe? Qual é o seu nome?

Por um instante ele achou que ela não fosse falar; talvez fosse muda ou falasse algum idioma primitivo, como certas pessoas comentavam. Um homem menos seguro poderia ter ido embora.

— Kya.

Ele obviamente não se lembrava daquele encontro de bicicleta na calçada, nem a conhecia de qualquer outro modo que não como a Menina do Brejo.

— Kya... Diferente. Mas bonito. Quer fazer um piquenique? No meu barco, domingo agora?

Ela fixou o olhar além dele, tomando tempo para avaliar suas palavras, mas não conseguiu esperar muito. Era uma oportunidade de estar com alguém.

Por fim, falou:

— Está bem.

Ele lhe disse para encontrá-lo na península de carvalhos ao norte de Point Beach ao meio-dia. Então subiu na lancha azul e branca, na qual peças de metal reluziam em todas as superfícies possíveis, e foi embora acelerando.

Ela se virou ao escutar outros passos. Pulinho veio subindo depressa o cais.

— Oi, Srta. Kya. Me desculpe, eu estava carregando uns caixotes vazios ali. Encho o tanque?

Kya assentiu.

No caminho para casa, desligou o motor e deslizou, já avistando a margem. Recostada na mochila velha, olhando para o céu, recitou poemas que sabia de cor, como fazia às vezes. Um dos seus preferidos era "Febre do mar", de John Masefield:

> *... tudo que eu peço é um dia de vento com nuvens brancas voando,*
> *E água espirrada e espuma soprada, e*
> *gaivotas gritando.*

Kya se lembrou do poema de uma poeta menos conhecida, Amanda Hamilton, publicado recentemente no jornal local que ela havia comprado no Piggly Wiggly:

> *Aprisionado,*
> *O amor é um animal em cativeiro*
> *Que devora a própria carne.*
> *O amor deve ser livre para sair por aí,*
> *Aportar na margem escolhida*
> *E respirar.*

As palavras a fizeram pensar em Tate, e ela prendeu a respiração. Bastou ele encontrar algo melhor para ir embora. Nem sequer voltara para se despedir.

Kya não sabia, mas Tate tinha voltado para vê-la.

Na véspera daquele 4 de julho em que ele deveria ter pegado o ônibus para casa, Dr. Blum, o professor que o havia contratado, entrou no laboratório de protozoologia e perguntou a Tate se ele gostaria de fazer uma expedição para observar pássaros no fim de semana com um grupo de ecologistas renomados.

— Reparei no seu interesse por ornitologia e fiquei pensando se gostaria de ir. Só tenho vaga para um aluno, e pensei em você.

— Sim, claro. Estarei lá.

Depois que o Dr. Blum saiu, Tate ficou ali, sozinho em meio às bancadas do laboratório, aos microscópios e ao murmúrio da autoclave, perguntando-se por que havia aceitado tão depressa. Por que se apressara para impressionar o professor. O orgulho de ser escolhido, o único aluno convidado.

Sua chance seguinte de ir para casa — e apenas por uma noite — fora quinze dias depois. Estava louco para se desculpar com Kya, que iria entender quando soubesse do convite do Dr. Blum.

Ele havia desacelerado ao sair do mar e virar no canal, onde os cascos reluzentes das tartarugas tomando sol faziam fila nos troncos. Quase no meio do caminho, viu o barco dela escondido com cuidado no meio do capim--da-praia alto. Na mesma hora, diminuiu a velocidade e a viu mais à frente, ajoelhada num banco de areia largo, parecendo fascinada por algum pequeno crustáceo.

Com a cabeça bem próxima ao chão, ela não o vira nem ouvira seu barco se aproximar lentamente. Ele manobrou em silêncio para o meio dos juncos, fora do campo de visão dela. Sabia que por anos Kya às vezes o espionava por entre arbustos espinhosos. Por impulso, iria fazer o mesmo.

Descalça, usando uma calça jeans cortada e uma camiseta branca, ela se levantou e esticou os braços bem alto. Deixando à mostra a cintura bem fina. Tornou a se ajoelhar e pegou um pouco de areia nas mãos, deixando-a escapar entre os dedos, e examinou as criaturas que se remexiam na palma. Ele sorriu para a jovem bióloga absorta e distraída. Imaginou-a em pé atrás do grupo de observadores de pássaros, tentando não ser notada, mas sendo a primeira a detectar e identificar cada ave. Tímida e suavemente, teria listado a espécie exata de capim que formava cada ninho, ou a idade em dias de um filhote fêmea com base nas cores que despontavam das asas. Minúcias assombrosas, além do alcance de qualquer manual ou de qualquer conhecimento do célebre grupo de ecologistas. Os mais ínfimos detalhes que compõem uma espécie. A essência.

Tate levou um susto quando Kya de repente se levantou com um pulo, deixando a areia escorrer dos dedos, e olhou correnteza acima, na direção oposta à que ele estava. Mal se escutava o ronco grave de um motor de popa vindo na direção deles, certamente um pescador ou morador do brejo a caminho da cidade. Um ronronar, habitual e calmo como pombas. Mas Kya agarrou a mochila, atravessou correndo o banco de areia e passou no meio do mato alto. Acocorada bem rente ao chão e lançando olhares furtivos para descobrir se o barco havia entrado no seu campo de visão, ela recuou encolhida até a própria embarcação. Seus joelhos quase batiam no queixo. Agora estava mais perto de Tate, e ele viu seus olhos escuros e ensandecidos. Chegando ao barco, ela se agachou junto à lateral com a cabeça baixa.

O pescador — um velho de rosto alegre e chapéu — apareceu com seu motor engasgando e não viu Kya nem Tate, então fez a curva e sumiu. Mas ela permaneceu petrificada, escutando até o motor morrer ao longe, antes de finalmente se levantar e enxugar a testa. Continuou olhando na direção do barco feito um cervo fitando a selva deserta após uma pantera se afastar.

De certo modo ele sabia por que ela se comportava assim, mas desde o jogo das penas não havia testemunhado aquele âmago sensível, em carne viva. Atormentado, isolado e estranho.

Fazia menos de dois meses que estava na faculdade, mas já dera um passo no mundo que desejava, analisando a simetria espantosa da molécula de DNA como se tivesse rastejado para dentro de uma catedral cintilante de átomos enrolados e escalado os níveis sinuosos e ácidos da hélice. Vendo que toda vida dependia daquele código preciso e complexo, transcrito em fragmentos orgânicos frágeis que feneceriam no mesmo instante num mundo ligeiramente mais quente ou mais frio. Finalmente cercado por perguntas de peso e pessoas tão curiosas quanto ele para encontrar as respostas, instigando-o em direção ao objetivo de ser um pesquisador em biologia com um laboratório próprio, interagindo com outros cientistas.

A mente de Kya podia facilmente viver lá, mas ela não. Respirando pesadamente, Tate enfrentou sua decisão ali escondido no meio do capim-da-praia: Kya ou todo o resto.

— Kya, Kya, eu simplesmente não consigo — sussurrou. — Desculpe.

Depois que ela se afastou, ele subiu no barco, ligou o motor e voltou para o mar. Xingando o covarde que havia dentro de si e era incapaz de se despedir.

23.

A concha

1965

Uma noite depois de ver Chase Andrews no cais de Pulinho, Kya estava sentada à mesa da cozinha sob a luz tremeluzente e tranquila de um lampião. Tinha voltado a cozinhar, e estava comendo bocadinhos de um jantar composto por pãezinhos de leitelho, nabos e feijão-manteiga, lendo enquanto comia. Mas pensamentos sobre o piquenique marcado com Chase no dia seguinte embaralhavam as frases.

Levantou-se e saiu para a noite lá fora, para a luz leitosa de uma lua quase cheia. O ar suave do brejo parecia seda ao redor dos seus ombros. O luar escolhia um caminho inesperado por entre os pinheiros, formando sombras como se fossem rimas. Ela saiu feito uma sonâmbula enquanto a lua se erguia nua da água, um galho dos carvalhos de cada vez. A lama escorregadia da margem da lagoa reluzia sob o luar intenso, e centenas de vaga-lumes pontilhavam a mata. Usando um vestido branco de segunda mão com uma saia fluida e balançando lentamente os braços ao redor de si, Kya dançou valsa ao som dos grilos e sapos. Fez as mãos deslizarem pelos flancos e subirem pelo pescoço. Então as moveu pelas coxas enquanto evocava a visão do rosto de Chase Andrews. Queria que ele a tocasse daquele jeito. Sua respiração ficou mais profunda. Ninguém nunca tinha olhado para ela como ele. Nem mesmo Tate.

Ela dançou entre as asas claras das efeméridas, esvoaçando acima da lama acesa do luar.

Na manhã seguinte, contornou a península e viu Chase a bordo da sua lancha, perto da margem. Ali, à luz do dia, a realidade flutuava na sua frente, à espera, e sua garganta ficou seca. Foi até a praia, saltou e puxou o barco para a areia, arranhando o casco no chão.

Chase fez a lancha deslizar até perto dela.

— Oi.

Ela olhou por cima do ombro e meneou a cabeça. Ele saltou da lancha e estendeu a mão para ela: dedos compridos e bronzeados, palma aberta. Ela hesitou; tocar em alguém significava abrir mão de parte de si, um pedaço que ela nunca recuperava.

Mesmo assim, colocou de leve a mão dentro da dele. Ele a firmou enquanto ela subia pela popa e se sentava no banco acolchoado. O dia estava quente e ensolarado, e Kya, com uma calça jeans cortada e uma blusa branca de algodão — traje copiado das outras —, parecia normal. Ele se sentou ao seu lado, e ela sentiu a manga da roupa dele deslizar suavemente pelo seu braço.

Chase conduziu a lancha em direção ao oceano. O mar aberto fazia a embarcação balançar mais do que o brejo tranquilo, e ela sabia que o movimento de sobe e desce do mar faria o seu braço roçar no dele. A expectativa do contato manteve seus olhos fixos à frente, mas ela não se afastou.

Por fim, uma onda maior do que as outras subiu e desceu, e o braço dele, sólido e quente, acariciou o seu. Afastou-se, depois tornou a tocá-la a cada subida e descida. E quando uma onda se ergueu sob a lancha, a coxa dele roçou na sua e ela prendeu a respiração.

Conforme avançavam pela costa rumo ao sul, a lancha deles sendo a única embarcação naquele lugar ermo, ele acelerou. Dez minutos depois, vários quilômetros de praia branca se desdobravam paralelamente à linha d'água, protegidos do restante do mundo por uma floresta arredondada e densa. Mais à frente, Point Beach se abria feito um leque branco e brilhante.

Chase não tinha dito uma palavra desde que a cumprimentara; ela também não dissera nada. Ele deslizou a lancha até a margem e colocou a cesta de piquenique na areia, na sombra da embarcação.

— Quer andar? — perguntou.

— Quero.

Eles foram andando rente ao mar, cada ondinha cercando seus tornozelos com pequenos redemoinhos e depois puxando seus pés ao voltar.

Ele não segurou sua mão, mas, de vez em quando, num movimento natural, seus dedos roçavam. Às vezes se ajoelhavam para examinar uma concha ou um fio de alga transparente e espiralado que parecia uma obra de arte. Os olhos azuis de Chase eram brincalhões; ele sorria com facilidade. Tinha a pele muito bronzeada, como a dela. Juntos os dois eram altos, elegantes, parecidos.

Kya sabia que Chase havia decidido não ir para a faculdade, mas trabalhar para o pai. Ele era conhecido na cidade, o peru macho. E em algum lugar dentro de si ela estava preocupada de ser também uma peça de arte da praia, uma curiosidade que ele iria revirar nas mãos e depois jogar de volta na areia. Mas continuou caminhando. Já tinha dado uma chance ao amor; agora queria apenas preencher os espaços vazios. Aliviar a solidão enquanto erguia um muro em volta do coração.

Depois de quase um quilômetro, ele se virou para ela e fez uma grande mesura, abrindo o braço num convite exagerado para que se sentassem na areia encostados num tronco trazido pelo mar. Enterraram os pés nos cristais brancos e se recostaram.

Chase tirou uma gaita do bolso.

— Ah — disse ela. — Você toca.

As palavras pareceram ásperas na sua língua.

— Não muito bem. Mas quando tenho uma plateia encostada num tronco trazido pelo mar, na praia... — Ele fechou os olhos e tocou "Shenandoah", com a palma se agitando no instrumento feito um passarinho preso atrás de um vidro. Era um som bonito, pungente, semelhante à melodia de um lar distante. Então, de modo abrupto, parou no meio da música e pegou uma concha um pouco maior do que uma moeda de cinco centavos, de uma cor branca leitosa, com manchas vivas que variavam entre o vermelho e o roxo. — Ei, olha isso — falou.

— Ah, é uma vieira, *Pecten ornatus* — disse Kya. — Só vejo raramente. Tem muitos moluscos desse gênero aqui, mas essa espécie em especial costuma habitar regiões ao sul desta latitude, porque as águas aqui são frias demais para ela.

Ele a encarou. Em todas as fofocas ninguém nunca havia comentado que a Menina do Brejo, a que não sabia soletrar *dez*, conhecia o nome em latim das conchas e seus locais de origem; além de saber por que elas são de onde são, pelo amor de Deus.

— Isso eu não sei — disse ele. — Mas olha aqui, ela é torta. — As asinhas que se abriam para um lado e outro do eixo estavam tortas, e havia um furinho perfeito na base. Ele virou a concha na palma da mão. — Toma, pode ficar. Você é a menina das conchas.

— Obrigada.

Ela a guardou no bolso.

Ele ainda tocou mais algumas músicas, terminando com a acelerada "Dixie", então eles voltaram para o cesto de piquenique de vime e se sentaram numa colcha quadriculada para comer frango frito frio, presunto salgado com pão de minuto e salada de batatas. Picles com endro. Fatias de um bolo de quatro camadas com glacê de caramelo de mais de um centímetro de espessura. Tudo feito em casa, enrolado em papel-manteiga. Ele abriu duas garrafas de refrigerante Royal Crown e os serviu em copos de papel; era a primeira vez que ela tomava refrigerante na vida. Aquele banquete generoso era incrível para ela, com os guardanapos de pano muito bem dobrados, os pratos e garfos de plástico. Até mesmo saleiros e pimenteiros minúsculos. A mãe dele devia ter preparado tudo, pensou, sem saber que o filho estava indo encontrar a Menina do Brejo.

Eles conversaram tranquilamente sobre coisas do mar — pelicanos que planavam, maçaricos que se pavoneavam — sem se tocar, dando risinhos. Quando Kya apontou para uma fileira irregular de pelicanos, ele assentiu e chegou um pouco mais perto, de modo que seus ombros se encostaram de leve. No momento em que ela o encarou, ele ergueu seu queixo com a mão e a beijou. Tocou seu pescoço com delicadeza, então abriu os dedos sobre a sua blusa na altura do seio. Beijando-a e abraçando-a, agora com mais firmeza, foi se inclinando para trás até eles se deitarem na colcha. Lentamente, moveu-se até ficar por cima dela, pressionou os quadris no meio das suas pernas e, com um único movimento, puxou a blusa de Kya para cima. Ela afastou a cabeça com um puxão e se contorceu para sair de baixo dele, os olhos mais escuros que a noite chispando. Puxou a blusa para baixo de novo.

— Calma, calma. Está tudo bem.

Ela continuou deitada — cabelo espalhado na areia, rosto corado, boca vermelha ligeiramente entreaberta —, linda. Com cuidado, ele estendeu a mão para tocar seu rosto, mas, rápida como um gato, ela se desvencilhou e ficou em pé.

Kya respirava com esforço. Na noite anterior, dançando na margem da lagoa, ondulando com a lua e as efeméridas, imaginara estar pronta. Pensara que sabia tudo sobre acasalamento por observar os pombos. Ninguém nunca tinha lhe falado sobre sexo, e sua única experiência com preliminares fora com Tate. Mas ela conhecia os detalhes por causa dos livros de biologia e tinha visto mais criaturas copulando — e não só "esfregando os traseiros umas nas outras", como Jodie dissera — do que a maioria das pessoas jamais veria.

Só que aquilo era abrupto demais: um piquenique e depois acasalar com a Menina do Brejo. Até os passarinhos machos cortejam um pouco as fêmeas, exibindo penas brilhantes, construindo abrigos, dançando e cantando músicas magníficas de amor. Sim, Chase havia trazido um banquete, mas ela valia mais do que frango frito. E "Dixie" não chegava a ser uma canção de amor. Ela deveria ter desconfiado que seria assim. O único momento em que os mamíferos machos ficam por perto é quando estão querendo acasalar.

O silêncio foi aumentando enquanto eles se encaravam, interrompido apenas pelo som da respiração deles e das ondas no mar. Chase sentou-se e estendeu a mão para segurar o braço de Kya, mas ela se afastou com um puxão.

— Desculpa. Está tudo bem — disse ele, se levantando.

Era verdade, fora até ali transar com ela, ser o seu primeiro, mas observar aqueles olhos incendiados o enfeitiçara.

Tornou a tentar:

— Por favor, Kya. Eu pedi desculpas. Vamos esquecer essa história. Vou levar você de volta para seu barco.

Ao ouvir isso, ela lhe deu as costas e atravessou a areia em direção à mata. Seu corpo comprido balançando.

— O que você está fazendo? Não dá para voltar a pé daqui. São quilômetros.

Mas ela já estava no meio das árvores e traçou uma linha reta, primeiro em direção ao interior, depois atravessando a península para voltar até o barco. Não conhecia aquela área, mas os melros a guiaram em direção ao brejo. Ela não parou de correr nem nos charcos, nem nas valas, atravessou direto os córregos espirrando água, pulou troncos.

Por fim, curvou-se e arfou, então caiu ajoelhada. Disse palavrões gastos. Enquanto estivesse vociferando, os soluços não viriam à tona. Mas nada era capaz de deter a vergonha ardente e toda aquela tristeza. A simples esperança de estar com alguém, de ser de fato desejada, tocada, a atraíra. Mas aquelas mãos apressadas e insistentes estavam apenas *pegando*, não *compartilhando* ou *dando*.

Ficou atenta a ruídos que pudessem ser ele vindo atrás dela, sem saber muito bem se queria ou não que ele irrompesse pela vegetação e a abraçasse implorando perdão. Isso a deixou com raiva outra vez. Então, exausta, ela se levantou e percorreu o resto do caminho até seu barco.

24.

A torre

1965

Nuvens de tempestade se acumulavam e pressionavam o horizonte quando Kya entrou no mar da tarde com seu barco a motor. Não via Chase desde o piquenique dez dias antes, mas ainda sentia o formato e a firmeza do corpo dele imprensando o seu na areia.

Não havia nenhuma outra embarcação à vista quando ela foi na direção de uma enseada ao sul de Point Beach, onde já tinha visto borboletas diferentes de um branco tão forte que talvez fossem albinas. Quarenta metros mais à frente, porém, soltou de repente o acelerador ao ver os amigos de Chase colocando a bordo dos barcos cestos de piquenique e toalhas coloridas. Kya virou o barco depressa para ir embora a toda, mas, cedendo a um forte impulso, virou-se e procurou por ele. Sabia que nenhuma parte daquele anseio fazia sentido. Um comportamento ilógico para preencher um vazio não iria preencher muito mais. Quanto se está disposto a oferecer para vencer a solidão?

E ali, perto de onde ele a beijara, ela o viu indo em direção à lancha carregando varas de pescar. Atrás dele, Sempre com pérolas levava um isopor.

De repente, Chase virou a cabeça e olhou diretamente para onde ela estava flutuando no barco. Ela não virou para o outro lado; encarou-o também.

Como sempre, a timidez venceu, e Kya interrompeu o contato visual, afastou-
-se depressa e manobrou para uma baía abrigada.

Dez minutos depois, religou o motor e saiu para o mar. Mais à frente viu Chase sozinho em sua lancha, boiando nas ondas. À espera.

O velho desejo aumentou. Ele continuava interessado nela. É verdade que tinha sido insistente demais no piquenique, mas havia parado quando ela o afastara. Havia pedido desculpas. Talvez ela devesse lhe dar outra chance.

Ele acenou para ela se aproximar e disse:

— Oi, Kya.

Ela não chegou mais perto; tampouco se afastou. Ele ligou o motor e se aproximou.

— Kya, desculpe por aquele dia, está bem? Vem, quero te mostrar a torre de incêndio.

Ela não disse nada, só continuou à deriva na direção dele, sabendo que estava fraquejando.

— Olha, se você nunca subiu na torre, é um jeito incrível de ver o brejo. Vem comigo.

Ela acelerou e virou o barco na direção da lancha dele, sem nunca deixar de vasculhar o mar para se certificar de que os amigos dele não estavam por perto.

Chase acenou para ela seguir rumo ao norte após passar por Barkley Cove — o vilarejo sereno e colorido ao longe — e atracou na praia de uma pequena baía escondida bem fundo na floresta. Após amarrar as embarcações, conduziu-a até uma trilha tomada por arbustos-de-cera e azevinhos cheios de espinhos. Ela nunca tinha entrado naquela floresta úmida e repleta de raízes, pois ficava do outro lado do vilarejo e perto demais das pessoas. Enquanto eles caminhavam, pequenos filetes de água salobra corriam por baixo da vegetação; graciosos lembretes de que aquelas terras pertenciam ao mar.

Então um pântano de verdade apareceu, com seu cheiro de terra rasa e ar espesso e úmido. De forma súbita, sutil e silenciosa, ele se estendia até a orla de uma floresta escura mais atrás.

Acima das copas das árvores Kya viu a plataforma de madeira surrada da torre de incêndio abandonada, e poucos minutos depois eles chegaram à base da estrutura com suas pernas abertas feitas de estacas grosseiramente cortadas. Uma lama preta purgava ao redor das pernas e debaixo da torre, e a podridão úmida carcomia as vigas. Escadas subiam em zigue-zague até lá em cima, a estrutura se estreitando a cada nível.

Depois de atravessarem o terreno alagado, eles começaram a subir, Chase na frente. Na quinta curva da escada, as florestas de carvalho arredondadas se espalharam para oeste até onde a vista alcançava. Em todas as outras direções, valas, lagoas, córregos e estuários serpenteavam em meio à grama verde-viva até o mar. Kya nunca tinha estado tão alto acima do brejo. Agora todas as peças estavam lá embaixo, e pela primeira vez ela podia ver o rosto inteiro do seu amigo.

Quando eles chegaram ao último degrau, Chase abriu com um empurrão a grade de ferro acima da escada. Depois de subirem na plataforma, ele recolocou a grade no lugar. Antes de pisar, Kya fez um teste, cutucando a plataforma com os dedos dos pés. Chase riu baixinho.

— Está tudo bem, não se preocupe.

Ele a guiou até o guarda-corpo, de onde olharam para o brejo estendido lá embaixo. Dois búteos-de-cauda-vermelha passaram voando na altura dos seus olhos com o vento assobiando por entre as asas, as cabeças inclinadas de surpresa ao ver um rapaz e uma moça em pé no seu espaço aéreo.

Chase virou-se para ela e disse:

— Obrigado por ter vindo, Kya. Por me dar outra chance de me desculpar por aquele dia. Eu saí da linha, isso não vai acontecer de novo.

Ela não disse nada. Partes dela queriam beijá-lo, sentir sua força encostada nela.

Enfiando a mão no bolso da calça jeans, ela disse:

— Fiz um colar com a concha que você achou. Não precisa usar se não quiser.

Ela havia pendurado a concha num fio de couro na noite anterior, pensando que iria usá-la, mas sabendo o tempo todo que estava torcendo para rever Chase e lhe dar o colar se tivesse oportunidade. Mas nem mesmo nesse devaneio tinha visualizado os dois juntos no alto da torre, olhando para o mundo lá embaixo.

— Obrigado, Kya — disse ele. Olhou para o colar, então o passou pela cabeça e sentiu com os dedos a concha que repousava no pescoço. — É claro que eu vou usar. — Não disse nada banal como *Vou usar para sempre, até o dia da minha morte.* — Me leve na sua casa — pediu Chase.

Kya imaginou o barracão encolhido sob os carvalhos, as tábuas cinza manchadas com o sangue da ferrugem do telhado. As telas que eram mais rombos do que arame. Um lugar de remendos.

— É longe — foi tudo que ela disse.

— Kya, não estou nem aí se é longe ou como é. Anda, vamos.

A chance de ser aceita poderia ser perdida se dissesse não.

— Está bem.

Eles desceram da torre, ele a conduziu de volta até a baía e acenou para ela seguir na frente. Ela navegou para o sul até o labirinto de estuários e abaixou a cabeça ao entrar no seu canal encimado de verde. A lancha dele era quase grande demais para passar por aquele emaranhado de floresta, e com certeza azul e branca demais, mas se espremeu e conseguiu passar, com os galhos arranhando o casco.

Quando a lagoa dela se abriu diante deles, os detalhes delicados de cada galho coberto de musgo e de cada folha brilhante se refletiam na água límpida e escura. Libélulas e garças-brancas-pequenas levantaram voo por um breve instante ao ver aquela embarcação desconhecida, depois tornaram a se acomodar graciosamente, batendo as asas silenciosas. Kya prendeu seu barco enquanto Chase ia até a margem com o motor ligado. A garça-azul-grande, que havia muito já aceitara os seres menos selvagens do que ela, permaneceu completamente imóvel a poucos metros.

A roupa lavada e puída de Kya pendia do varal, macacões desbotados e camisetas, e eram tantos os nabos que haviam se espalhado para dentro da mata que ficava difícil saber onde terminava a horta e começava a floresta.

Ao olhar para a tela cheia de remendos da varanda, ele perguntou:

— Quanto tempo faz que você mora aqui sozinha?

— Não sei exatamente quando Pa foi embora. Mas acho que faz uns dez anos.

— Que legal. Morar aqui sem pai nem mãe para mandar em você.

A única resposta de Kya foi:

— Não tem nada para ver lá dentro.

Mas ele já estava subindo os degraus de tábua e tijolo. A primeira coisa que viu foi a coleção dela exposta em prateleiras improvisadas. Uma colagem da vida que pulsava do outro lado da tela.

— Foi você quem fez isso tudo? — indagou.

— Foi.

Ele observou algumas borboletas por um breve instante, mas logo perdeu o interesse. *Por que guardar coisas que você pode ver bem na porta de casa?*, pensou.

O pequeno colchão em que ela dormia no chão da varanda tinha uma colcha gasta feito um roupão de banho velho, mas era bem-feita. Alguns passos os conduziram até a sala minúscula com o sofá afundado, e então ele espiou dentro do quarto dos fundos, onde penas de todas as cores, formatos e tamanhos cobriam a parede inteira.

Ela acenou para ele ir até a cozinha, perguntando-se o que poderia lhe oferecer. Claro que não tinha Coca-Cola nem chá gelado, nenhum cookie ou pão de minuto frio. Os bolinhos de milho que tinham sobrado estavam junto do fogão ao lado de uma panela de feijão-fradinho já catado e pronto para ser cozido para o jantar. Nada para um convidado.

Por hábito, ela pôs alguns pedaços de lenha na fornalha. Cutucou-os um pouco com o atiçador; o fogo pegou na mesma hora.

— É isso — falou, mantendo-se de costas para ele enquanto acionava a manivela de água para encher a chaleira amassada, um retrato dos anos 1920 exposto ali, nos anos 1960.

Sem água corrente, sem luz elétrica, sem banheiro. A banheira de latão estava num canto da cozinha com a borda amassada e enferrujada, a cômoda solta exibia sobras de comida protegidas por panos de prato, e a geladeira atarracada estava escancarada, com um mata-mosquitos na frente. Chase nunca tinha visto nada como aquilo.

Ele acionou a manivela e observou a água se derramar na bacia esmaltada que servia de pia. Tocou a lenha empilhada direitinho junto ao fogão. As únicas luzes eram alguns lampiões a querosene com as chaminés tingidas de cinza pela fumaça.

Chase era sua primeira visita desde Tate, que parecera tão natural e acolhedor quanto as outras criaturas do brejo. Com Chase ela se sentia exposta, como se alguém a estivesse fatiando em filés, feito um peixe. Sentiu a vergonha brotar dentro de si. Continuava de costas para ele, mas podia ouvi-lo se mover pelo recinto e escutava os rangidos conhecidos do assoalho. Ele então chegou por trás dela, virou-a delicadamente e a abraçou de leve. Encostou os lábios no seu cabelo, e ela sentiu a respiração dele junto à orelha.

— Ninguém que eu conheço teria conseguido viver aqui sozinho desse jeito, Kya. A maioria dos meus amigos, até mesmo os garotos, sentiria medo demais.

Ela pensou que Chase fosse beijá-la, mas ele a soltou e foi até a mesa.

— O que você quer comigo? — perguntou ela. — Me diga a verdade.

— Olha, não vou mentir. Você é linda, livre, selvagem como um vendaval. No outro dia eu quis chegar o mais perto possível. Quem não iria querer?

Mas não é certo. Eu não deveria ter forçado a barra daquele jeito. Só quero ficar contigo, entende? Quero que a gente se conheça melhor.

— E depois?

— Depois a gente vê como se sente. Não vou fazer nada a não ser que você queira. Que tal?

— Tudo bem.

— Você disse que tinha uma praia. Vamos lá.

Ela cortou para as gaivotas pedaços dos bolinhos de milho que sobraram e foi na frente dele pela trilha até chegarem à areia branca e ao mar. Quando ela deu um gritinho suave, as gaivotas apareceram e começaram a sobrevoar ao redor dos seus ombros. O macho maior, Vermelho Grande, pousou e andou de um lado para outro aos seus pés.

Chase ficou parado a uma curta distância, observando Kya desaparecer no meio da espiral de pássaros. Não havia planejado sentir nada por aquela garota descalça, estranha e arisca, mas vê-la rodopiar pela areia controlando as aves o deixou intrigado por sua autonomia e também por sua beleza. Ele nunca tinha conhecido ninguém como Kya; sentiu, além do desejo, a curiosidade se agitar dentro de si. Quando ela voltou para onde ele estava, Chase perguntou se podia voltar no dia seguinte e prometeu que nem sequer ia segurar sua mão, disse que só queria ficar perto dela. Ela respondeu apenas balançando a cabeça. Era a primeira esperança que surgia em seu coração desde que Tate fora embora.

25.

Uma visita de Patti Love

1969

Uma batida leve soou na porta do escritório do xerife. Joe e Ed ergueram o rosto e viram através do vidro jateado a forma sombreada da mãe de Chase, Patti Love Andrews. Mas conseguiram reconhecê-la, de vestido preto e chapéu. O cabelo castanho já meio grisalho preso num coque bem-feito. Uma cor de batom adequadamente sóbria.

Ambos se levantaram e Ed foi abrir a porta.

— Oi, Patti Love. Pode entrar. Sente-se. Aceita um café?

Ela olhou para as canecas pela metade, sujas com pingos escorridos nas bordas.

— Não, Ed, obrigada. — Sentou-se na cadeira que Joe puxou para ela. — Vocês já têm alguma pista? Alguma outra informação desde o parecer do laboratório?

— Não. Não temos, não. Estamos passando um pente-fino em tudo de novo, e você e Sam vão ser os primeiros a saber se encontrarmos alguma coisa.

— Mas, Ed, não foi um acidente. Não é? Eu sei que não foi um acidente. O Chase nunca teria caído daquela torre sozinho. Você sabe o atleta que ele era. E como era esperto.

— Concordamos que existem indícios suficientes para desconfiar de um crime. Só que a investigação ainda está em andamento e não tem nada definido ainda. Mas você disse que tinha uma coisa para nos contar.

— Sim, e acho que é importante. — Patti Love olhou para Ed, então para Joe e depois de novo para Ed. — O Chase nunca tirava um colar de concha. Tinha esse colar há anos. Eu sei que ele estava usando na noite em que foi à torre. Ele foi jantar comigo e com Sam, como eu já disse... Pearl não pôde ir; era sua noite de jogar bridge. E ele estava com o colar logo antes de sair para a torre. E aí depois que ele... Bom, quando nós o vimos na clínica ele não estava com o colar. Como imaginei que o legista tivesse tirado, não comentei nada na hora, e com o funeral e tudo o mais acabei esquecendo. Até que um dia desses fui de carro para Sea Oaks e perguntei para o legista se podia ver as coisas do Chase, os objetos pessoais dele. Tinham guardado para os testes, sabe, mas eu queria segurá-los, só para sentir o que ele estava usando naquela última noite. Então me deixaram sentar a uma mesa e tocar os objetos. Xerife, o colar não estava lá. Perguntei para o legista se ele tinha tirado o colar e ele respondeu que não. Disse que nunca tinha visto colar nenhum.

— Que curioso — disse Ed. — O colar ficava preso como? Talvez tenha se soltado quando ele caiu.

— Era uma concha pendurada num fio de couro com tamanho exato para passar pela cabeça. Não era frouxo e era preso com um nó. Não sei como poderia ter caído.

— Concordo. Couro é resistente e difícil de arrebentar — disse Ed. — Por que ele usava esse colar o tempo todo? Alguém especial tinha feito para ele e dado de presente?

Patti Love ficou sentada sem dizer nada, olhando para a lateral da mesa do xerife. Relutava em responder, porque nunca admitira que o filho tivesse se envolvido com lixo do brejo. É claro que corriam boatos no vilarejo de que Chase e a Menina do Brejo tinham tido um caso mais de um ano antes de ele se casar. E Patti Love desconfiava que tivesse continuado até depois do casamento, mas, sempre que os amigos haviam lhe perguntado sobre as histórias, ela negara. Só que agora era diferente. Agora ela precisava falar, porque sabia que aquela vadia tinha alguma coisa a ver com a morte dele.

— Sim, eu sei quem fez o colar para o Chase. Foi aquela mulher que vive por aí num barquinho caindo aos pedaços; ela está por aí há anos. Foi ela quem fez e deu para ele quando os dois namoraram durante um tempo.

— Está falando da Menina do Brejo? — perguntou o xerife.

Joe entrou na conversa:

— Você tem visto ela? Ela não é mais uma menina, deve ter uns vinte e cinco anos e é uma tremenda gata.

— Aquela Não sei o Quê Clark? Estou só tentando esclarecer as coisas — disse Ed com a testa franzida.

— Não sei o sobrenome dela — disse Patti Love. — Não sei nem se ela tem sobrenome. As pessoas a chamam de Menina do Brejo. Vocês sabem, aquela que passou anos vendendo mariscos para o Pulinho.

— Certo. Estamos falando da mesma pessoa. Pode continuar.

— Bom, eu fiquei chocada quando o legista disse que o Chase estava sem o colar. Então me dei conta de que ela seria a única pessoa com algum interesse em ficar com aquilo. O Chase tinha terminado o relacionamento deles e se casado com a Pearl. Como não podia ficar com ele, vai ver o matou e pegou o colar do pescoço dele.

Patti Love estremeceu de leve, então recuperou o fôlego.

— Entendo. Bem, isso é muito importante, Patti Love, e vale a pena ser investigado. Mas não vamos nos precipitar — disse Ed. — Tem certeza de que foi ela quem deu o colar para ele?

— Tenho, sim. Eu sei porque o Chase não queria me contar, mas depois contou.

— Sabe mais alguma coisa sobre o colar ou o relacionamento deles?

— Não sei muito, não. Nem sei por quanto tempo eles namoraram. Provavelmente ninguém sabe. Ele era muito sorrateiro em relação a esse assunto. Como já falei, levou meses para me contar. Aí, depois que contou, eu nunca sabia se ele saía de lancha com os amigos ou com ela.

— Bom, vamos averiguar. Isso eu prometo.

— Obrigada. Tenho certeza de que é uma pista.

Ela se levantou para ir embora e Ed abriu a porta.

— Volte sempre que quiser conversar, Patti Love.

— Tchau, Ed. Tchau, Joe.

Depois de fechar a porta, Ed se sentou de novo, e Joe perguntou:

— Então, o que você acha?

— Se alguém pegou o colar do Chase lá na torre, pelo menos isso colocaria a pessoa na cena do crime, e eu consigo imaginar alguém do brejo metido nessa história. Aquela gente tem as próprias leis. Só não sei se uma mulher conseguiria empurrar um cara grande como o Chase por aquele buraco.

— Ela pode ter atraído Chase até lá em cima, aberto a grade antes de ele chegar, e então, quando ele foi na direção dela no escuro, pode ter empurrado ele antes mesmo que ele a visse — disse Joe.

— Parece possível. Não fácil, mas possível. Não é lá uma grande pista. A *ausência* de um colar de concha — falou o xerife.

— Por enquanto é nossa única pista. Tirando a *ausência* de digitais e alguns fios vermelhos misteriosos.

— Pois é.

— Mas o que eu não consigo entender é por que ela se deu o trabalho de tirar o colar do pescoço dele — falou Joe. — Tudo bem que na condição de mulher desprezada ela estava decidida a matar. Até isso é um motivo exagerado, mas por que pegar o colar se isso poderia ligá-la diretamente ao crime?

— Você sabe como as coisas são. Parece que em todo assassinato tem algo que não faz sentido. As pessoas se enrolam. Talvez ela tenha ficado em choque e furiosa por ele ainda usar o colar, e na hora não tenha parecido nada demais tirar do pescoço dele. Ela não tinha como saber que alguém ia perceber o vínculo entre o colar e ela. Segundo as suas fontes, o Chase andava fazendo alguma coisa lá no brejo. Talvez não tenha nada a ver com drogas, como você disse antes, mas com uma mulher. Com essa mulher.

— Outro tipo de droga — comentou Joe.

— E o pessoal do brejo sabe disfarçar pegadas porque eles vivem de armar arapucas, rastrear animais, montar armadilhas e coisas assim. Bom, mal não vai fazer ir até lá conversar com ela. Perguntar onde ela estava naquela noite. Podemos perguntar sobre o colar e ver se ela se abala um pouco.

— Você sabe chegar na casa dela? — perguntou Joe.

— De barco não tenho certeza, mas acho que com a picape eu consigo. Tem que pegar aquela estradinha bem sinuosa que passa por várias lagoas. Um tempo atrás tive que ir até lá falar com o pai dela algumas vezes. Que sujeitinho horroroso aquele homem lá.

— Quando é que nós vamos?

— Assim que amanhecer, para ver se a gente encontra ela em casa antes que ela saia. Amanhã. Mas primeiro é melhor a gente ir até a torre e procurar direitinho esse colar. Talvez esteja lá esse tempo todo.

— Não vejo como poderia estar. Vasculhamos o lugar de cima a baixo atrás de pegadas, marcas de pneu e pistas.

— Mesmo assim, temos que fazer isso. Vamos.

Mais tarde, depois de vasculharem a lama ao pé da torre com ancinhos e os dedos, eles declararam que lá não havia nenhum colar.

Uma luz fraca vazava sob uma aurora baixa e pesada quando Ed e Joe seguiram com a picape pela trilha na esperança de chegarem à casa da Menina do Brejo antes de ela sair de barco para algum lugar. Fizeram várias curvas erradas e deram em becos sem saída ou em alguma moradia caindo aos pedaços. Num dos barracões, alguém gritou "Xerife!", e corpos, em sua maioria nus, saíram correndo para todos os lados e se enfiaram no meio dos arbustos espinhosos.

— Maconheiros malditos — comentou o xerife. — Pelo menos os fabricantes de bebida ilegal andam vestidos.

Até que eles finalmente chegaram à estradinha comprida que dava no barracão de Kya.

— É aqui — falou Ed.

Ele virou a picape grande para entrar na estradinha e avançou discretamente em direção à casa até parar a uns cinquenta metros da porta. Os dois saltaram sem fazer barulho. Ed bateu na aldrava de madeira da porta de tela.

— Olá! Alguém em casa? — Silêncio, então ele tentou outra vez. Aguardaram dois ou três minutos. — Vamos dar uma olhada nos fundos para saber se o barco dela está lá.

— Não. Parece que é naquele tronco que ela atraca o barco. Já saiu. Que droga — disse Joe.

— É, ela nos ouviu chegando. Deve ser capaz de ouvir um coelho dormindo.

Na vez seguinte, eles apareceram antes de o dia raiar, estacionaram bem mais longe na estradinha e encontraram o barco dela amarrado no tronco. Mesmo assim, ninguém atendeu à porta.

— Tenho a sensação de que ela está bem aqui nos observando — sussurrou Joe. — Você não? Está bem aqui agachada no meio do maldito palmeiral. Bem aqui pertinho. Eu sei que está.

Ele virou a cabeça e deu uma olhada nos arbustos.

— Bom, isso não vai dar certo. Se acharmos mais alguma coisa podemos arrumar um mandado. Vamos sair daqui.

26.

O barco ancorado

1965

Na primeira semana que os dois passaram juntos, Chase foi à lagoa de Kya quase todos os dias depois do trabalho na Western Auto, e eles exploraram canais isolados margeados por carvalhos. No sábado de manhã, ele a levou bem para o norte do litoral para uma expedição até um lugar ao qual ela nunca tinha ido, porque era distante demais para seu barquinho. Ali — em vez de estuários e áreas imensas de mato do seu brejo — a água cristalina fluía até onde a vista dela alcançava por entre uma floresta de ciprestes brilhante e aberta. Garças e cegonhas ofuscantes de tão brancas passeavam entre nenúfares e plantas aquáticas tão verdes que pareciam cintilar. Acomodados em curvas de troncos de cipreste grandes como espreguiçadeiras, eles comeram sanduíches de queijo apimentado e batatas chips, sorrindo ao verem os gansos passarem bem abaixo dos seus pés.

Como a maioria das pessoas, Chase entendia o brejo como um lugar para se andar de barco e pescar, ou então que devia ser aterrado para a agricultura, de modo que o conhecimento de Kya sobre os animais, correntezas e plantas o intrigava. Mas ele desdenhava seu toque suave, seu hábito de manter o barco em velocidade baixa, de passar silenciosamente pelos cervos, de sussurrar junto aos ninhos dos pássaros. Não tinha interesse algum em aprender sobre conchas ou penas, e a enchia de perguntas ao vê-la fazer anotações no seu diário ou coletar espécimes.

— Por que está desenhando capim? — perguntou certo dia na cozinha dela.

— Estou desenhando as flores do capim.

Ele riu.

— Capim não tem flor.

— Claro que tem. Olhe estas aqui. São minúsculas, mas lindas. Cada espécie de capim tem uma flor ou inflorescência diferente.

— Mas o que vai fazer com tudo isso, afinal?

— Estou registrando tudo para aprender sobre o brejo.

— Tudo que você precisa saber é quando e onde os peixes mordem a isca, e isso eu posso te dizer — falou ele.

Ela riu para agradá-lo, algo que nunca tinha feito. Cedendo mais um pedacinho de si só para ter alguém.

Naquela tarde, depois de Chase ir embora, Kya saiu sozinha de barco e foi até o brejo. Mas não se sentiu só. Acelerou um pouquinho mais do que de costume, o cabelo comprido esvoaçando ao vento e um leve sorriso esboçado nos lábios. O simples fato de saber que o veria de novo em breve, que estaria com alguém, a alçava a um lugar novo.

Então, ao rodear um trecho de mato alto, viu Tate mais à frente. Ele estava bem distante, a uns quarenta metros talvez, e não tinha ouvido o barco dela. No mesmo instante, Kya soltou o acelerador e desligou o motor. Pegou o remo e recuou até o meio do capim.

— Ele deve ter voltado da faculdade — sussurrou para si mesma.

Vira-o algumas vezes ao longo dos anos, mas nunca tão de perto assim. Mas ali estava ele, com as mechas do cabelo despenteado saindo de outro boné vermelho. O rosto bronzeado.

Tate estava calçando galochas que iam até as coxas e andava por uma lagoa recolhendo amostras de água em frasquinhos. Não mais os vidros velhos de geleia que eles usavam quando eram duas crianças descalças, mas frasquinhos que chacoalhavam num suporte especial. Dignos de um professor universitário. Muito além do alcance de Kya.

Ela não remou para longe. Ficou observando-o por um tempo, pensando que provavelmente nenhuma garota esquece o seu primeiro amor. Soltou o ar, então remou de volta na direção de onde tinha vindo.

* * *

No dia seguinte, Chase e Kya subiam o litoral rumo ao norte quando quatro botos entraram na esteira da lancha e começaram a segui-los. O céu estava nublado, e dedos de névoa se agitavam acima das ondas. Chase desligou o motor e, enquanto a lancha seguia boiando, pegou a gaita e tocou "Michael Row the Boat Ashore", uma velha canção triste e melodiosa cantada nos anos 1860 pelos escravos que remavam os barcos do continente até as ilhas da Carolina do Sul, conhecidas como Sea Islands. Ma costumava cantá-la enquanto faxinava, e Kya meio que se lembrava da letra. Como que inspirados pela música, os botos chegaram mais perto e passaram a nadar em volta da lancha, seus olhos atentos fixos em Kya. Então dois deles se aproximaram do casco, e ela baixou a cabeça até poucos centímetros da deles e cantou baixinho:

Irmã, ajeite a vela do barco, aleluia
Irmão, também venha ajudar, aleluia.
Meu pai partiu não sei para onde, aleluia.
Michael, reme até a margem, aleluia.

Largo e fundo é o rio Jordão,
Minha mãe do outro lado vou encontrar, aleluia.
Gelado e frio é o rio Jordão,
Congela o corpo, mas a alma, não, aleluia.

Os botos encararam Kya por mais alguns segundos, em seguida deslizaram de volta para dentro do mar.

Ao longo das semanas seguintes, Chase e Kya passaram finais de tarde na praia com as gaivotas sem fazer nada, deitados de costas na areia ainda morna de sol. Chase não a levou à cidade, nem ao cinema nem para dançar; eram apenas os dois, o brejo, o mar e o céu. Ele não a beijava, apenas segurava sua mão ou colocava de leve o braço em volta dos seus ombros quando esfriava.

Então, certa noite, ele ficou até escurecer, e os dois se sentaram na praia sob as estrelas junto a uma fogueira pequena, com os ombros encostados, envoltos por um cobertor. O fogo iluminava seus rostos e escurecia a margem atrás deles, como as fogueiras de acampamento costumam fazer. Encarando-a, ele perguntou:

— Tudo bem se eu te beijar agora?

Ela aquiesceu, e ele se inclinou e a beijou, suavemente no início, depois como um homem.

Eles se deitaram por cima da colcha, e ela se aconchegou o máximo que pôde junto a ele. Sentindo seu corpo forte. Ele a abraçava apertado usando ambos os braços, mas apenas tocava seus ombros com as mãos. Nada mais. Ela inspirou fundo, sorvendo o calor e o cheiro dele e do mar, daquela união.

Apenas alguns dias mais tarde, Tate, ainda de férias da universidade, foi de barco até o canal de Kya no brejo, a primeira vez que fazia isso em cinco anos. Ainda não conseguia explicar para si mesmo por que não fora procurá-la antes disso. Principalmente por ter sido um covarde, por vergonha. Mas ia enfim ao encontro dela, para dizer que nunca havia deixado de amá-la e para implorar pelo seu perdão.

Nos quatro anos de graduação na universidade, tinha se convencido de que Kya não se encaixaria no mundo acadêmico que ele buscava. Passara a graduação inteira tentando esquecê-la; afinal, havia muitas distrações femininas em Chapel Hill. Chegou até a ter alguns relacionamentos longos, mas ninguém chegava aos pés de Kya. O que ele tinha aprendido — logo depois do DNA, dos isótopos e dos protozoários — era que não respirava sem ela. Sim, Kya não poderia viver no mundo universitário que ele havia buscado, mas agora ele poderia viver no mundo dela.

Planejara tudo. Seu professor dissera que ele poderia concluir a pós-graduação em três anos, pois já vinha fazendo a pesquisa para a dissertação de doutorado durante toda a graduação, e estava quase concluída. Então, recentemente, Tate ficara sabendo que um laboratório de pesquisa federal seria construído perto de Sea Oaks, e que ele teria muita chance de ser contratado como pesquisador em tempo integral. Não havia ninguém no mundo mais qualificado para o cargo: ele tinha passado praticamente a vida inteira pesquisando aquele brejo, e em breve teria o título de doutor para comprovar isso. Dali a alguns anos poderia viver no brejo com Kya e trabalhar no laboratório. Casar-se com Kya. Se ela aceitasse.

Ele quicava nas ondas em direção ao canal dela, quando de repente o barco de Kya passou depressa indo para o sul, num curso perpendicular ao seu. Tate soltou a cana do leme, ergueu os braços acima da cabeça e acenou feito um doido para chamar sua atenção. Gritou seu nome. Mas ela estava olhando para leste.

Tate olhou para o mesmo lado e notou a lancha de Chase fazendo uma curva na direção dela. Manteve o barco parado e observou Kya e Chase rodearem um ao outro nas ondas azul-acinzentadas, em círculos cada vez menores, feito águias se cortejando no céu. As esteiras de suas embarcações agitadas, espumando.

Tate observou os dois se encontrarem e tocarem as pontas dos dedos sobre a água agitada. Tinha escutado os boatos pelos velhos amigos em Barkley Cove, mas torcera para que não fossem verdade. Entendia por que Kya se apaixonaria por um homem assim, bonito, sem dúvida romântico, que a levasse para passear na sua lancha de luxo e para fazer piqueniques elegantes. Ela não devia saber nada sobre a vida de Chase na cidade, que ele namorava e paquerava outras mulheres em Barkley e até mesmo em Sea Oaks.

E quem sou eu para dizer qualquer coisa?, pensou Tate. *Eu mesmo não a tratei melhor. Quebrei uma promessa, não tive sequer coragem de terminar com ela.*

Ele baixou a cabeça, então deu outra olhada bem a tempo de ver Chase se inclinar para beijá-la. *Kya, Kya*, pensou. *Como pude deixar você?* Bem devagar, acelerou e tornou a virar na direção do porto da cidade para ajudar o pai a embalar e transportar a pesca.

Alguns dias mais tarde, como nunca sabia quando Chase poderia aparecer, Kya mais uma vez se flagrou atenta aos barulhos da lancha dele. Como fazia com Tate. Assim, quer estivesse arrancando ervas daninhas, cortando lenha para o fogão ou catando mariscos, inclinava a cabeça num ângulo preciso para captar o som. "Estreitando os ouvidos", Jodie costumava dizer.

Cansada da tensão que a esperança lhe causava, enfiou na mochila alguns pães de minuto, melado frio e sardinhas suficientes para três dias e foi a pé até o velho chalé de madeira caindo aos pedaços; o "chalé da leitura", como o chamava em pensamento. Lá, nos verdadeiros confins, era livre para caminhar, coletar o que quisesse, ler as palavras, ler a natureza. Não esperar o som de alguém era uma libertação. E uma força.

Num bosque de carvalhos-californianos, apenas uma curva depois do chalé, encontrou a pena minúscula do pescoço de uma mobelha-pequena e gargalhou. Nem sabia quanto tempo fazia que desejava aquela pena, e ali estava ela, a uma curta distância correnteza abaixo.

Acima de tudo, tinha ido lá para ler. Depois que Tate fora embora, tantos anos antes, ela não tinha mais acesso a livros, então certa manhã havia pegado o barco, passado de Point Beach e percorrido mais uns quinze quilômetros até

Seven Oaks, cidade ligeiramente maior e bem mais refinada do que Barkley Cove. Pulinho tinha dito que qualquer um podia pegar livros emprestados na biblioteca de lá. Ela duvidava que isso valesse para alguém que morava num pântano, mas estava determinada a descobrir.

Havia amarrado o barco no cais da cidade e atravessado a praça rodeada de árvores junto ao mar. Enquanto caminhava para a biblioteca, ninguém olhou para ela nem cochichou pelas suas costas ou a enxotou da frente de uma vitrine. Ali ela não era a Menina do Brejo.

Entregou à bibliotecária Sra. Hines uma lista de didáticos.

— Poderia, por favor, me ajudar a encontrar *Princípios da química orgânica*, de Geissman, *Zoologia de invertebrados do pântano costeiro*, de Jones, e *Fundamentos de ecologia*, de Odum?

Tinha visto esses títulos nas referências do último livro que Tate lhe dera antes de ir para a faculdade.

— Ah, sim. Entendi. Vamos ter de pedir esses livros emprestados para a biblioteca da Universidade da Carolina do Norte em Chapel Hill.

Então, naquele momento, sentada em frente ao velho chalé, ela pegou uma coletânea de artigos científicos. Um dos artigos sobre estratégias reprodutivas tinha o título "Fodedores dissimulados". Kya riu.

Como se sabe, começava o artigo, na natureza em geral os machos com as características sexuais secundárias mais proeminentes, como por exemplo as maiores galhadas, as vozes mais graves, os peitos mais largos e os conhecimentos mais vastos, conquistam os melhores territórios porque conseguem afugentar os machos mais fracos. As fêmeas optam por acasalar com esses alfas imponentes e são, portanto, inseminadas com o melhor DNA disponível, que é transmitido para a descendência dessa fêmea: um dos fenômenos mais poderosos na adaptação e continuidade da vida. Além disso, essas fêmeas conseguem os melhores territórios para seus filhotes.

No entanto, alguns machos inferiores, que não são fortes, vistosos nem espertos o suficiente para conquistar bons territórios, têm truques para tapear as fêmeas. Exibem suas formas menores em posturas infladas ou gritam com frequência, ainda que com vozes esganiçadas. Com base em fingimentos e sinais falsos, copulam aqui e ali. Sapos machos pequeninos, escrevia o autor, encolhem-se no mato e se escondem perto de um macho alfa coaxando com energia para atrair fêmeas. Quando várias fêmeas são atraídas ao mesmo tempo pelo canto forte e o macho alfa está ocupado copulando com uma delas, o mais fraco se intromete e acasala com uma das outras. Esses machos impostores são conhecidos como "fodedores dissimulados".

Kya se lembrou, muitos anos antes, de Ma alertando as irmãs mais velhas sobre rapazes que turbinavam as picapes enferrujadas ou dirigiam calhambeques velhos com o rádio no volume máximo. "Garotos que não prestam fazem muito barulho", dissera ela.

Mas havia um consolo para as fêmeas. A natureza é audaciosa o suficiente para garantir que os machos que enviam sinais desonestos ou passam de uma fêmea para outra quase sempre terminem sozinhos.

Outro artigo abordava a grande rivalidade entre espermatozoides. Na maioria das formas de vida, os machos competem para inseminar as fêmeas. Às vezes os leões lutam até a morte; elefantes rivais travam presas e destroem o chão que pisam enquanto dilaceram a carne uns dos outros. Embora muito ritualizados, os conflitos ainda podem acabar em mutilação.

Para evitar esses ferimentos, os inseminadores de algumas espécies competem segundo modalidades menos violentas e mais criativas. Os insetos são os mais imaginativos. O pênis do macho de lavadeira é equipado com uma conchinha, que retira os espermatozoides ejetados pelo rival anterior antes de depositar os seus.

Kya largou o artigo no colo e deixou seu pensamento devanear com as nuvens. Alguns insetos fêmeas devoram o parceiro, mães mamíferas estressadas abandonam as crias, muitos machos inventam maneiras arriscadas ou ardilosas de vencer os espermatozoides dos concorrentes. Nada parecia ser excessivamente indecoroso, contanto que o ciclo da vida se perpetuasse. Ela sabia que aquele não era um lado obscuro da natureza, apenas modos inventivos de sobreviver contra todos os obstáculos. Com certeza no caso dos humanos não devia ser só isso.

Depois de três dias seguidos sem ver Kya, Chase começou a perguntar se poderia aparecer em determinado dia e horário para visitá-la no barracão ou nesta ou naquela praia, e sempre chegava pontualmente. De longe, ela via sua lancha de cores vivas flutuando nas ondas — como as penas chamativas da plumagem de uma ave na época reprodutiva — e sabia que ele tinha vindo só para vê-la.

Começou a imaginá-lo levando-a para um piquenique com os amigos. Todos rindo e correndo para as ondas, chutando a espuma. Ele a pegando no colo e fazendo-a girar. Depois sentada com os outros, comendo sanduíches e tomando as bebidas trazidas num isopor. Aos poucos, imagens de casamento e filhos foram se formando apesar da resistência dela. *Deve ser algum impulso biológico que me pressiona para reproduzir*, pensou. Mas por que ela não podia ter pessoas queridas como todo mundo? Por que não?

Mas toda vez que ela tentava perguntar quando ele iria apresentá-la aos amigos e parentes, as palavras grudavam na sua língua.

Um dia, boiando à deriva no mar, poucos meses depois de se conhecerem, ele disse que estava perfeito para nadar.

— Não vou olhar — disse ele. — Tire a roupa e pule, eu vou depois.

Ela ficou em pé na frente dele, equilibrando-se no barco, mas enquanto puxava a camiseta por cima da cabeça Chase não desviou os olhos. Ele estendeu a mão e passou de leve os dedos pelos seios firmes. Ela não o impediu. Ele a puxou mais para perto, abriu o zíper do short dela e o baixou com facilidade pelos quadris estreitos. Então tirou a própria camisa e o short e a deitou delicadamente nas toalhas.

Ajoelhado a seus pés, sem dizer nada, passou os dedos como num sussurro por seu tornozelo esquerdo até a parte interna do joelho, e depois lentamente pela parte interior da coxa. Ela ergueu o corpo contra a mão dele. Os dedos pararam no alto da coxa, esfregaram por cima da calcinha, então seguiram para a barriga, suaves como um pensamento. Ela sentiu os dedos dele subirem pela barriga em direção aos seios e torceu o corpo para longe. Com firmeza, ele a empurrou para que deitasse novamente e deslizou os dedos até o seio, contornando devagar com o dedo um dos mamilos. Olhou para ela sem sorrir enquanto baixava a mão e puxava o cós da sua calcinha. Ela o queria, queria-o por inteiro, e seu corpo se encostou no dele. Segundos depois, contudo, ela cobriu a mão dele com a sua.

— Qual é, Kya — disse ele. — Por favor. A gente já esperou um tempão. Eu fui bem paciente, não acha?

— Chase, você prometeu.

— Que droga, Kya. A gente está esperando o quê? — Ele se sentou. — Eu com certeza já mostrei que gosto de você. Qual é o problema?

Ela se sentou e vestiu a camiseta.

— O que vai acontecer depois? Como sei que você não vai me deixar?

— Como é que alguém pode saber isso? Mas, Kya, eu não vou a lugar nenhum. Estou apaixonado por você. Quero estar com você o tempo todo. O que mais posso fazer para provar isso?

Ele nunca havia falado daquele jeito. Kya perscrutou seus olhos em busca da verdade, mas tudo que encontrou foi um olhar firme, difícil de interpretar. Não sabia exatamente o que sentia por Chase, mas não estava mais sozinha. Isso parecia bastar.

— Logo, está bem?

Ele a puxou para perto.

— Ok. Vem cá.

Ele a abraçou e os dois ficaram deitados sob o sol, à deriva no mar, ouvindo o *schlep, schlep, schlep* das ondas sob a lancha.

O dia foi morrendo e a noite caiu pesada. As luzes do vilarejo dançavam aqui e ali na margem distante. Estrelas piscaram acima do seu mundo de mar e céu.

— O que será que faz as estrelas piscarem? — perguntou Chase.

— Perturbações na atmosfera. Altos ventos atmosféricos, essas coisas.

— Ah, é?

— Você sabe, né, que as estrelas ficam longe demais para a gente ver. Só vemos a luz delas, que pode ser distorcida pela atmosfera. Mas é claro que as estrelas não estão paradas, elas se movem muito depressa.

Kya sabia, por ter lido os livros de Albert Einstein, que, assim como as estrelas, o tempo não é fixo. O tempo avança e se dobra ao redor de planetas e sóis, é diferente nas montanhas e nos vales, e faz parte da mesma matéria que o espaço, que se dobra e incha como o mar. Os objetos, sejam eles planetas ou maçãs, caem ou orbitam, não por causa de alguma energia gravitacional, mas por despencarem nas dobras sedosas de espaço-tempo criadas por objetos de massa maior, como nos círculos concêntricos de um lago.

Mas ela não falou nada disso. Infelizmente, a gravidade não tem influência alguma no pensamento humano, e os textos do ensino secundário ainda ensinavam que as maçãs caem no chão por causa de uma força poderosa exercida pela Terra.

— Ah, adivinhe só? — disse Chase. — Fui chamado para ajudar a treinar o time de futebol americano da escola.

Ela sorriu para ele.

Então pensou: *Como tudo o mais no universo, nós despencamos em direção àqueles que têm a massa maior.*

★ ★ ★

Na manhã seguinte, numa rara ida ao Piggly Wiggly para comprar artigos pessoais que Pulinho não vendia, Kya saiu da mercearia e quase trombou com os pais de Chase: Sam e Patti Love. Eles sabiam quem ela era; todos sabiam.

Ela já os tinha visto na cidade vez ou outra ao longo dos anos, quase sempre de longe. Sam podia ser visto atrás do balcão da Western Auto recebendo clientes, abrindo a caixa registradora. Kya se lembrava de como, quando ela era criança, ele a havia enxotado da vitrine como se ela pudesse afugentar os verdadeiros clientes. Patti Love não trabalhava em tempo integral na loja, o que lhe dava tempo para percorrer depressa as ruas distribuindo folhetos do Concurso Anual de Colchas de Retalho ou do Festival da Rainha do Caranguejo. Sempre em um traje elegante e escarpins de salto alto, com uma bolsinha e um chapéu, tudo em tons que combinavam entre si exigidos pelo clima no sul. Não importava o assunto, ela sempre dava um jeito de comentar que Chase era o melhor *quarterback* que aquela cidade já vira.

Kya deu um sorriso tímido e encarou Patti Love, torcendo para eles falarem com ela de algum jeito pessoal e se apresentarem. Quem sabe reconhecerem-na como namorada de Chase. Mas os dois estacaram bruscamente, não disseram nada e a contornaram, abrindo um espaço maior do que o necessário. E seguiram em frente.

Na noite seguinte a esse encontro, Kya e Chase estavam no barco dela, com o motor desligado, debaixo de um carvalho tão imenso que os galhos curvos se estendiam por cima d'água, criando pequenas grutas para lontras e patos. Com a voz baixa, em parte para não incomodar os patos e em parte por medo, Kya contou a Chase que tinha visto os pais dele e perguntou se poderia conhecê-los.

O garoto ficou sentado sem dizer nada, o que a deixou com um nó na barriga.

Por fim, ele falou:

— Pode, claro. Logo, logo, eu prometo.

Mas não olhou para ela quando disse isso.

— Eles sabem sobre mim, não é? Sobre a gente? — perguntou ela.

— Claro.

O barco deve ter chegado perto demais do carvalho, porque nesse exato instante um jacurutu grande, roliço e macio feito um travesseiro de plumas pendeu de uma árvore com as asas estendidas, então saiu voando lenta e tranquilamente acima da lagoa, com as penas do peito refletindo desenhos discretos na superfície da água.

Chase estendeu a mão e segurou a de Kya, torcendo a dúvida para fora dos dedos dela.

Durante semanas, nasceres e pores do sol acompanharam os movimentos tranquilos de Chase e Kya pelo brejo. Mas toda vez que ela resistia aos seus avanços, ele parava. Imagens de fêmeas de cervo ou de peru sozinhas com filhotes exigentes, após os machos as terem trocado tempos antes por outras fêmeas, pesavam na sua mente.

O máximo que acontecia era os dois ficarem nus deitados na lancha, independentemente do que os moradores de Barkley Cove diziam. Embora Chase e Kya fossem discretos, a cidade era pequena e as pessoas os viam juntos na lancha dele ou nas praias. Os catadores de camarão não deixavam passar muita coisa despercebida no mar. As pessoas comentavam. Fofocavam.

27.

Hog Mountain Road

1966

O barracão estava silencioso em meio aos primeiros movimentos das asas dos melros enquanto uma vigorosa névoa invernal se formava rente ao chão, acumulando-se junto às paredes feito grandes fiapos de algodão. Com o dinheiro de várias semanas dos mariscos, Kya havia comprado mantimentos especiais e fritado fatias de presunto com melaço, preparado um molho com café e servido acompanhado por pães de minuto com creme azedo e geleia de amora. Chase bebeu café solúvel Maxwell House; ela, um chá Tetley quente. Fazia quase um ano que estavam juntos, embora nenhum dos dois comentasse sobre isso. Chase mencionou como era sortudo pelo fato de o pai ser dono da Western Auto:

— Assim a gente vai ter uma casa legal quando se casar. Vou construir uma de dois andares para você na praia, com varanda em toda a volta. Ou a casa que você quiser, Kya.

Ela mal conseguiu respirar. Ele a queria na sua vida. Aquilo não era apenas uma alusão, mas algo semelhante a um pedido de casamento. Ela iria pertencer a alguém. Fazer parte de uma família. Sentou-se mais ereta na cadeira.

Ele continuou:

— Acho que a gente não devia morar bem no meio da cidade. Seria uma mudança radical demais para você. Mas a gente poderia construir uma casa nos arredores. Perto do brejo, sabe?

Ultimamente, alguns pensamentos vagos sobre se casar com Chase haviam surgido na sua mente, mas ela não se atrevera a lhes dar muita atenção. Entretanto, ali estava ele, dizendo-os em voz alta. A respiração de Kya estava rasa, e ao mesmo tempo que custava a acreditar sua mente ia processando os detalhes. *Isso eu consigo*, pensou ela. *Se a gente morar longe das pessoas, talvez dê certo.*

Então, com a cabeça baixa, perguntou:

— E seus pais? Você contou para eles?

— Kya, você precisa entender uma coisa sobre os meus pais. Eles me amam. Se eu disser que te escolhi, vai ser isso e pronto. Eles vão se apaixonar por você quando te conhecerem.

Ela mordeu os lábios. Querendo acreditar.

— Vou construir um ateliê para todas as suas coisas — continuou ele. — Com janelas bem grandes, para você ver todos os detalhes dessas penas danadas.

Ela não sabia se o que sentia por Chase era o que uma esposa deveria sentir, mas naquele instante seu coração se encheu de algo parecido com amor. Ela não precisaria mais catar mariscos.

Estendeu a mão e tocou o colar de concha no pescoço dele.

— Aliás — disse Chase. — Preciso ir até Asheville daqui a alguns dias para comprar mercadorias para a loja. Estava pensando... Por que não vem comigo?

Com os olhos baixos, ela falou:

— Mas é uma cidade grande. Vai ter uma porção de gente. E eu não tenho roupa, nem sei qual seria a roupa, e...

— Kya, Kya. Escute. Você vai estar comigo. Eu sei tudo. A gente não precisa ir a nenhum lugar chique. Só na viagem de carro você veria uma boa parte da Carolina do Norte: a região de Piedmont, a cordilheira das Great Smoky Mountains, pelamordedeus. Aí, quando a gente chegar lá, podemos comprar hambúrgueres para viagem. Você pode usar a roupa que está agora. Não precisa falar com ninguém se não quiser. Vou cuidar de tudo. Já estive lá várias vezes. Já fui até Atlanta. Asheville não é nada. Olha, se a gente vai se casar, seria bom você começar a mostrar um pouco a cara para o mundo. A abrir essas suas asas compridas.

Ela assentiu. Senão por mais nada, para ver as montanhas.

Ele prosseguiu:

— É uma viagem de dois dias, então a gente vai ter que dormir lá. Num lugar informal. Um hotelzinho de beira de estrada, sabe? Não tem problema, porque a gente é adulto.

— Ah — foi tudo que ela disse. — Entendi — sussurrou, então.

Como nunca tinha andado de carro, alguns dias depois, quando ela e Chase saíram de Barkley rumo ao oeste a bordo da picape dele, Kya ficou olhando pela janela enquanto segurava o banco com ambas as mãos. A estrada serpenteava por quilômetros de capim-navalha e palmeiras, relegando o mar ao retrovisor.

Por mais de uma hora, as paisagens conhecidas de capim e cursos d'água foram passando pelas janelas da picape. Kya identificou corruíras e garças e sentiu-se reconfortada pela continuidade, como se não houvesse saído de casa, mas a levado consigo.

Então, de repente, numa linha traçada no solo, os prados alagados terminaram, e uma paisagem poeirenta — desmatada, dividida em quadrados e arada em fileiras — se estendeu à sua frente. Campos de árvores mortas paraplégicas se erguiam nas matas derrubadas. Estacas de cercas de arame marchavam em direção ao horizonte. Ela sabia, é claro, que o brejo litorâneo não cobria o mundo inteiro, mas nunca tinha saído dele. O que as pessoas tinham feito com a terra? Todas as casas, do mesmo formato de caixas de sapato, se erguiam no meio de um gramado cortado rente. Um bando de flamingos rosados se alimentava num quintal, mas quando Kya se virou, surpresa, viu que eram de plástico. Os cervos eram de cimento. Os únicos patos voavam pintados nas caixas de correio.

— Incríveis, né? — perguntou Chase.

— O quê?

— As casas. Você nunca viu nada igual, né?

— Não, nunca.

Horas depois, na região plana de Piedmont, ela viu os Apalaches desenhados no horizonte em delicadas linhas azuis. Quando eles chegaram mais perto, cumes se ergueram em volta e montanhas ocupadas por florestas se estenderam suavemente para longe até onde a vista de Kya alcançava.

Nuvens descansavam nos braços cruzados dos morros, então subiam rodopiando até sumir. Alguns fios se enroscavam em espirais fechadas e acompanhavam as ravinas mais quentes, comportando-se como a névoa que acompanhava os charcos escuros do brejo. O mesmo jogo de física num outro terreno da biologia.

Kya vinha das terras baixas, uma paisagem de horizontes onde o sol se punha e a lua nascia na hora certa. Mas ali, onde a topografia era confusa, o sol se equilibrava nos picos, pondo-se ora atrás de uma cresta, depois tornando a surgir quando a picape de Chase subia o aclive seguinte. Ela reparou que, nas montanhas, a hora do poente dependia de onde você estava na encosta.

Perguntou-se onde ficariam as terras do avô. Talvez sua família criasse porcos num celeiro acinzentado pelo tempo como o que ela viu numa campina com um córrego passando. Uma família que deveria ter sido a sua tinha trabalhado duro, rido e chorado naquela paisagem. Alguns ainda deviam estar ali, espalhados pelo condado. Anônimos.

A estrada se transformou numa rodovia de quatro pistas, e Kya segurou-se firme enquanto a picape de Chase corria a poucos metros de outros veículos velozes. Ele virou numa estrada curva que se erguia no ar como por mágica e os conduziu rumo à cidade.

— Um trevo — falou, orgulhoso.

Edifícios imensos de oito e dez andares se erguiam diante do contorno das montanhas. Dezenas de carros passavam depressa feito siris, e havia tanta gente na calçada que Kya pressionou a cabeça no vidro da janela para examinar seus rostos, pensando que com certeza Ma e Pa deviam estar entre elas. Um menino bronzeado e de cabelo escuro que corria pela calçada se parecia com Jodie, e ela se virou para observá-lo. Seu irmão devia estar crescido, claro, mas ela acompanhou o menino até eles dobrarem uma esquina.

Do outro lado da cidade, Chase reservou um quarto para eles num hotel de beira de estrada na Hog Mountain Road, um andar só com uma fileira de quartos marrons iluminada por luzes néon no formato muito estranho de palmeiras.

Depois que Chase destrancou a porta, ela entrou num quarto que parecia razoavelmente limpo, mas fedia a desinfetante e estava mobiliado com o que os Estados Unidos tinham de mais vagabundo: divisórias no lugar de paredes, uma cama afundada com um mecanismo vibratório movido a moedas e uma televisão em preto e branco presa à mesa por uma corrente e um cadeado bizarramente grandes. As colchas da cama eram verde-limão; o tapete, felpudo e laranja. Kya recordou todos os lugares em que eles tinham se deitado juntos: a areia cristalina junto a piscinas de água do mar, barcos à deriva sob o luar. Ali, a cama se destacava como peça central, mas o quarto não tinha uma aparência romântica.

Consciente do que aquilo significava, ela ficou parada junto à porta.

— Não é grande coisa — disse ele, pondo a mala em cima da cadeira. Então foi na sua direção. — Está na hora, Kya, você não concorda? Está na hora.

É claro que aquele era o plano dele. Mas ela estava pronta. Já fazia meses que seu corpo queria, e depois da conversa sobre casamento sua mente cedeu. Ela assentiu.

Ele se aproximou devagar e desabotoou sua blusa, então a virou delicadamente e abriu seu sutiã. Passou os dedos pelos seios. O calor da excitação desceu dos seus seios até as coxas. Assim que ele a deitou na cama sob a luz vermelha e verde dos néons que entrava pelas cortinas finas, ela fechou os olhos. Antes, em todas aquelas "quase vezes", quando ela o havia impedido, os dedos curiosos dele tinham adquirido um toque mágico, despertando partes dela e fazendo seu corpo se arquear na direção dele, desejar e querer. Mas agora que a permissão fora enfim concedida ele foi tomado pela urgência, e pareceu ignorar as necessidades dela e forçar. Ela gritou ao sentir algo se rasgar, pensando que havia algo errado.

— Está tudo bem. Vai melhorar agora — disse ele cheio de autoridade.

Só que não melhorou muito, e pouco depois ele desabou ao seu lado, sorrindo.

Quando Chase pegou no sono, ela ficou olhando as luzes piscarem na placa de *Temos Vagas*.

Várias semanas mais tarde, após terminarem o café da manhã de ovos fritos e mingau com presunto no barracão de Kya, ela e Chase estavam sentados à mesa da cozinha. Ela estava toda enrolada num cobertor depois de eles terem transado, o que havia melhorado só um pouco depois da primeira tentativa no hotel. Nenhuma das vezes a deixara satisfeita, mas ela não fazia a menor ideia de como abordar um assunto desses. De toda forma, nem sequer sabia como deveria se sentir. Talvez aquilo fosse normal.

Chase se levantou da mesa, ergueu o queixo dela com os dedos, beijou-a e disse:

— Bom, não vou vir muito nos próximos dias, com o Natal chegando e tudo o mais. Tenho vários eventos e tal, e uns parentes vindo.

Kya o encarou e disse:

— Eu estava esperando que talvez... você sabe, talvez eu pudesse ir a algumas festas e tal. Pelo menos quem sabe o jantar de Natal com a sua família.

Chase tornou a se sentar na cadeira.

— Kya, olha, eu estava mesmo querendo falar com você disso. Quero te convidar para o baile do Elks Club, mas sei como você é tímida, como nunca faz nada na cidade. Sei que ia ficar muito infeliz. Você não conhece ninguém, não tem as roupas certas. Sabe dançar, por acaso? Nenhuma dessas coisas tem a ver com você. Você entende, né?

Olhando para o chão, ela falou:

— Entendo, e tudo isso é verdade. Mas, bom, eu preciso começar a me encaixar em algumas partes da sua vida. A abrir minhas asas, como você falou. Acho que preciso arrumar as roupas certas, conhecer alguns dos seus amigos. — Ela levantou a cabeça. — Você pode me ensinar a dançar.

— Claro, ora, e eu vou ensinar. Mas fico pensando em você e eu, no que a gente tem aqui. Amo o tempo que a gente passa junto, só você e eu. Para falar a verdade, estou meio de saco cheio desses bailes bobos. É a mesma coisa todo ano. No ginásio da escola. Velhos, jovens, todo mundo junto. A mesma música idiota. Estou pronto para o próximo passo. Você sabe, quando a gente se casar não vai fazer mesmo esse tipo de coisa, sabe, então para que arrastar você para lá agora? Não faz o menor sentido. Está bem?

Kya voltou a olhar para o chão, então Chase ergueu de novo seu queixo e fixou os olhos nos seus. Em seguida, com um largo sorriso, falou:

— E, cara, sobre o jantar de Natal com minha família, a tia velha coroca da minha mãe vai vir da Flórida. Ela fala sem parar. Eu não desejaria isso para ninguém. Principalmente para você. Acredite, você não está perdendo nada.

Ela permaneceu calada.

— Sério, Kya, eu quero que você fique numa boa com isso. O que a gente tem aqui é a coisa mais especial que alguém poderia querer. Todas as outras coisas... — Ele balançou as mãos no ar. — ... não passam de bobagens. — Ele estendeu a mão e a puxou para seu colo, e ela apoiou a cabeça no seu ombro. — O que vale é isto aqui, Kya. Não as outras coisas. — E lhe deu um beijo morno e carinhoso. Então se levantou. — Ok. Tenho que ir.

Kya passou o Natal sozinha com as gaivotas, como havia feito todos os anos desde que Ma fora embora.

* * *

Dois dias depois do Natal, Chase ainda não tinha voltado. Quebrando a promessa que fez a si mesma de nunca mais esperar por ninguém, Kya ficou andando de um lado para outro pela margem da lagoa, o cabelo preso numa trança embutida, a boca pintada com o batom velho de Ma.

O brejo mais além estava coberto pela capa invernal de tons marrons e cinza. Quilômetros de capim exausto vergavam a cabeça em direção à água, rendidos, após terem dispersado suas sementes. O vento açoitava e rasgava, fazendo os caules ásperos chacoalharem num coro ruidoso. Kya soltou o cabelo com força e limpou a boca com as costas da mão.

Na manhã do quarto dia, estava sentada sozinha na cozinha, empurrando pão de minuto e ovos de um lado para outro no prato.

— Veio com aquele papo todo de "*o que vale é isto aqui*" e onde ele está agora? — disparou ela. Imaginava Chase improvisando partidas de futebol americano com os amigos ou dançando em festas. — Essas coisas idiotas que ele está de saco cheio.

Por fim, o som da lancha dele. Ela se levantou com um pulo, bateu a porta com força e correu do barracão até a lagoa no mesmo instante em que a lancha apareceu. Só que não era a lancha de Chase nem Chase, mas um rapaz de cabelo louro-dourado, cortado mais curto, mas mesmo assim mal contido debaixo de um gorro. Era o velho barco de pesca, e ali em pé, mesmo com o barco avançando, estava Tate, agora um homem-feito. O rosto não mais infantil; lindo e maduro. Seu olhar formava uma pergunta; seus lábios, um tímido sorriso.

O primeiro pensamento dela foi fugir. Mas sua mente gritou: *NÃO! Esta lagoa é minha; eu sempre fujo. Desta vez, não.* Seu pensamento seguinte foi pegar uma pedra, e ela a jogou na cara dele, a sete metros de distância. Ele se esquivou depressa, e a pedra passou zunindo rente à sua testa.

— Mas que merda, Kya! Que porra é essa? Espere — pediu ele, ao mesmo tempo que ela pegava outra pedra e mirava. Tate cobriu o rosto com as mãos. — Kya, pelo amor de Deus, pare. Por favor. A gente não pode conversar?

A pedra o acertou com força no ombro.

— VÁ EMBORA DA MINHA LAGOA! SEU SAFADO IMUNDO ORDINÁRIO! O QUE ACHOU DESSA CONVERSA?

Aos gritos, a vendedora de peixe procurou freneticamente outra pedra.

— Kya, me escute. Eu sei que agora você está com o Chase. Eu respeito. Só quero conversar com você. Kya, por favor.

— Por que eu deveria conversar com você? Nunca mais quero te ver na vida. NUNCA MAIS!

Ela catou um punhado de pedras menores e as jogou na cara dele.

Ele pulou para o lado, depois se curvou e segurou a amurada ao mesmo tempo que seu barco raspava no fundo.

— JÁ DISSE PARA IR EMBORA DAQUI! — Ainda gritando, porém mais baixo, ela acrescentou: — É, estou com outra pessoa agora.

Tate se equilibrou depois do tranco da batida, então se sentou no banco da proa.

— Kya, por favor, tem coisas que você deveria saber sobre ele.

Tate não havia planejado conversar sobre Chase. Nada da sua visita surpresa a Kya estava correndo como ele imaginara.

— Que história é essa? Você não tem direito de vir aqui me falar sobre a minha vida pessoal.

Ela havia chegado a um metro e meio dele e cuspiu as palavras.

Com firmeza, ele respondeu:

— Eu sei que não, mas vou falar mesmo assim.

Ao ouvir isso, Kya se virou para ir embora, mas Tate falou mais alto para as suas costas:

—Você não mora na cidade. Não sabe que Chase sai com outras mulheres. Na outra noite mesmo eu o vi sair de uma festa com uma loura na picape. Ele não é bom o bastante para você.

Ela girou nos calcanhares.

— Ah, é? Foi VOCÊ quem me deixou, quem não voltou quando tinha prometido, quem nunca mais voltou. Foi você quem nunca escreveu para explicar o motivo ou mesmo para dizer se estava vivo ou morto. Nem sequer teve coragem de terminar comigo. Não foi homem suficiente para me encarar. Simplesmente desapareceu. SEU BABACA MEDROSO. Aí aparece aqui no seu barco depois de todos esses anos... Você é pior do que ele. Ele pode não ser perfeito, mas você é muito pior.

Ela se calou e ficou encarando Tate.

Com as mãos espalmadas, ele suplicou:

— Kya, você tem razão sobre mim. Tudo que disse é verdade. Eu fui um babaca medroso. E não tinha o direito de falar sobre Chase. Não é da minha conta. E nunca mais vou incomodar você de novo. Só preciso me desculpar e explicar as coisas. Há anos estou arrependido, por favor.

Ela murchou feito uma vela de barco recém-esvaziada pelo vento. Tate era mais do que o seu primeiro amor: ele compartilhava a sua devoção pelo brejo, tinha lhe ensinado a ler, e era o único vínculo, por mais tênue que fosse, com sua família desaparecida. Ele era uma página de tempo, um recorte de jornal colado num caderno, porque isso era tudo que Kya tinha. Seu coração bateu com força à medida que a fúria foi se dissipando.

— Olhe só para você... tão linda. Uma mulher. Está indo tudo bem? Continua vendendo mariscos?

Ele estava impressionado com a mudança dela, os traços mais refinados, porém fascinantes, as maçãs do rosto bem marcadas, os lábios carnudos.

— Está. Continuo.

— Tome, eu trouxe uma coisa para você.

De um envelope ele tirou a pena minúscula e vermelha da bochecha de um pica-pau-mosqueado e lhe entregou. Ela pensou em jogá-la no chão, mas nunca tinha encontrado aquela pena; por que não deveria guardá-la? Enfiou-a no bolso sem agradecer.

Ele disse, depressa:

— Kya, deixar você não foi só errado, foi a pior coisa que eu já fiz e que vou fazer na vida. Passei anos arrependido e vou me arrepender para sempre. Penso em você todo dia. Pelo resto da minha vida vou me arrepender de ter te deixado. Achei mesmo que você não fosse conseguir sair do brejo e morar no outro mundo, então não imaginei como a gente poderia ficar junto. Mas foi errado, e foi horrível eu não ter voltado para conversar com você. Eu sabia quantas vezes você já tinha sido abandonada. Não me importei se eu tinha te magoado. Não fui homem o suficiente. Exatamente como você disse.

Ele parou de falar e ficou olhando para ela.

Por fim, Kya perguntou:

— O que você quer agora, Tate?

— Que de alguma maneira você me perdoe.

Ele inspirou e ficou aguardando.

Kya encarou os dedos dos pés. Por que a parte ferida e ainda sangrando deveria arcar com o ônus do perdão? Não respondeu.

— Eu simplesmente precisava te contar, Kya. — Como ela se manteve em silêncio, ele prosseguiu. — Estou fazendo pós-graduação em zoologia. Protozoologia, principalmente. Você iria amar.

Ela não conseguia imaginar aquilo, e tornou a olhar na direção da lagoa para conferir se Chase estava chegando. Tate não deixou de notar isso; tinha adivinhado desde o primeiro instante que ela estava ali esperando por Chase.

Na semana anterior mesmo, Tate vira Chase, de smoking branco, dançar com várias mulheres no baile de gala de Natal. O baile, assim como a maioria dos eventos de Barkley Cove, acontecera no ginásio da escola. Enquanto um aparelho de som pequeno demais montado debaixo da cesta de basquete tocava "Wooly Bully", Chase fez uma morena rodopiar. Quando começou a tocar "Mr. Tambourine Man", afastou-se da pista e da morena e foi bebericar seu uísque Wild Turkey na garrafinha do time Tar Heels com outros ex-atletas. Tate estava por perto conversando com dois de seus antigos professores do colégio, e ouviu Chase dizer:

— É, ela é brava feito uma raposa presa numa armadilha. Exatamente o que se poderia esperar de uma gata do brejo. Vale cada centavo da gasolina.

Tate precisou se obrigar a ir embora.

Um vento frio levantou e encrespou a superfície da lagoa. Imaginando que fosse Chase, Kya saíra correndo de casa de calça jeans e um suéter fino. Cruzou os braços com força ao redor de si.

— Você está morrendo de frio. Vamos entrar.

Tate indicou o barracão, onde a fumaça saía pela chaminé enferrujada do fogão.

— Tate, eu acho que você deveria ir agora.

Kya olhou várias vezes para o canal. E se Chase chegasse enquanto Tate estivesse ali?

— Por favor, Kya, só uns minutos. Quero muito rever suas coleções.

Em resposta, ela se virou e correu até o barracão, e Tate foi atrás. Ao entrar na varanda, estacou. As coleções dela tinham deixado de ser um hobby infantil para se transformarem num museu de história natural do brejo. Ele pegou uma concha de vieira etiquetada com uma aquarela da praia onde fora encontrada, além de inserções mostrando a criatura devorando criaturas menores do mar. Para cada espécime — centenas, milhares talvez — era a mesma coisa. Ele já tinha visto alguns na infância, mas agora que era doutorando em zoologia os enxergava como um cientista.

Virou-se para ela, ainda parada no vão da porta.

— Kya, que desenhos maravilhosos, quantos detalhes lindos... Você poderia publicar. Isto aqui poderia virar um livro... vários livros.

— Não, não. São só para mim. Eles me ajudam a aprender, só isso.

— Kya, me escute. Você sabe melhor do que ninguém que quase não existem livros de referência sobre esta região aqui. Com estas anotações, estes dados técnicos e estes desenhos esplêndidos, os livros que todo mundo estava esperando estão aqui.

Era verdade. Os guias velhos de Ma sobre conchas, plantas, pássaros e mamíferos da região tinham sido os únicos a serem impressos e eram de uma imprecisão lamentável, apenas com ilustrações simples em preto e branco e informações incompletas em cada verbete.

— Se eu puder levar algumas amostras vou me informar sobre um editor, ver o que eles dizem.

Ela manteve o olhar fixo, sem saber o que pensar sobre aquilo. Será que precisaria ir a algum lugar, conhecer gente? Tate notou a pergunta em seus olhos.

— Você não teria que sair de casa. Poderia mandar as amostras pelo correio para a editora. Ganharia algum dinheiro. Provavelmente não muito, mas talvez não precise passar o resto da vida catando mariscos.

Kya continuou sem dizer nada. Mais uma vez Tate a incentivava a cuidar de si mesma, não apenas se oferecendo para cuidar dela. Parecia que ele estivera ali durante toda sua vida. Depois sumira.

— Dê uma chance, Kya. Que mal pode fazer?

Ela finalmente concordou em deixá-lo levar algumas amostras, e ele escolheu uma série de aquarelas suaves retratando conchas e a garça-azul-grande por causa dos detalhados desenhos da ave em cada uma das estações, além de um óleo delicado representando a pena curva da sobrancelha.

Tate pegou o desenho a óleo da pena: uma profusão de centenas de pinceladas finíssimas de cores vivas que culminavam num tom de preto fechado e tão brilhante que o sol parecia estar tocando a tela. O detalhe de um rasguinho na haste era tão nítido que tanto Tate quanto Kya se deram conta no mesmo instante de que aquele desenho retratava a primeira pena que ele lhe dera de presente na floresta. Tiraram os olhos da pena e se encararam. Ela desviou o olhar. Forçando-se a não sentir. Não se deixaria atrair outra vez para alguém em quem não podia confiar.

Ele se aproximou e tocou seu ombro. Tentou fazê-la se virar com delicadeza.

— Kya, eu sinto muito por ter deixado você. Por favor, não consegue me perdoar?

Por fim, ela se virou e o encarou.

— Eu não sei como te perdoar, Tate. Nunca mais conseguiria acreditar em você. Por favor, você precisa ir agora.

— Eu sei. Obrigado por ter me escutado, me dado essa chance de pedir desculpas. — Ele aguardou uma fração de segundo, mas ela não disse mais nada. Pelo menos ele estava saindo com alguma coisa. A esperança de encontrar uma editora era um motivo para procurá-la outra vez. — Tchau, Kya.

Ela não respondeu. Ele a encarou e ela manteve o olhar, mas em seguida se virou para o outro lado. Ele saiu pela porta em direção ao barco.

Ela o esperou partir, então se sentou na areia úmida e fria da lagoa para aguardar Chase. Falando em voz alta, repetiu as palavras que tinha dito a Tate:

— Chase pode não ser perfeito, mas você é muito pior.

Contudo, enquanto ela encarava as águas escuras, as palavras de Tate sobre Chase — "*sair de uma festa com uma loura na picape*" — não saíam da sua cabeça.

Chase só apareceu uma semana depois do Natal. Ao entrar na lagoa, disse que poderia ficar a noite toda e passar o Ano-Novo com ela. De braços dados, eles foram até o barracão, onde a mesma névoa parecia cobrir o telhado. Depois do sexo, ficaram aconchegados debaixo de cobertores junto ao fogão. O ar denso não suportava nem mais uma molécula de umidade; quando a água ferveu na chaleira, gotículas pesadas se formaram nas vidraças frias.

Chase tirou a gaita do bolso e, pressionando-a contra os lábios, tocou a triste melodia "Molly Malone".

— "E hoje o fantasma dela empurra seu carrinho pela rua, gritando berbigões e mariscos, vivos, vivinhos."

Kya tinha a impressão de que era nos momentos em que Chase tocava essas canções melancólicas que ele mais tinha alma.

28.

O barco de pescar camarão

1969

Na hora da cerveja, as fofocas servidas na Dog-Gone eram melhores do que as da lanchonete. O xerife e Joe entraram no bar comprido e abarrotado e foram até o balcão, uma única tora de pinheiro que começava no lado esquerdo do salão e parecia se prolongar até desaparecer na penumbra. Os moradores da cidade — todos homens, pois a presença de mulheres não era permitida — se acotovelavam no balcão ou então se sentavam a mesas esparsas. Os dois atendentes grelhavam salsichas, fritavam camarões, ostras e bolinhos de batata, mexiam panelas de mingau, serviam cerveja e bourbon. A única luz vinha de vários letreiros de cerveja que piscavam e emitiam um brilho cor de âmbar, feito fogueiras num acampamento lambendo rostos com barba por fazer. Os *tlecs* e *tlacs* de bolas de bilhar ecoavam nos fundos do salão.

Ed e Joe se enfiaram no meio de um grupo de pescadores no centro do balcão, e assim que pediram suas Millers e ostras fritas as perguntas começaram: alguma novidade? Como é que não havia digitais? Essa parte era verdade? Já pensaram no velho Hanson? É louco de pedra, isso é exatamente o tipo de coisa que ele faria, subir na torre e empurrar quem aparecesse. Esse caso está deixando vocês doidinhos, né?

Com Joe olhando para um lado e Ed, para outro, eles surfaram a onda de perguntas. Responderam, escutaram, aquiesceram. Então, no meio da algazarra, o ouvido do xerife captou um trecho de voz firme, num tom equilibrado, e quando ele se virou deu de cara com Hal Miller, que era tripulante do barco de pescar camarão de Tim O'Neal.

— Posso conversar com o senhor um instantinho, xerife? Só nós dois?

Ed recuou para longe do bar.

— Claro, Hal, venha comigo. — Ele o conduziu até uma mesinha junto à parede, e os dois se sentaram. — Precisa de outra cerveja?

— Não, por enquanto estou bem. Mas obrigado.

— Tem alguma coisa incomodando você, Hal?

— É, tem sim. E eu preciso falar. Isso tem me deixado meio maluco.

— Pois pode falar.

— Ah, rapaz. — Hal balançou a cabeça. — Sei lá. Talvez não seja nada, ou isso ou eu deveria ter te contado antes. O que eu vi tem me assombrado.

— Fale logo, Hal. Depois decidimos juntos se é importante ou não.

— Bom, é sobre a parada do Chase Andrews. Na mesma noite em que ele morreu, bem, eu estava no barco do Tim e a gente estava entrando tarde na baía, já era depois da meia-noite, e eu e Allen Hunt vimos aquela mulher, a que as pessoas chamam de Menina do Brejo, saindo da baía no barco dela.

— É mesmo? Quanto tempo depois da meia-noite?

— Deve ter sido lá pelas quinze para as duas da manhã.

— Para onde ela estava indo?

— Bom, o problema é justamente esse, xerife. Ela estava indo para a torre de incêndio. Se tiver mantido o curso, deu naquela enseada pequena bem ao lado da torre.

Ed exalou.

— É, Hal. É uma informação importante. Muito importante. Tem certeza de que era ela?

— Bom, Allen e eu conversamos na hora e tivemos quase certeza de que era ela. Quero dizer, nós dois pensamos a mesma coisa. Ficamos nos perguntando o que é que ela estava fazendo ali tão tarde, andando de barco sem nenhuma luz. Foi sorte a gente ter visto ela, a gente poderia ter atropelado o barco dela. Daí simplesmente esquecemos. Foi só mais tarde que eu somei dois mais dois e me dei conta de que foi na mesma noite em que Chase morreu na torre. Bom, aí pensei que era melhor falar.

— Alguém mais no barco a viu?

— Bom, isso eu não sei. Tinha mais gente lá, lógico, a gente estava voltando para casa. A tripulação toda. Mas não cheguei a falar nada com os outros. Não tinha motivo para comentar na hora, sabe? E desde então não perguntei nada a ninguém.

— Entendo. Você fez a coisa certa ao me contar, Hal. É seu dever se manifestar. Não se preocupe com nada. Tudo que pode fazer é me dizer o que viu. Vou pedir que você e Allen prestem um depoimento. Posso pedir aquela cerveja para você agora?

— Não, acho que vou para casa. Boa noite, xerife.

— Boa noite. E obrigado mais uma vez.

Assim que Hal se levantou, Ed acenou para Joe, que vinha dando olhadelas na sua direção de tantos em tantos segundos para ver a expressão do xerife. Eles esperaram um minuto, enquanto Hal se despedia de todos, então saíram para a rua.

Ed contou a Joe o que Hal tinha visto.

— Rapaz, isso deve bastar — disse Joe. — Você não acha?

— Acho que o juiz pode emitir um mandado com base nisso. Não tenho certeza, e eu gostaria de ter certeza antes de pedir. Com um mandado podemos revistar a casa dela em busca de qualquer vestígio de fio vermelho que bata com os encontrados nas roupas do Chase. Precisamos descobrir a versão dela para o que aconteceu naquela noite.

29.

Alga marinha

1967

Durante todo o inverno, Chase foi com frequência ao barracão de Kya, onde em geral passava uma noite a cada fim de semana. Mesmo nos dias frios e úmidos, eles navegavam pelos bosques cheios de névoa, ela coletando espécimes, ele tocando melodias divertidas na gaita. As notas flutuavam com a névoa e se dissipavam nos recantos mais escuros das florestas baixas, e de alguma forma pareciam ser absorvidas e memorizadas pelo brejo, pois, sempre que passava por aqueles canais mais tarde, Kya tornava a escutar a música dele.

Certa manhã, no início de março, Kya atravessou o mar sozinha em direção ao vilarejo sob um céu que parecia um suéter cheio de nuvens cinzentas. O aniversário de Chase era dali a dois dias, e ela estava indo ao Piggly comprar ingredientes para um jantar especial, que incluiria seu primeiro bolo de caramelo. Imaginara-se colocando o bolo cheio de velas na mesa na frente dele, coisa que não acontecia na cozinha desde que Ma fora embora. Nos últimos tempos, ele tinha dito várias vezes que estava poupando para a casa dos dois. Ela pensou que seria melhor aprender a fazer bolos.

Depois de amarrar o barco, enquanto cruzava o cais em direção à única fileira de lojas da cidade, viu Chase em pé lá no fim conversando com amigos. Estava com o braço em volta dos ombros de uma moça esbelta e loura. A mente de Kya se esforçou para dar sentido àquela cena ao mesmo tempo que suas pernas continuavam se movendo. Ela nunca o abordara quando ele estava com outras pessoas ou na cidade, mas, a não ser que pulasse no mar, não havia como evitá-los.

Chase e os amigos se viraram juntos para olhar para ela, e no mesmo instante ele tirou os braços dos ombros da moça. Kya estava usando uma calça jeans branca cortada que valorizava suas pernas compridas. Uma trança negra caía sobre cada seio. O grupo parou de conversar e ficou encarando-a. Saber que não podia correr para ele fez o coração de Kya arder com o erro daquilo tudo.

Quando ela chegou ao fim do cais, onde eles estavam, Chase falou:

— Ah, Kya, oi.

Olhando para ele e em seguida para os outros, ela respondeu:

— Oi, Chase.

Ouviu-o dizer:

— Kya, você se lembra do Brian, do Tim, da Pearl e da Tina. — Ele ainda disse mais alguns nomes até sua voz sumir. Virando-se para ela, acrescentou: — E esta é Kya Clark.

É claro que ela não se lembrava; nunca fora apresentada a eles. Só os conhecia como Louraaltaemagra e os outros. Sentiu-se uma alga marinha arrastada por uma linha de pesca, mas conseguiu sorrir e dizer oi. Aquela era a oportunidade pela qual vinha esperando. Ali estava Chase, entre os amigos aos quais ela queria se juntar. Sua mente se esforçou para encontrar palavras, algo inteligente para dizer que pudesse interessar a eles. Por fim, dois deles a cumprimentaram com frieza e se viraram para ir embora, e os outros logo fizeram o mesmo, como um cardume de peixes miúdos escapulindo pela rua.

— Bom, então é isso — disse Chase.

— Não quero interromper nada. Só vim fazer compras, vou voltar para casa logo.

— Você não está interrompendo. Eu só esbarrei com eles. Apareço no domingo, como eu falei.

Chase trocou o peso do corpo de uma perna para outra e tocou o colar de concha.

— A gente se vê, então — disse ela, mas ele já tinha se virado para alcançar os outros.

Ela seguiu apressada até o mercado, passou por uma família de patos que passeava pela Main Street com penas brilhantes surpreendentemente laranja em contraste com a calçada sem graça. No Piggly Wiggly, afastando da mente a visão de Chase com a garota, foi até o fim do corredor de pães e viu a fiscal de evasão escolar, a Sra. Culpepper, a menos de um metro e meio. As duas ficaram ali feito um coelho e um coiote separados pela cerca de um quintal. Kya agora era mais alta do que a mulher e muito mais instruída, embora nenhuma das duas pudesse ter pensado nisso. Depois de tanto fugir, ela quis sair correndo, mas se manteve firme e sustentou o olhar da Sra. Culpepper. A mulher fez um aceno discreto com a cabeça, então seguiu seu caminho.

Kya descobriu que as coisas para o piquenique — queijo, brioches e ingredientes para o bolo — custavam todo o dinheiro que ela conseguira poupar para a ocasião. Mas foi como se a mão de outra pessoa pegasse as coisas e as colocasse no carrinho. Tudo que ela conseguia ver era o braço de Chase em volta dos ombros da moça. Comprou um jornal da cidade porque a manchete falava de um laboratório marinho que seria inaugurado no litoral ali perto.

Uma vez fora da loja, com a cabeça baixa, ela seguiu depressa até o cais feito um furão larápio. De volta ao barracão, sentou-se à mesa da cozinha para ler a matéria sobre o laboratório novo. Sim, um estabelecimento científico estava sendo construído a pouco mais de trinta quilômetros de Barkley Cove, perto de Sea Oaks. Os cientistas estudariam a ecologia do brejo, que de uma forma ou de outra contribuía para a sobrevivência de quase metade da vida marinha, e...

Kya virou a página para continuar lendo a matéria e se deparou com uma foto grande de Chase e uma moça acima de um aviso de noivado: *Andrews-Stone*. Várias palavras saltaram da página, então soluços e por fim uma respiração entrecortada. Ela se levantou e olhou de longe para o jornal. Tornou a pegá-lo... Com certeza tinha imaginado aquilo. Ali estavam os dois, com os rostos próximos, sorrindo. A moça, Pearl Stone, linda, cara de rica, com colar de pérolas e blusa rendada. Aquela que ele envolvia com um braço. *Sempre-compérolas*.

Apoiando-se na parede, Kya foi até a varanda e se jogou na cama, com a mão tapando a boca aberta. Então ouviu um motor. Sentou-se abruptamente, olhou para a lagoa e encontrou Chase puxando a lancha para a margem.

Rápida feito um camundongo escapando de uma caixa sem tampa, ela saiu pela porta da varanda antes que ele a visse e correu para dentro da mata, para longe da lagoa. Agachada no meio das palmeiras, observou-o entrar no barracão chamando o nome dela. Veria a matéria aberta em cima da mesa. Alguns minutos depois, saiu e foi para a praia, imaginando que fosse encontrá-la lá.

Ela não se mexeu, nem mesmo quando ele retornou, ainda gritando o nome dela. Só quando ele foi embora ela emergiu do meio dos arbustos. Movendo-se devagar, pegou comida para as gaivotas e seguiu o sol até a praia. Uma brisa forte do mar soprava na trilha, de modo que quando ela pisou na praia pelo menos teve o vento em que se apoiar. Chamou as gaivotas e jogou no ar grandes pedaços de brioche. Então começou a gritar palavrões mais altos e cruéis que o vento.

30.

Repuxo

1967

Da praia, Kya correu para seu barco e foi até o mar a toda, direto na direção do repuxo. Inclinando a cabeça para trás, berrou:

— Seu MERDA egoísta... FILHODAPUTA!

Ondas desordenadas e confusas balançavam a proa de um lado para outro, forçando a cana do leme. Como sempre, o oceano parecia mais bravo do que o brejo. Mais profundo, com mais coisas a dizer.

Fazia tempo que Kya aprendera a ler as correntes e correntezas subterrâneas normais, a tirar proveito delas, ou evitá-las, navegando perpendicularmente à sua direção. Mas nunca tinha ido direto para o meio das correntes mais profundas, algumas movidas pela própria Corrente do Golfo, que jorra quase cento e quinze milhões de metros cúbicos de água por segundo, mais poderosa do que todos os rios da Terra somados; tudo isso se movendo bem ao largo dos braços abertos da Carolina do Norte. Essa força produz correntezas cruéis, redemoinhos fortes e circulações reversas que se enroscam com as correntezas litorâneas para dar à luz um dos piores ninhos de cobras dos mares do planeta. Kya tinha evitado essas áreas a vida inteira, mas não naquele dia. Seguiu direto para dentro da sua garganta, qualquer coisa para superar a dor, a raiva.

A água revolta veio para cima dela com força, erguendo-se por debaixo da proa e fazendo o barco pender a estibordo. O casco se inclinou bastante, em seguida se endireitou. Kya foi atraída para um repuxo enfurecido que aumentou sua velocidade em vinte e cinco por cento. Sair dele pareceu arriscado demais, ela se esforçou para manejar o leme junto da correnteza, atenta aos bancos de areia que formavam barreiras em um movimento constante abaixo da superfície. Bastava um raspão para o barco virar.

Ondas quebravam nas suas costas e encharcavam seu cabelo. Nuvens escuras e velozes passavam logo acima da sua cabeça, escondendo o sol e prejudicando a visão dos sinais de redemoinhos e turbulências. Sugando o calor do dia.

Mesmo assim, o medo escapou dela, embora ansiasse por sentir pavor, qualquer coisa para deslocar a lâmina cravada em seu coração.

De repente, as águas escuras e turbulentas da correnteza mudaram de direção, e a pequena embarcação girou para estibordo e se ergueu de lado. A força a lançou no chão do barco, e a água salgada caiu em cima dela. Tonta, ficou sentada na água e se preparou para outra onda.

É claro que não estava nem perto da Corrente do Golfo propriamente. Aquilo era o campo de treinamento, um mero parquinho em comparação ao mar de verdade. Mas Kya achava que havia se aventurado para dentro do mal, e pretendia resistir a ele. Vencer alguma coisa. Matar a dor.

Tendo perdido qualquer noção de simetria ou padrão, as ondas cor de ardósia vinham de todos os lados. Ela se arrastou de volta até o banco e segurou a cana do leme, mas não soube para onde conduzir o barco. A terra se balançava como uma linha distante, surgindo apenas de vez em quando em meio às ondas encimadas de espuma. Na hora em que ela via a terra firme, o barco girava ou inclinava e ela a perdia de vista. Tivera total certeza de que conseguiria domar a correnteza, mas ela havia ganhado força e a arrastava mais para dentro do mar furioso e cada vez mais escuro. As nuvens se adensaram e ficaram mais baixas, escondendo o sol. Ensopada, ela tremia enquanto sua energia diminuía, o que dificultava o manejo do leme. Não tinha trazido nenhum equipamento para o mau tempo, nem comida ou água.

Por fim, o medo chegou. De um lugar mais profundo que o mar. O medo de saber que ficaria sozinha outra vez. Provavelmente para sempre. Uma pena perpétua. Barulhos feios de arquejos escaparam da sua garganta conforme o barco girava e tombava para os lados. Inclinando-se perigosamente a cada onda.

A essa altura, quinze centímetros de água espumosa cobriam o fundo do casco, tão fria que chegava a queimar seus pés descalços. Com que rapidez o mar e as nuvens derrotavam o calor da primavera. Ela cruzou um dos braços sobre o peito para tentar se aquecer enquanto manejava fracamente o leme com a outra mão, sem lutar contra a água, apenas se movendo junto com ela.

Por fim, as águas se acalmaram, e embora a correnteza a tenha carregado para onde quisesse, o mar já não batia e espumava. Mais à frente ela viu um banco de areia pequeno e comprido, talvez com uns trinta metros, reluzindo com água do mar e conchas molhadas. Lutando contra a forte corrente subterrânea, e exatamente no segundo certo, deu um tranco na cana do leme e saiu da correnteza. Rodeou o banco de areia a sotavento e, nas águas mais calmas, atracou com a mesma delicadeza de um primeiro beijo. Pisou na faixa estreita de terra e afundou na areia. Deitou-se e sentiu o chão firme sob o corpo.

Sabia que não era por Chase que estava chorando, mas por uma vida definida por rejeições. Enquanto o céu e as nuvens se agitavam lá em cima, falou em voz alta:

— Preciso viver sozinha. Mas eu já sabia disso. Já sabia faz tempo que as pessoas não ficam.

Não fora coincidência Chase ter mencionado o casamento astutamente como isca, levando-a para a cama na mesma hora, em seguida a largado e trocado por outra. Por causa dos estudos, ela sabia que os machos vão de fêmea em fêmea, então por que tinha se apaixonado por aquele homem? A lancha chique dele era como o pescoço musculoso e a galhada farta de um cervo macho na época do acasalamento: apêndices para afastar outros machos e atrair uma sucessão de fêmeas. Mas ela havia se deixado levar pelo mesmo truque de Ma: *fodedores dissimulados saltadores.* Quantas mentiras Pa teria lhe contado; a quantos restaurantes caros a teria levado até o dinheiro acabar e ele a carregar para seu verdadeiro território: um barracão no meio do pântano? Talvez fosse melhor deixar o amor num solo inculto.

Em voz alta, ela recitou um poema de Amanda Hamilton:

Agora preciso soltar.
Soltar você.
O amor muitas vezes
É motivo para ficar.

Quase nunca razão
Para partir.
Eu solto a corda
E vejo você flutuar para longe.

O tempo inteiro
Você achou
Que o que puxava para o fundo
Era a correnteza ardente
Do peito do seu amor.
Mas era a maré do meu coração
Soltando você
Para sair flutuando
Junto com as algas.

O sol fraco encontrou espaço entre as nuvens pesadas e tocou o banco de areia. Kya olhou ao redor. A correnteza, o grande movimento do mar e aquela areia haviam conspirado para formar uma rede delicada, porque à sua volta se espalhava a coleção de conchas mais impressionante que ela já vira. A inclinação da areia e o fluxo manso da água faziam as conchas se acumularem na lateral, ao abrigo do vento, depositando-as delicadamente na areia sem quebrá-las. Ela viu várias raras e muitas das suas preferidas, intactas e peroladas. Ainda reluzindo.

Caminhando entre elas, selecionou as mais preciosas e as empilhou. Virou o barco, despejou a água e dispôs cuidadosamente as conchas pelo canto interno. Então começou a planejar o trajeto de volta pondo-se de pé bem ereta e observando a água. Leu o mar e, após aprender com as conchas, decidiu seguir pela lateral ao abrigo do vento e de lá ir para o continente. Evitando por completo as correntezas mais fortes.

Ao zarpar, sabia que ninguém nunca mais veria aquele banco de areia. Os elementos haviam criado um sorriso de areia breve, movediço e de inclinação precisa. A maré e a correnteza seguinte desenhariam um banco de areia diferente e depois outro, porém nunca mais aquele dali. Não o que a tinha resgatado. Que lhe ensinara uma coisinha ou outra.

★ ★ ★

Mais tarde, andando por sua praia, ela recitou seu poema preferido de Amanda Hamilton.

Ó Lua esmaecida,
Siga meus passos
Pela luz que as sombras da terra
Não interrompem,
E partilhe os meus sentidos
Que suportam os frios ombros
Do silêncio.

Só você sabe
Como a solidão estica
Uma das pontas de um instante
Por léguas,
Até chegar à outra,
E quanto de céu
Existe num suspiro
Quando o tempo desliza para trás
Da areia.

Se alguém compreendia a solidão, era a lua.

Retornando mansamente aos ciclos previsíveis dos girinos e ao balé dos vaga-lumes, Kya se enterrou mais fundo no silêncio do mundo natural. A natureza parecia ser a única pedra que não iria escorregar no meio da correnteza.

31.

Um livro

1968

A caixa de correio enferrujada, fixada a uma estaca cortada por Pa, ficava no fim da estradinha sem nome. A única correspondência de Kya eram as cartas genéricas enviadas a todos os moradores. Ela não tinha contas a pagar, nenhuma amiga ou tia velha para quem mandar bilhetes bobos e carinhosos. Com exceção daquela única carta de Ma, anos antes, sua correspondência era uma coisa neutra, e ela às vezes passava semanas sem esvaziar a caixa.

Mas após seu vigésimo segundo aniversário, mais de um ano depois de Chase e Pearl anunciarem o noivado, ela todos os dias percorria a estradinha de areia tinindo de tão quente até a caixa de correio e espiava lá dentro. Até certa manhã, enfim, encontrar um envelope pardo grosso e deslizar o conteúdo para as mãos: um exemplar antecipado de *As conchas da Costa Leste*, por Catherine Danielle Clark. Suspirou, sem ter ninguém para quem mostrar aquilo.

Sentada na praia, examinou cada página. Quando escrevera para a editora depois do primeiro contato de Tate e enviara mais desenhos, eles tinham respondido lhe mandando um contrato. Como todos os seus desenhos e textos relacionados a cada amostra de concha tinham sido feitos anos antes, seu editor, Sr. Robert Foster, escreveu-lhe dizendo que o livro seria publicado em tempo recorde, e que o segundo, sobre aves, seria lançado pouco depois. Incluiu um adiantamento de cinco mil dólares. Pa teria tropeçado na perna coxa e deixado a garrafa de aguardente cair.

Agora, ali nas suas mãos, estava o exemplar: cada pincelada, cada cor cuidadosamente pensada, cada palavra das histórias naturais, tudo impresso num livro. Havia também desenhos das criaturas que viviam entocadas — como se alimentam, como se movem, como se reproduzem —, pois as pessoas esquecem as criaturas que vivem dentro das conchas.

Ela tocou as páginas e recordou cada concha e a história de como a havia encontrado, onde estava na praia, a estação do ano, a posição do sol. Um álbum de família.

Ao longo dos meses seguintes, a norte e sul dos litorais da Carolina do Norte, Carolina do Sul, Geórgia, Virgínia, Flórida e Nova Inglaterra, lojas de suvenires e livrarias expuseram seu livro nas vitrines ou mostruários. Os cheques correspondentes aos direitos autorais chegariam a cada seis meses, disseram, e poderiam valer vários milhares de dólares cada um.

Sentada à mesa da cozinha, ela rascunhou uma carta de agradecimento para Tate, mas, quando a releu, sentiu o coração palpitar. Um bilhete não parecia suficiente. Graças à gentileza dele, o amor de Kya pelo brejo agora podia ser o trabalho da sua vida. Podia ser a sua vida. Cada pena, cada concha ou inseto colecionado por ela poderia ser compartilhado com outras pessoas, e ela não precisaria mais cavar o próprio jantar na lama. Talvez não precisasse mais comer mingau todo dia.

Pulinho tinha dito que Tate estava trabalhando como ecologista no instituto e laboratório novos perto de Sea Oaks, e que haviam lhe dado um barco de pesquisa estiloso. Ela já o vira de longe algumas vezes, mas mantivera distância.

Acrescentou um pós-escrito à carta: "Se algum dia estiver perto da minha casa, pare para uma visita. Eu gostaria de te dar um exemplar do livro", e endereçou-a para ele no laboratório.

Na semana seguinte, contratou um faz-tudo chamado Jerry, que instalou água corrente, um aquecedor de água e um banheiro completo com banheira de pé no quarto dos fundos. Pôs uma pia em cima de um armário com uma bancada de lajotas e uma privada com descarga. A energia elétrica foi trazida, e Jerry instalou um fogão e uma geladeira novos. Kya insistiu em manter o velho fogão a lenha com a pilha de madeira ao lado, pois aquecia o barracão, mas sobretudo porque fora nele que sua mãe havia assado carinhosamente mil pães de minuto. E se Ma voltasse e seu fogão não estivesse mais ali? Jerry confeccionou armários de cozinha com madeira de pinheiro, instalou uma porta da frente nova, trocou a tela da varanda e fez prateleiras do chão até o teto para abrigar os espécimes de Kya. Ela encomendou um sofá, cadeiras, camas, colchões e tapetes na Sears, mas manteve a velha mesa da cozinha. E agora tinha um guarda-roupa de verdade para guardar algumas lembranças; um pequeno armário de colagens da sua família despedaçada.

Como antes, o barracão permaneceu sem pintura do lado de fora, as tábuas de pinheiro gastas e o telhado de zinco tomados por tons de cinza e ferrugem, acariciados pela barba-de-velho do carvalho que ficava logo em cima. Menos mambembe, mas ainda entrelaçado à trama do brejo. Kya continuou dormindo na varanda, exceto nos dias mais frios do inverno. Só que agora tinha uma cama.

Certa manhã, Pulinho disse a Kya que o pessoal de uma incorporadora estava chegando à região com grandes planos de aterrar o "brejo lamacento" e construir hotéis. De vez em quando, no ano anterior, ela vira máquinas grandes abatendo bosques inteiros de carvalhos numa mesma semana, depois abrindo canais para drenar o brejo. Ao terminarem, elas partiam para outros lugares deixando atrás de si um rastro de sede e terra seca. Pelo visto não tinham lido o livro de Aldo Leopold.

Um poema de Amanda Hamilton dizia de modo bem claro:

De criança para criança
Olho no olho
Crescemos juntas,
Compartilhando almas.
Asa a asa,
Folha a folha,
Você se foi deste mundo,
Morreu antes da criança.
Minha amiga, a Natureza.

Kya não sabia se a sua família era dona daquele terreno ou simplesmente o ocupava, como a maior parte do povo do brejo vinha fazendo havia quatro séculos. Ao longo dos anos, à procura de pistas sobre o paradeiro de Ma, ela já tinha lido cada pedacinho de papel que havia no barracão, e nunca vira nada que se assemelhasse a uma escritura.

Assim que chegou em casa do posto de Pulinho, ela embrulhou a Bíblia velha num pano e a levou até o cartório de Barkley Cove. O funcionário do condado, um homem de cabelo branco, testa imensa e ombros diminutos, foi pegar o livro grande e em couro de registros, alguns mapas e várias fotos aéreas, que espalhou pelo balcão. Passando o dedo pelo mapa, Kya indicou onde ficava a sua lagoa e traçou os limites aproximados do que pensava ser o seu terreno. O funcionário verificou o número de referência e procurou a escritura em um arquivo velho de madeira.

— Sim, está aqui — falou. — As medidas topográficas foram tiradas direitinho e o terreno foi comprado em 1897 por um tal Napier Clark.

— É o meu avô — disse Kya.

Ela folheou as páginas da Bíblia, e ali, na lista de nascimentos e mortes, constava Napier Murphy Clark. Que grandiloquente. O mesmo nome do seu irmão. Ela disse que seu pai tinha morrido, o que decerto era verdade.

— O terreno nunca foi vendido. Então, sim, senhora, agora ele é seu. Mas infelizmente preciso dizer que tem um monte de tributo atrasado, Srta. Clark, e para manter o terreno vai ter que pagar tudo. Na verdade, sim, senhora, de acordo aqui com a lei, qualquer um que aparecer e saldar os tributos atrasados vira dono do terreno, mesmo sem ter escritura.

— Quanto?

Kya não tinha aberto conta no banco, e todo o dinheiro que lhe restava depois das melhorias na casa, uns três mil dólares, estava bem ali na sua mochila. Mas eles deviam estar falando de quarenta anos de impostos atrasados... milhares e milhares de dólares.

— Bem, vamos ver aqui. Está listado na categoria "terreno baldio", então na maioria desses anos o imposto foi de mais ou menos cinco dólares. Vamos ver aqui, tenho que calcular. — Ele foi até uma calculadora grande e antiquada, digitou alguns números e, depois de cada um, girou uma manivela que fazia um barulho mecânico como se de fato estivesse somando. — Parece que vai dar uns oitocentos dólares mais ou menos... para o terreno ficar em dia.

Kya saiu do cartório com uma escritura completa em seu nome para cento e vinte e cinco hectares de lagoas luxuriantes, brejos cintilantes, florestas de carvalho e uma praia privativa comprida no litoral da Carolina do Norte. "Categoria terreno baldio. Pântano lamacento."

Ao entrar de novo na sua lagoa sob o crepúsculo, conversou com a garça--azul-grande:

— Está tudo bem. Isto aqui é seu!

Ao meio-dia do dia seguinte havia um bilhete de Tate na sua caixa de correio, o que lhe pareceu estranho e de certo modo formal, já que antes ele deixava recados no toco das penas. Estava agradecendo o convite para passar na casa dela e pegar um exemplar do livro, e escreveu que iria naquela mesma tarde.

Levando um dos seis exemplares do seu livro novo que a editora tinha mandado, ela foi esperar no velho tronco de ler. Cerca de vinte minutos depois ouviu o barulho do antigo barco de Tate resfolegando pelo canal e se levantou. Quando ele apareceu no meio da vegetação, os dois acenaram e sorriram de leve. Ambos na defensiva. Na última vez em que ele tinha aparecido ali, ela jogara pedras na cara dele.

Tate amarrou o barco e foi até ela.

— Kya, seu livro é impressionante.

Ele se inclinou um pouco para a frente como se fosse abraçá-la, mas a casca endurecida do coração de Kya o reteve.

Em vez disso, ela entregou o livro a ele.

— Toma, Tate. É para você.

— Obrigado, Kya — disse ele, abrindo o exemplar e folheando as páginas. Não comentou que, é claro, já tinha comprado um na livraria de Sea Oaks e se maravilhado com cada página. — Nunca foi publicado nada parecido. Tenho certeza de que é só o começo para você.

Ela apenas baixou a cabeça e sorriu de leve.

Então, abrindo na folha de rosto, ele disse:

— Ah, você não assinou. Precisa fazer uma dedicatória para mim. Por favor.

Ela ergueu a cabeça. Não tinha pensado nisso. Que palavras poderia escrever para Tate?

Ele tirou uma caneta do bolso da calça jeans e lhe entregou.

Ela pegou a caneta e após alguns segundos escreveu:

Para o Menino das Penas
Obrigada
Da Menina do Brejo

Tate leu as palavras, então se virou e deixou o olhar se perder bem longe no brejo, porque não podia abraçá-la. Por fim, segurou a mão dela e a apertou.

— Obrigado, Kya.

— Foi você, Tate — disse ela, então pensou: *Sempre foi você.*

Um dos lados do seu coração ansiava, o outro se protegia.

Ele ficou parado por alguns instantes; como ela não disse mais nada, virou-se para ir embora. Mas enquanto subia no barco falou:

— Kya, quando você me vir por aí no brejo, por favor não se esconda no capim feito um veado arisco. É só me chamar e a gente pode explorar um pouco juntos. Está bem?

— Está bem.

— Obrigado mais uma vez pelo livro.

— Tchau, Tate. — Ela ficou olhando até ele sumir no meio da vegetação, então tornou a falar: — Eu poderia pelo menos ter convidado ele para um chá. Não faria mal nenhum. Poderia ser amiga dele. — Então, com um orgulho raro, pensou no seu livro. — Poderia ser colega dele.

Uma hora depois de Tate ir embora, Kya foi de barco até o cais de Pulinho com outro exemplar do livro na mochila. Ao chegar perto, viu-o encostado na parede da sua loja castigada. Ele se levantou e acenou, mas ela não retribuiu o gesto. Sabendo que havia algo diferente, ele esperou em silêncio enquanto Kya amarrava o barco. Ela se aproximou, estendeu o livro e o colocou na mão dele. No início ele não entendeu, mas ela apontou para o próprio nome e disse:

— Eu estou bem agora, Pulinho. Obrigada a você e a Mabel por tudo que fizeram por mim.

Ele a encarou. Em outra época e em outro lugar, um velho negro e uma jovem branca poderiam ter se abraçado. Mas não ali, não naquela época. Ela cobriu a mão dele com a sua, virou-se e saiu de barco. Era a primeira vez que o via sem saber o que dizer. Continuou comprando gasolina e mantimentos com ele, porém nunca mais aceitou nenhuma doação do casal. E sempre que ia ao cais de Pulinho via seu livro em pé naquela vitrine pequena, exposto para todo mundo ver. Como um pai o teria exibido.

32.

Álibi

1969

Nuvens baixas e escuras percorriam um céu de aço em direção a Barkley Cove. O vento foi o primeiro a chegar, chacoalhando as janelas e arremessando ondas no cais. Barcos amarrados ao atracadouro subiam e desciam feito brinquedos enquanto homens de capa de chuva amarravam esta ou aquela corda para prendê-los. Então, enviesada, a chuva se abateu sobre o vilarejo, escurecendo tudo exceto uma ou outra silhueta amarelada se movendo em meio ao cinza.

O vento assobiou pela janela do xerife, e ele ergueu o tom de voz:

— Então, Joe, você tinha alguma coisa para me dizer?

— Tinha, sim. Descobri onde a Srta. Clark vai dizer que estava na noite em que Chase morreu.

— Como assim? Conseguiu encontrá-la, finalmente?

— Está de brincadeira? Ela é mais escorregadia do que uma maldita enguia. Some toda vez que eu chego perto. Então fui à marina do Pulinho hoje de manhã para ver se ele sabia quando ela iria aparecer. Como todo mundo, ela precisa ir lá comprar gasolina, então imaginei que mais cedo ou mais tarde conseguisse encontrá-la. Você não vai acreditar no que eu descobri.

— Me diga.

— Duas fontes confiáveis me disseram que ela estava fora da cidade naquela noite.

— O quê? Que fontes? Ela nunca sai da cidade, e mesmo que tivesse saído, quem iria saber?

— Lembra do Tate Walker? Ele é o Dr. Walker agora. Trabalha no laboratório novo de ecologia.

— Sim, conheço. O pai pesca camarão. Scupper Walker.

— Bom, segundo Tate, ele conhecia Kya... ele a chama de Kya... muito bem quando os dois eram mais novos.

— *Ah, é?*

— Não desse jeito. Eram só crianças. Pelo visto, parece que ele ensinou ela a ler.

— Foi ele quem contou isso para você?

— Foi. Estava no posto. Eu estava perguntando ao Pulinho se ele sabia onde ou como eu poderia fazer algumas perguntas para a Menina do Brejo. Ele respondeu que só ficava sabendo de última hora quando iria vê-la.

— Pulinho sempre foi bom com a menina. Duvido que vá nos dizer grande coisa.

— Bom, eu perguntei se ele por acaso sabia o que ela estava fazendo na noite em que o Chase morreu. E ele respondeu que na verdade sabia, sim, que ela tinha ido ao posto na segunda manhã depois de Chase morrer, e que ele mesmo tinha contado a ela que o rapaz estava morto. Disse que ela havia passado duas noites em Greenville, inclusive a noite que Chase morreu.

— Greenville?

— Foi o que ele disse, e aí Tate, que ficou por perto durante todo o tempo, se meteu na conversa e disse é, ela estava em Greenville, e foi ele quem mostrou para ela como comprar a passagem de ônibus.

— Ora, isso é uma novidade e tanto — comentou o xerife Jackson. — E muito conveniente os dois estarem lá com a mesma história. O que ela iria fazer em Greenville?

— Tate falou que uma editora... Você sabe, ela escreveu um livro sobre conchas e outro sobre aves... Bom, eles pagaram as despesas para ela ir até lá encontrá-los.

— Difícil imaginar uma gente chique de editora querendo conhecer a Menina do Brejo. Acho que deve ser bem fácil de verificar. O que o Tate disse sobre ensinar ela a ler?

— Eu perguntei como ele conhecia ela. Disse que costumava pescar perto da casa dela e que, quando descobriu que ela não sabia ler, ensinou.

— Hum. É mesmo?

— Enfim, isso muda tudo — disse Joe. — Ela tem um álibi. E dos bons. Eu diria que estar em Greenville é um álibi muito bom.

— É. Aparentemente. Você sabe o que dizem sobre álibis bons. E nós temos aquele pescador de camarão dizendo que a viu de barco indo bem na direção da torre de incêndio na mesma noite em que Chase caiu lá de cima.

— Ele pode ter se enganado. Estava escuro. A lua só nasceu às duas da manhã. Talvez ela estivesse em Greenville e ele viu outra pessoa num barco parecido com o dela.

— Bom, como eu falei, essa suposta ida a Greenville deve ser fácil de verificar.

A tempestade abrandou até se transformar em gemidos e garoa; mesmo assim, em vez de ir a pé até a lanchonete, os dois homens da lei pediram a um mensageiro para buscar bolinho de frango, feijão-manteiga, abóbora ensopada, caldo de cana e pães de minuto.

Logo depois do almoço, alguém bateu na porta do xerife. A Srta. Pansy Price a abriu e entrou no escritório. Joe e Ed se levantaram. O turbante dela reluzia num tom rosado.

— Boa tarde, Srta. Pansy.

Ambos balançaram a cabeça.

— Boa tarde, Ed. Joe. Posso me sentar? Não vou demorar. Acho que tenho uma informação importante relacionada ao caso.

— Sim, claro. Sente-se, por favor. — Os dois homens se sentaram assim que a Srta. Pansy se acomodou na cadeira feito uma galinha avantajada, ajeitando as penas aqui e ali, com a bolsinha equilibrada no colo feito um ovo precioso. Sem resistir, o xerife tornou a falar: — E que caso seria esse, Srta. Pansy?

— Ah, Ed, pelo amor de Deus. Você sabe que caso. Quem assassinou Chase Andrews. Esse caso.

— Não sabemos se ele foi assassinado, Srta. Pansy, está bem? Mas que informação é essa que a senhorita tem para nós?

— Como vocês sabem, eu trabalho na Kress. — Ela nunca se rebaixava a dizer o nome todo da loja: Kress Five and Dime. Esperou o xerife receber seu comentário com um meneio de cabeça, muito embora todos soubessem que ela trabalhava lá desde o tempo em que vendia para ele soldadinhos de brinquedo quando ele era criança, então prosseguiu: — Acredito que a Menina do Brejo seja uma suspeita. Correto?

— Quem falou isso?

— Ah, tem muita gente convencida, mas a principal fonte é Patti Love.

— Entendo.

— Bem, lá da Kress, eu e outros funcionários vimos a Menina do Brejo subir e saltar do ônibus em dias que a fariam estar fora da cidade na noite em que o Chase morreu. Posso confirmar essas datas e horários.

— É mesmo? — Joe e Ed se entreolharam. — Quais são as datas e horários?

A Srta. Pansy se empertigou mais na cadeira.

— Ela saiu no ônibus às duas e meia da tarde de 28 de outubro e voltou às 13h16 do dia 30.

— A senhorita disse que mais gente a viu?

— Sim. Posso trazer uma lista, se o senhor quiser.

— Não precisa. Nós iremos à Five and Dime se quisermos depoimentos. Obrigado, Srta. Pansy.

O xerife se levantou, então a Srta. Pansy e Ed o imitaram.

Ela foi em direção à porta.

— Bem, obrigada pela sua atenção. Como o senhor disse, sabem onde me encontrar.

Os três se despediram.

Joe tornou a se sentar.

— Bom, aí está. Isso confirma o que Tate e Pulinho disseram. Ela estava em Greenville naquela noite, ou pelo menos entrou num ônibus e foi para algum lugar.

O xerife expirou fundo.

— Pelo visto sim. Mas imagino que, se alguém pode ir de ônibus até Greenville durante o dia, pode voltar durante a noite. Fazer o que tem de fazer. E voltar de ônibus para Greenville. Sem ninguém saber.

— Acho que sim. Meio improvável, me parece.

— Arrume os horários dos ônibus. Vamos ver se as horas batem. Se é possível voltar na mesma noite. — Antes de Joe sair, Ed ainda continuou: — Pode ser que ela quisesse ser vista aqui na cidade, em plena luz do dia, embarcando e descendo de um ônibus. Pensando bem, ela precisava fazer algo fora do normal para ter um álibi. Afirmar que estava sozinha no barracão na noite em que Chase morreu, como costuma ser o caso, não serviria de álibi. Rá! Então ela planejou algo que várias pessoas a veriam fazer. Criou um ótimo álibi bem na frente de todo mundo na Main Street. Brilhante.

— É, bem, faz sentido. De toda forma, não precisamos mais gastar sola de sapato. Podemos ficar sentados aqui mesmo, tomando café, e deixar as senhoras desta cidade entrarem e saírem com todas as informações. Vou pegar os horários dos ônibus. — Joe voltou dali a quinze minutos. — Olhe, você tem razão. Está vendo, seria possível pegar um ônibus de Greenville até Barkley Cove e depois voltar para Greenville na mesma noite. Na verdade, é fácil.

— É, tem tempo de sobra entre os dois ônibus para empurrar alguém de cima da torre de incêndio. Acho que devemos pedir um mandado.

33.

A cicatriz

1968

Certa manhã do inverno de 1968, Kya estava sentada à mesa da cozinha espalhando num papel tintas de aquarela laranja e rosa para criar o formato bojudo de um cogumelo. Havia terminado seu livro sobre aves marinhas e preparava um guia de cogumelos. Já tinha planos para outro sobre borboletas e mariposas.

Feijão-fradinho, cebola roxa e presunto salgado ferviam na velha panela amassada sobre o fogão a lenha, que ela ainda preferia ao fogão novo. Principalmente no inverno. O telhado de zinco cantava sob uma chuva fina. Então, de repente, o barulho de uma caminhonete atravessando a areia veio da estradinha. Um ronco mais alto do que o do telhado. Sentindo o pânico brotar, ela foi até a janela e viu uma picape vermelha percorrendo os sulcos enlameados.

O primeiro pensamento de Kya foi fugir, mas a picape já estava encostando em frente à varanda. Agachada sob o peitoril da janela, ela observou um homem de uniforme militar cinza e verde saltar do veículo. Ele ficou ali parado, com a porta da picape entreaberta, olhando para a mata e para a trilha que ia em direção à lagoa. Então fechou delicadamente a porta do carro, deu uma corridinha debaixo da chuva até a porta da varanda e bateu.

Kya xingou. O homem provavelmente estava perdido, iria pedir informações e partir em seguida, mas ela não queria lidar com aquilo. Ficaria escondida ali na cozinha e torceria para ele ir embora. Mas ouviu-o chamar:

— Ei! Alguém em casa? Oi!

Irritada, mas curiosa, atravessou a sala recém-mobiliada até chegar à varanda. O desconhecido alto e de cabelo escuro estava em pé no degrau da frente segurando a porta de tela para mantê-la aberta, a um metro e meio de onde Kya estava. O uniforme parecia engomado o bastante para se sustentar sozinho, como se estivesse segurando o sujeito em pé. Seu peito estava coberto por medalhas retangulares coloridas. Porém, o mais chamativo de tudo era uma cicatriz vermelha serrilhada que dividia o rosto ao meio, da orelha esquerda até o alto da boca. Ela arquejou.

No mesmo instante, voltou ao domingo de Páscoa uns seis meses antes de Ma ir embora de vez. Enquanto cantavam o hino cristão "Rocha Eterna", ela e Ma foram de braços dados da sala até a cozinha e pegaram os ovos coloridos que haviam pintado na véspera. As outras crianças tinham saído para pescar, então ela e Ma tiveram tempo para esconder os ovos, depois pôr no forno o frango e os pães de minuto. Os irmãos e irmãs eram grandes demais para procurar ovos, mas correriam de um lado para outro à procura, fingindo não encontrá-los, depois levantariam bem alto cada tesouro descoberto, rindo.

Ma e Kya estavam saindo da cozinha com os cestos de ovos e coelhinhos de chocolate da Five and Dime bem na hora em que Pa surgiu pela quina do corredor.

Arrancando o gorro de Páscoa da cabeça de Kya e brandindo-o no ar, ele gritou para Ma:

— Onde que você arrumou dinheiro para esses trecos chiques, hein? Gorros e sapato de verniz? Esses ovos e esses coelhos de chocolate metidos a besta? Me diga. Onde?

— Por favor, Jake, fale baixo. Hoje é Páscoa. Isso é para as crianças.

Ele empurrou Ma.

— Você saiu por aí bancando a puta, isso sim. Foi assim que arranjou o dinheiro? Me diga *agora*.

Ele agarrou Ma pelos braços e a sacudiu com tanta força que o rosto dela pareceu chacoalhar ao redor dos olhos, que permaneceram fixos e bem abertos. Os ovos caíram do cesto e saíram rolando coloridos pelo chão.

— Pa, para, por favor! — gritou Kya, soluçando.

Ele ergueu a mão e deu um tapa na cara da filha.

— Cala essa boca, sua bebê chorona metida a besta! Tira agora esse vestido idiota e esses sapatos caros! Tudo roupa de puta.

Kya se encolheu, segurando o rosto, e foi atrás dos ovos pintados de Ma.

— Estou falando com você, mulher! Onde que anda arrumando esse dinheiro todo?

Ele pegou o atiçador de lareira no canto e avançou para cima de Ma.

Kya gritou o mais alto que conseguiu e segurou o braço de Pa bem na hora em que ele desferiu o atiçador de lareira no peito de Ma. O sangue salpicou o vestido florido sem mangas feito uma estampa vermelha de bolinhas. Então um corpo grande apareceu no corredor, e quando Kya se virou encontrou Jodie segurando Pa por trás, e os dois caíram no chão. O irmão separou Ma e Pa e gritou para Kya e Ma saírem correndo, e foi o que elas fizeram. Antes de se virar, porém, Kya viu Pa levantar o atiçador e bater na cara de Jodie, fazendo a mandíbula dele se torcer de um jeito horrível e o sangue esguichar. A cena se desenrolou na sua mente num clarão. O irmão desabando no chão e caindo entre ovos cor-de-rosa e roxos e coelhinhos de chocolate. Ela e Ma correndo pelo palmeiral para se esconder no mato. Com o vestido ensanguentado, Ma repetia que estava tudo bem, que os ovos não iriam quebrar e que elas ainda poderiam assar o frango. Kya não entendeu por que elas ficaram escondidas ali; tinha certeza de que o irmão estava morrendo, de que precisava da ajuda delas, mas estava apavorada demais para se mexer. As duas esperaram muito tempo e então voltaram de fininho, olhando pelas janelas para conferir se Pa tinha ido embora.

Jodie estava caído no chão, frio, no meio de uma poça de sangue, e Kya gritou que ele estava morto. Mas Ma o acordou e o levou para o sofá, onde costurou seu rosto com a agulha de costura. Quando tudo se acalmou, Kya recolheu o gorro do chão, foi correndo para a mata e o jogou com toda a força no meio do capim-navalha.

Kya encarou os olhos do desconhecido em pé na sua varanda e disse:

— Jodie.

Ele sorriu, entortando a cicatriz, e respondeu:

— Kya, eu estava torcendo para encontrar você aqui.

Eles continuaram se encarando, procurando um ao outro em olhos mais velhos. Jodie não tinha como saber que estivera com ela ao longo de todos aqueles anos, que em dezenas de ocasiões havia lhe indicado o caminho pelo brejo, lhe ensinado infinitas vezes sobre garças e vaga-lumes. Mais do que qualquer um, ela quisera rever Jodie ou Ma. Nesse pacote, seu coração havia apagado a cicatriz e toda a dor. Não surpreendia que a sua mente houvesse enterrado aquela cena; não surpreendia que Ma tivesse ido embora. Atingida no peito com um atiçador de lareira. Kya tornou a ver como sangue aquelas manchas esfregadas no vestido florido sem mangas.

Ele quis abraçá-la, tomá-la nos braços, mas, quando foi na direção dela, Kya inclinou bem a cabeça para um dos lados com profunda timidez e recuou. Ele apenas subiu na varanda.

— Entre — disse ela, e conduziu-o até a salinha de estar abarrotada com seus espécimes.

— Ah — disse ele. — Então é mesmo. Eu vi seu livro, Kya. Não tinha certeza se era mesmo você, mas, sim, agora vejo que era. Incrível.

Ele andou pela sala observando as coleções dela e examinou também o cômodo em si, com móveis novos, espiando pelos corredores até os quartos. Sem querer bisbilhotar, mas vendo tudo.

— Quer um café, um chá?

Ela não sabia se ele tinha ido fazer uma visita ou se viera para ficar. O que poderia querer, depois de tantos anos?

— Um café seria ótimo. Obrigado.

Na cozinha, ele reconheceu o velho fogão a lenha junto ao fogão a gás e à geladeira novos. Passou a mão na mesa antiga da cozinha, que ela havia mantido do mesmo jeito. Com todo o seu histórico de tinta descascada. Ela serviu o café em canecas e os dois se sentaram.

— Então você é soldado.

— Duas temporadas no Vietnã. Vou ficar mais alguns meses no Exército. Eles foram bons comigo. Pagaram minha faculdade... Engenharia mecânica na Georgia Tech. O mínimo que eu posso fazer é ficar mais um pouco.

A Geórgia não era assim tão longe... Ele poderia ter ido visitá-la antes. Mas estava ali.

— Todos vocês foram embora — disse ela. — Pa ainda ficou um tempo depois de você ter ido, mas então também se foi. Não sei para onde, não sei se ele está vivo ou não.

— E você está aqui sozinha desde aquela época?

— Aham.

— Kya, eu não deveria ter deixado você com aquele monstro. Me arrependi, me senti péssimo por causa disso por anos. Fui covarde, um burro covarde. Estas porcarias de medalhas não significam nada. — Ele passou a mão no peito. — Eu abandonei você, uma menininha, para sobreviver sozinha num pântano com um homem louco. Não espero que me perdoe algum dia.

— Não faz mal. Você mesmo era só um menino. O que poderia ter feito?

— Eu poderia ter voltado quando fiquei mais velho. No começo tive que sobreviver um dia depois do outro nas ruas de Atlanta. — Ele sorriu com desdém. — Saí daqui com setenta e cinco centavos no bolso. Roubei do dinheiro que Pa guardava na cozinha; roubei sabendo que isso deixaria você sem nada. Fiquei vivendo de bicos até o Exército me aceitar. Depois do treinamento, fui direto para a guerra. Quando voltei, tinha passado tanto tempo que imaginei que você já tivesse ido embora, fugido também. Foi por isso que não escrevi. Acho que me alistei para voltar como uma autopunição. Era o que eu merecia por ter te abandonado. Aí, quando me formei na Tech uns dois meses atrás, vi seu livro numa livraria. Catherine Danielle Clark. Meu coração se partiu ao meio e pulou de alegria ao mesmo tempo. Eu precisava encontrar você... Pensei em começar por aqui e seguir seu rastro.

— Bem, aqui estamos então. — Ela sorriu pela primeira vez. Os olhos dele eram os mesmos de antes. Os rostos mudam com as agruras da vida, mas os olhos continuam sendo uma janela para o passado, e ela o viu ali. — Jodie, eu sinto muito por você ter ficado preocupado por me abandonar. Nunca culpei você. Nós fomos as vítimas, não os culpados.

Ele sorriu.

— Obrigado, Kya.

As lágrimas brotaram e ambos desviaram o olhar.

Ela hesitou, então disse:

— Pode ser difícil acreditar, mas durante algum tempo Pa foi bom comigo. Bebeu menos, me ensinou a pescar, e a gente saía bastante de barco por todo o brejo. Mas depois, claro, ele voltou a beber e me deixou aqui para me virar sozinha.

Jodie assentiu.

— É, eu vi esse lado dele algumas vezes, mas sempre voltava para a bebida. Uma vez me disse que tinha algo a ver com a guerra. Eu mesmo estive na guerra e vi coisas que poderiam levar um homem a beber. Mas ele não deveria ter descontado na esposa, nos próprios filhos.

— E Ma e os outros? — perguntou ela. — Você teve notícias, sabe para onde eles foram?

— Não sei nada sobre Murph, Mandy ou Missy. Não os reconheceria se os visse na rua. A essa altura imagino que tenham se espalhado com o vento. Mas sobre Ma, bem, Kya, esse é outro motivo pelo qual eu queria te encontrar. Tenho notícias dela.

— Notícias? Que notícias? Me fale.

Calafrios percorreram os braços dela até a ponta dos dedos.

— Kya, as notícias não são boas. Eu só fiquei sabendo semana passada. Ma morreu faz dois anos.

Kya dobrou o corpo para a frente e segurou o rosto com as mãos. Grunhidos suaves brotaram da sua garganta. Jodie tentou abraçá-la, mas ela se afastou.

Ele continuou:

— Ela tinha uma irmã, Rosemary, que tentou nos achar pela Cruz Vermelha quando Ma morreu, mas não conseguiu. Então, uns dois meses atrás, eles me encontraram por meio do Exército e me colocaram em contato com Rosemary.

Com a voz rouca, Kya balbuciou:

— Ma estava viva até dois anos atrás. Passei esses anos todos esperando ela aparecer na estradinha. — Kya se levantou e se segurou na pia. — Por que ela não voltou? Por que ninguém me disse onde ela estava? E agora é tarde demais.

Jodie foi até a irmã e a abraçou, embora ela tenha tentado se esquivar.

— Eu sinto muito, Kya. Venha se sentar. Vou contar o que Rosemary falou. — Ele esperou ela se acomodar, então disse: — Ma estava doente por causa do colapso nervoso grave que teve quando nos abandonou e foi para Nova Orleans... onde ela cresceu. Estava doente de corpo e alma. Eu me lembro um pouquinho de Nova Orleans. Acho que tinha cinco anos quando saímos de lá. Tudo que lembro é uma casa bonita com janelas grandes que davam para um jardim. Mas depois que nos mudamos para cá Pa não deixava nenhum de nós falar sobre Nova Orleans, nossos avós, nada. Então tudo se apagou.

Kya aquiesceu.

— Eu nunca soube.

Jodie prosseguiu:

— Rosemary falou que nossos avós tinham sido contra o casamento de Ma com Pa desde o início, mas que Ma se mudou para a Carolina do Norte com o marido sem um tostão no bolso. Depois de algum tempo, Ma começou a escrever para a irmã e contar como estavam as coisas: que ela morava num barracão no pântano com um bêbado que batia nela e nos filhos. Então um dia, anos depois, Ma apareceu. Estava com aqueles sapatos de salto de pele falsa de jacaré que tanto adorava. Fazia dias que não tomava banho nem se penteava.

"Ma passou meses muda, sem dizer nenhuma palavra. Ficava no seu antigo quarto na casa dos pais, quase sem comer. Chamaram médicos, é claro, mas ninguém conseguia ajudá-la. O pai de Ma entrou em contato com o xerife de Barkley Cove para perguntar se os filhos dela estavam bem, mas o escritório do xerife respondeu que nem sequer tentava acompanhar de longe a vida das pessoas no brejo.

Kya fungava de vez em quando.

— Por fim, quase um ano depois, Ma ficou histérica e disse a Rosemary que se lembrava de ter abandonado os filhos. A irmã a ajudou a escrever uma carta para Pa perguntando se poderia nos buscar e nos levar para morar com ela em Nova Orleans. Ele respondeu dizendo que se ela voltasse ou entrasse em contato com qualquer um de nós, iria nos bater tanto que nos deixaria irreconhecíveis. Ela sabia que ele era capaz de uma coisa dessas.

A carta no envelope azul. Ma tinha pedido para buscá-la, para buscar todos os filhos. Tinha querido vê-la. Mas o desfecho da carta fora bem diferente. As palavras dela haviam enfurecido Pa e o fizeram voltar a beber, e então Kya o perdera também. Não comentou com Jodie que ainda guardava as cinzas da carta em um pote de vidro.

— Rosemary contou que Ma nunca fez amigos, nunca jantava com a família nem interagia com ninguém. Não se permitia qualquer tipo de vida, de prazer. Depois de algum tempo, começou a falar mais e não tinha outro assunto que não os filhos. Rosemary disse que Ma nos amou a vida inteira, mas ficou paralisada em algum lugar horrível no qual acreditava que seríamos machucados se voltasse e abandonados se não voltasse. Ela não nos abandonou por algum caso de amor passageiro; enlouqueceu e mal sabia que tinha ido embora.

— Como ela morreu? — perguntou Kya.

— Leucemia. Rosemary disse que era possivelmente tratável, mas ela recusou qualquer medicação. Ficou cada vez mais fraca e dois anos atrás se foi de vez. Rosemary disse que ela morreu de um jeito bem semelhante ao que vivia. No escuro, em silêncio.

Jodie e Kya ficaram sentados sem se mexer. Ela pensou no poema de Galway Kinnell que Ma havia sublinhado em seu livro:

Devo confessar meu alívio por ter acabado.
No final tudo que eu conseguia sentir era pena
Daquele impulso em direção a mais vida.
... Adeus.

Jodie se levantou.

— Venha comigo, Kya. Quero mostrar uma coisa. — Ele a levou até a picape lá fora e os dois subiram na caçamba. Com cuidado, ele retirou uma lona e abriu uma caixa grande de papelão, e um a um foi tirando de lá de dentro e desembrulhando alguns quadros a óleo. Colocou todos em pé na caçamba da picape. Um deles mostrava três meninas pequenas, Kya e as irmãs, de cócoras na margem da lagoa, observando libélulas. Outra mostrava Jodie e seu outro irmão segurando uma fieira de peixes. — Eu trouxe para o caso de você ainda estar aqui. Rosemary me mandou. Disse que Ma passou anos pintando a gente, noite e dia.

Uma das pinturas mostrava todas as cinco crianças posando como se estivessem de frente para a artista. Kya encarou os olhos dos irmãos que a fitavam de volta.

Num sussurro, perguntou:

— Quem é quem?

— O quê?

— Nunca teve nenhuma foto. Eu não conheço eles. Quem é quem?

— Ah. — Jodie não conseguiu respirar, então enfim falou: — Bem, esta aqui é Missy, a mais velha. Depois vem Murph. Mandy. Este bonitinho aqui sou eu, claro. E esta aqui é você. — Ele esperou algum tempo, então disse: — Olhe este aqui.

Diante dele estava um quadro a óleo espantosamente colorido de duas crianças agachadas em meio a espirais de capim verde e flores silvestres. A menina era bem pequena, talvez com três anos, e seu cabelo preto e liso caía por cima dos ombros. O menino, um pouco mais velho e com cachos dourados, apontava para uma borboleta-monarca com as asas pretas e amarelas abertas sobre uma margarida. Estava com a mão no braço da menina.

— Acho que é o Tate Walker — disse Jodie. — Com você.

— Acho que você tem razão. Parece com ele. Por que Ma pintaria o Tate?

— Ele vinha bastante aqui pescar comigo. Vivia te mostrando insetos e coisas assim.

— Por que não me lembro disso?

— Você era muito pequena. Certa tarde, o Tate entrou de barco na nossa lagoa e Pa estava muito bêbado. Você estava na água e Pa deveria estar te vigiando. De repente, sem motivo nenhum, Pa agarrou você pelos braços e te sacudiu com tanta força que sua cabeça foi para trás. Então te largou na lama e começou a rir. Tate pulou do barco e correu até você. Tinha só sete ou oito anos, mas gritou com Pa. Pa bateu nele, claro, e gritou para ele sair do terreno e nunca mais voltar senão ia tomar um tiro. A essa altura a gente já tinha ido até lá para ver o que estava acontecendo. Mesmo com Pa ali xingando, Tate pegou você do chão e te entregou para Ma. Se certificou de que você estava bem antes de ir embora. A gente ainda saiu para pescar algumas vezes depois disso, mas ele nunca mais voltou aqui.

Só quando me mostrou o caminho na primeira vez que saí de barco pelo brejo, pensou Kya. Olhou para a pintura a óleo... tão suave, tão tranquila. De algum modo, a mente de Ma extraíra beleza da loucura. Qualquer um que observasse aqueles retratos pensaria que eles representavam a mais feliz das famílias, vivendo à beira-mar e brincando sob o sol.

Sentados na beirada da caçamba da picape, Jodie e Kya continuaram olhando para os quadros em silêncio. Ele tornou a falar:

— Ma estava isolada e sozinha. Nessas circunstâncias as pessoas se comportam de outro jeito.

Kya grunhiu de leve.

— Por favor, não venha me falar de isolamento. Ninguém precisa me dizer como isso muda uma pessoa. Eu vivi isso. Eu sou o próprio isolamento — sussurrou Kya com um quê de raiva na voz. — Eu perdoo Ma por ter ido embora. Mas não entendo por que ela não voltou... por que me deixou. Você não deve lembrar, mas depois que ela foi embora você me disse que a raposa às vezes abandona as crias quando está morrendo de fome ou em alguma outra situação de estresse extremo. Os filhotes morrem, como teriam morrido de qualquer jeito, mas a raposa sobrevive para acasalar de novo quando as condições melhoram, quando tem chance de criar uma nova ninhada até a maturidade.

"Desde então eu li muito sobre isso. Na natureza, lá onde cantam os lagostins, esses comportamentos, à primeira vista cruéis, na verdade aumentam o número de descendentes da fêmea ao longo da vida, e assim seus genes relacionados ao abandono das crias em momentos de estresse são transmitidos para a geração seguinte. E assim por diante. Acontece com os humanos também. Alguns comportamentos que nos parecem cruéis garantiram a sobrevivência do homem primitivo em qualquer que fosse o pântano no qual se vivesse na época. Sem eles a gente não estaria aqui. Continuamos com esses instintos armazenados nos nossos genes, e eles se expressam quando determinadas circunstâncias prevalecem. Parte de nós vai ser sempre aquilo que fomos, que precisamos ser para sobreviver... muito tempo atrás.

"Talvez algum instinto primitivo, algum gene antigo que não é mais útil, tenha levado Ma a nos abandonar por causa do estresse, do terror e do perigo real de viver com Pa. Mas nem por isso foi certo; ela *deveria ter escolhido ficar.* Mas saber que essas tendências fazem parte do nosso mapeamento biológico talvez ajude a perdoar até mesmo uma mãe desnaturada. Isso pode explicar por que ela foi embora, mas ainda não entendo por que ela não voltou. Por que nem sequer me escreveu. Ela poderia ter escrito cartas e mais cartas, ano após ano, até uma delas finalmente chegar a mim.

— Acho que algumas coisas não podem ser explicadas, só perdoadas, ou não. Não sei a resposta. Talvez não exista resposta. Desculpe por ter te trazido essa notícia ruim.

— Passei quase a vida inteira sem família nem notícias da minha família. Agora, em poucos minutos, encontrei um irmão e perdi minha mãe.

— Desculpe mesmo, Kya.

— Não precisa se desculpar. Na verdade, eu perdi Ma anos atrás, e agora você voltou, Jodie. Nem sei dizer o quanto eu queria te ver de novo. Hoje é um dos dias mais felizes e mais tristes da minha vida.

Com os dedos, ela tocou o braço do irmão, que já a conhecia bem o bastante para saber que isso era raro.

Os dois caminharam de volta até o barracão, e ele olhou ao redor para as coisas novas, as paredes recém-pintadas, os armários de cozinha feitos à mão.

— Como você conseguiu, Kya? Antes do livro, como arrumava dinheiro, comida?

— Ah, é uma história longa e chata. Mas eu vendia mariscos, ostras e peixe defumado para o Pulinho.

Jodie inclinou a cabeça para trás e deu uma gargalhada.

— Pulinho! Faz anos que não penso nele. Ele continua por aqui?

Kya não riu.

— Pulinho tem sido meu melhor amigo, durante anos, meu único amigo. Meu único parente, a não ser que você considere as gaivotas.

Jodie ficou sério.

—Você não tinha amigos na escola?

— Só fui à escola um dia na vida — disse ela com uma risadinha. — As crianças riram de mim, então nunca mais voltei. Passei semanas fugindo dos agentes educacionais. O que não foi muito difícil, depois de todas as coisas que você me ensinou.

Ele pareceu espantado.

— Como aprendeu a ler e escrever? Para fazer seu livro?

— Na verdade, quem me ensinou a ler foi o Tate Walker.

—Você ainda o vê?

— De vez em quando. — Ela ficou parada de frente para o fogão. — Mais café?

Jodie sentiu a vida solitária pairar na cozinha. Estava presente no estoque minúsculo de cebolas no cesto de legumes, no único prato secando no escorredor, no bolo de milho enrolado cuidadosamente num pano de prato, como uma velha viúva faria.

—Já bebi bastante, obrigado. Mas que tal um passeio de barco pelo brejo? — sugeriu ele.

— Claro.Você não vai acreditar, estou com um motor novo, mas ainda uso o mesmo barco de antigamente.

O sol tinha feito as nuvens se abrirem e brilhava forte e quente para um dia de inverno. À medida que Kya os guiava por canais estreitos e estuários espelhados, Jodie se espantou com a mesma árvore morta de antes e com um abrigo de castor ainda erguido exatamente no mesmo lugar. Eles riram ao chegar à lagoa onde Ma, Kya e as irmãs tinham atolado o barco na lama.

De volta ao barracão, ela organizou um piquenique, que eles foram comer na praia com as gaivotas.

— Eu era muito nova quando todos foram embora — disse ela. — Me fale sobre todo mundo.

Jodie então lhe contou histórias sobre o irmão mais velho, Murph, que costumava colocá-la nos ombros e carregá-la pela mata.

—Você não parava de rir. Ele corria e ficava rodando com você lá em cima. E uma vez você riu tanto que molhou a calça bem no pescoço dele.

— Ai, não! Eu não fiz isso.

Kya se recostou para trás, rindo.

— Fez, sim. Ele resmungou um tanto, mas seguiu em frente e correu direto para a lagoa até ficar submerso, com você ainda nos ombros. Estava todo mundo assistindo, Ma, Missy, Mandy e eu, e choramos de tanto rir. Ma precisou se sentar no chão de tanto que ria.

A mente de Kya foi inventando imagens para acompanhar as histórias. Recortes e fiapos de família que ela jamais pensara ter.

— Foi Missy quem começou a dar comida para as gaivotas — continuou Jodie.

— O quê? Sério? Pensei que eu tivesse começado sozinha, depois que todo mundo foi embora.

— Não, ela dava comida para as gaivotas sempre que podia. Deu nome a todas elas. Chamava uma de Vermelho Grande, disso eu me lembro, por causa da mancha vermelha no bico, sabe?

— Não é o mesmo pássaro, claro... Eu já acompanhei algumas gerações de Vermelhos Grandes. Mas lá, ali à esquerda, é o Vermelho Grande de agora.

Ela tentou se conectar com a irmã que havia lhe dado as gaivotas, mas tudo que conseguiu ver foi o rosto do quadro. O que era mais do que tinha antes.

Kya sabia que a mancha vermelha no bico de uma gaivota era mais do que decoração. Somente quando os filhotes batiam os bicos nesse ponto o pai ou a mãe liberavam para eles a comida que haviam capturado. Se o ponto vermelho estivesse escondido e os filhotes não conseguissem bater, o pai ou mãe não davam comida e eles morriam. Mesmo na natureza, a paternidade é formada por uma linha mais tênue do que se poderia imaginar.

Eles ficaram sentados durante alguns instantes, então Kya falou:

— É que eu não me lembro de muita coisa.

— Você tem sorte. Continue assim.

Eles continuaram sentados ali em silêncio. Sem lembrar.

Ela preparou um jantar típico do sul como Ma teria feito: feijão-fradinho com cebola roxa, presunto frito, bolo de milho com torresmo, fava cozida no leite e na manteiga. Torta de amora com creme e um pouco do bourbon que Jodie trouxe. Enquanto comiam, ele disse que gostaria de ficar alguns dias, se não tivesse problema, e ela respondeu que ele seria bem-vindo pelo tempo que quisesse.

— Esta terra é sua agora, Kya. Você fez por merecer. Eu ainda vou passar um tempinho no meu posto em Fort Benning, então não posso ficar muito. Depois provavelmente vou arrumar um emprego em Atlanta, então a gente pode manter contato. Eu gostaria de te ver sempre que puder vir aqui. Saber que você está bem era tudo que eu queria na vida.

— Eu vou gostar, Jodie. Por favor, venha sempre que puder.

No fim da tarde seguinte, sentados na praia com as ondas fazendo cócegas nos dedos dos seus pés descalços, Kya tagarelou de modo pouco habitual e Tate parecia estar em cada parágrafo. Houvera a vez em que ele tinha mostrado o caminho de casa depois que ela, ainda criança, se perdeu no brejo. Ou o primeiro poema que Tate tinha lido para ela. Contou sobre a brincadeira das penas e como ele lhe ensinara a ler, e que agora era cientista no laboratório. Ele fora o seu primeiro amor, mas a abandonara quando foi para a faculdade e a deixara esperando na margem da lagoa. Então tudo havia acabado.

— Quanto tempo faz isso? — indagou Jodie.

— Uns sete anos, acho. Quando ele entrou para Chapel Hill.

— Você chegou a ver ele de novo?

— Ele voltou para pedir desculpas, falou que ainda me amava. Foi ele quem sugeriu que eu publicasse livros de referência. É legal esbarrar com ele de vez em quando no brejo, mas eu não me envolveria de novo. Não dá para confiar.

— Kya, isso faz sete anos. Ele era só um menino, a primeira vez longe de casa, centenas de garotas bonitas rodeando. Se ele voltou, pediu desculpas e disse que te ama, talvez você devesse dar um desconto.

— A maioria dos homens pula de uma mulher para outra. Os de menor valor ficam se pavoneando e atraem você com falsidades. Provavelmente foi por isso que Ma se apaixonou por um homem como Pa. Tate não foi o único cara que me abandonou. Chase Andrews chegou até a falar em casamento, mas se casou com outra pessoa. Nem ao menos me disse, eu li no jornal.

— Eu sinto muito. Sinto mesmo, mas, Kya, não são só os caras que traem. Eu mesmo já fui enganado, largado e pisado algumas vezes. Vamos ser honestos, muitas vezes o amor não dá certo. Mas, mesmo quando fracassa, conecta você aos outros, e no fim isso é tudo que você tem: *conexões.* Olhe só para a gente: você e eu agora temos um ao outro, e pensa só, se eu tiver filhos e você tiver filhos, bom, aí vai ser toda uma nova sequência de conexões. E assim por diante. Kya, se você ama o Tate, dê uma chance.

Kya pensou no quadro que Ma pintou de Tate e ela quando crianças, nas cabeças próximas, cercadas por flores e borboletas em tons pastel. Talvez aquilo fosse finalmente um recado de Ma.

Na terceira manhã da visita de Jodie, eles desembalaram os quadros de Ma — todos menos um, que Jodie guardou — e penduraram alguns nas paredes. O barracão ganhou uma iluminação diferente, como se mais janelas tivessem sido abertas. Kya recuou alguns passos e olhou para os quadros; era um milagre ter algumas das pinturas de Ma de volta nas paredes. Resgatadas do fogo.

Ela então acompanhou Jodie até a picape e lhe entregou uma sacola com o almoço que havia preparado para a viagem dele. Eles olharam para o meio das árvores, para a estradinha, para todo lugar, menos para os olhos um do outro.

Por fim, ele falou:

— É melhor eu ir nessa, mas fique com meu endereço e meu telefone.

Ele estendeu um pedaço de papel. Kya ficou sem ar e se apoiou com a mão esquerda na picape enquanto pegava a anotação com a direita. Uma coisa tão simples: o endereço de um irmão num pedaço de papel. Que coisa mais surpreendente: um parente que ela podia encontrar. Um número para o qual podia ligar. Sentiu um nó na garganta quando ele a puxou para si. E, por fim, depois de toda uma vida, Kya jogou-se em cima dele e chorou.

— Nunca pensei que fosse ver você de novo. Pensei que tivesse ido embora para sempre.

— Vou estar sempre aqui, prometo. Toda vez que eu me mudar vou mandar meu endereço novo. Se algum dia precisar de mim, me escreva ou me ligue, ouviu bem?

— Pode deixar. E venha sempre que puder.

— Kya, procure o Tate. Ele é um homem bom.

Ele ficou acenando pela janela da picape até o fim da estradinha enquanto ela observava, chorando e rindo ao mesmo tempo. Quando ele entrou na estrada de terra batida, a picape vermelha ficava aparecendo nos buracos da floresta — onde um lenço branco sumira um dia — e seu braço comprido acenou até ele desaparecer.

34.

Revista no barracão

1969

— Bom, mais uma vez ela não está — disse Joe, batendo na aldrava da porta de tela de Kya.

Ed estava parado nos degraus de tijolo e tábua, com as mãos em concha rente à tela para espiar lá dentro. Galhos imensos do carvalho enfeitados por fios longos de barba-de-velho faziam sombras nas tábuas gastas e no telhado pontudo do barracão. Apenas pedaços cinza de céu apareciam e desapareciam naquele fim de manhã de novembro.

— É claro que ela não está. Não importa. Temos um mandado de busca. Vamos entrar e pronto, aposto que não está trancado.

Joe abriu a porta enquanto chamava:

— Alguém em casa? É o xerife.

Lá dentro, eles ficaram encarando as prateleiras de espécimes.

— Ed, olhe só para isso. Continua no outro cômodo ali e no corredor também. Ela parece meio fora dos eixos. Doida feito um rato com três olhos.

— Pode ser, mas pelo visto é uma baita especialista no brejo. Você sabe que ela publicou aqueles livros. Bom, ao trabalho. Certo, aqui estão as coisas que devemos procurar. — O xerife leu em voz alta uma breve lista. — Roupas de lã vermelha que possam corresponder aos fios vermelhos encontrados no casaco de Chase. Um diário, calendário ou anotações, algo em que ela possa ter escrito os locais e horários do paradeiro dela; o colar de concha; ou canhotos das passagens de ônibus. E nada de bagunçar as coisas dela. Não há motivo para isso. Podemos procurar debaixo e em volta de tudo; não é preciso estragar nada.

— Sim, você tem razão. Isto aqui é quase um santuário. Metade de mim está impressionada, a outra metade está com calafrios.

— Vai ser trabalhoso, com certeza — falou o xerife, examinando com cuidado atrás de uma fileira de ninhos de pássaro. — Vou começar pelo quarto dela lá atrás.

Os dois trabalharam em silêncio, afastando roupas em gavetas, examinando cantos de armários, movendo vidros com peles de cobra e dentes de tubarão à procura de provas.

Dez minutos depois, Joe chamou:

— Venha ver isto aqui. — Quando Ed saiu na varanda, Joe falou: — Sabia que as aves fêmeas só têm um ovário?

— Do que você está falando?

— Veja aqui. Esses desenhos e anotações mostram que as aves fêmeas só têm um ovário.

— Porra, Joe. Isso aqui não é uma aula de biologia. Volte ao trabalho.

— Espere um minuto. Olhe aqui. Esta é a pena de um pavão macho e a anotação diz que, ao longo das eras, as penas do macho foram aumentando cada vez mais para atrair as fêmeas, a ponto de hoje os machos mal conseguirem sair do chão. Eles praticamente não conseguem mais voar.

— Já acabou? Temos trabalho a fazer.

— Cara, isso é muito interessante.

Ed saiu da varanda.

— Ao trabalho, rapaz.

Dez minutos mais tarde, Joe tornou a chamar. Ao sair do quartinho em direção à sala, Ed falou:

— Deixe eu adivinhar. Achou um rato de três olhos empalhado.

Não houve resposta, mas quando Ed entrou no cômodo Joe ergueu um gorro de lã vermelha.

— Onde achou isso?

— Bem aqui, pendurado nesta fileira de ganchos junto com estes casacos, outros chapéus e tal.

— Assim, à mostra?

— Bem aqui como eu falei.

Do bolso, Ed tirou o saco plástico que continha os fios vermelhos retirados da jaqueta jeans usada por Chase na noite da sua morte e o segurou junto ao gorro vermelho.

— Parecem iguais. Mesma cor, mesmo tamanho e espessura — disse Joe enquanto os dois observavam o gorro e a amostra.

— Parecem mesmo. Os dois têm um pouco de lã bege fina misturada com o vermelho.

— Rapaz, talvez seja isso.

—Vamos ter que mandar o gorro para o laboratório, claro. Mas se esses fios baterem nós vamos ter que chamar a garota para um interrogatório. Ponha o gorro num saco e etiquete.

Após horas de buscas, os dois homens se encontraram na cozinha.

Esticando as costas, Ed falou:

— Acho que se houvesse mais alguma coisa a gente já teria encontrado. E sempre podemos voltar. Por hoje chega.

Voltando para a cidade, manobrando entre os sulcos da estrada, Joe falou:

— Acho que, se ela é culpada de alguma coisa, teria escondido o gorro vermelho. E não simplesmente deixado pendurado ali, exposto daquele jeito.

— Provavelmente ela não fazia ideia de que as fibras iriam se soltar do gorro e prender na jaqueta dele. Ou de que o laboratório iria identificar. Não tinha como saber uma coisa dessas.

— Bom, ela pode até não saber, mas aposto que sabe um monte de coisa. Esses pavões machos que ficam se gabando por aí, competindo tanto por sexo, eles mal conseguem voar. Não sei muito bem o que isso significa, mas quer dizer alguma coisa.

35.

A bússola

1969

Numa tarde de julho de 1969, mais de sete meses depois da visita de Jodie, *Aves da Costa Leste*, de Catherine Danielle Clark — seu segundo livro, um exemplar de detalhes minuciosos e grande beleza —, apareceu na caixa de correio. Ela passou os dedos pela capa linda com seu desenho de gaivota. Sorrindo, falou:

— Oi, Vermelho Grande, você foi parar na capa.

Com seu livro novo, Kya caminhou em silêncio até a clareira à sombra dos carvalhos perto do seu barracão, procurando cogumelos. O solo úmido estava fresco sob seus pés enquanto ela se aproximava de um grupo de cogumelos muito amarelos. Entre um passo e outro, estacou. Ali, em cima do velho toco das penas, havia uma pequena embalagem de leite vermelha e branca, igualzinha àquela de tanto tempo atrás. Inesperadamente, ela gargalhou.

Dentro da embalagem, embrulhada em papel de seda, estava uma bússola velha de fabricação militar dentro de um estojo de latão esverdeado e acinzentado pelo tempo. Kya arquejou ao ver aquilo. Nunca tinha precisado de bússola, pois a direção lhe parecia algo muito óbvio. Mas nos dias nublados, quando o sol se esquivava, a bússola iria guiá-la.

Um bilhete dobrado dizia: *Querida Kya, esta bússola foi do meu avô, data da Primeira Guerra Mundial. Ele me deu quando eu era pequeno, mas nunca usei, e achei que talvez você conseguisse tirar melhor proveito dela. Com amor, Tate. P.S.: Que bom que você consegue ler este bilhete!*

Kya tornou a ler as palavras *querida* e *amor*. Tate. O menino de cabelo dourado no barco guiando-a até sua casa antes de um temporal, deixando penas de presente em um velho tronco de árvore, ensinando-lhe a ler; o adolescente carinhoso ajudando-a a passar pelo seu primeiro ciclo como mulher e despertando seus primeiros desejos sexuais de fêmea; o jovem cientista incentivando-a a publicar seus livros.

Apesar de ter dado a ele o livro das conchas, ela continuara se escondendo na vegetação sempre que o via no brejo, remando para longe sem que ele a notasse. Os sinais desonestos dos vaga-lumes eram tudo que ela conhecia do amor.

Até Jodie tinha dito que ela deveria dar mais uma chance a Tate. Mas toda vez que ela pensava nele ou o via, seu coração saltava do amor antigo para a dor do abandono. Queria que ele se decidisse por uma coisa ou outra.

Várias manhãs depois disso, ela seguiu pelos estuários em meio à névoa matinal com a bússola na mochila, embora duvidasse que fosse precisar dela. Planejava procurar flores silvestres raras numa língua de areia arborizada que se estendia mar adentro, mas parte dela vasculhava os cursos d'água em busca do barco de Tate.

A névoa ficou teimosa e se demorou, enroscando seus filamentos em volta dos troncos das árvores mortas e dos galhos baixos. O ar estava parado; até mesmo os pássaros permaneceram calados enquanto ela avançava pelo canal. Ali perto, um *tum tum* soou quando um remo bateu devagar numa amurada, e então um barco emergiu da bruma como se fosse um espectro.

As cores, antes apagadas pela penumbra, foram tomando forma ao entrarem na luz. Cabelo dourado sob um gorro vermelho. Como se saído de um sonho, Tate remava pelo canal de pé na popa do seu velho barco de pesca. Kya desligou o motor e remou para trás até um matagal para vê-lo passar. Sempre recuando para vê-lo passar.

Ao pôr do sol, já mais calma, com o coração de volta ao lugar, ficou parada na praia e recitou:

Poentes nunca são simples
O crepúsculo é refratado e refletido

Mas nunca verdadeiro.
A maré cheia, um disfarce,
Cobre rastros,
Cobre mentiras.

Nós não ligamos
Para o engodo do crepúsculo.
Vemos cores vivas
E nunca aprendemos
Que o sol já caiu
Para baixo da terra
Quando vemos a queimadura.

Poentes são disfarces,
Cobrem verdades, cobrem mentiras.

A.H.

36.

Como capturar uma raposa

1969

Joe entrou pela porta aberta da sala do xerife.

— Certo, recebi o parecer do laboratório.

— Vamos dar uma olhada.

Os dois conferiram com toda a pressa o documento, folheando-o da primeira à última página.

— É isso. Correspondência perfeita. Os fios do gorro dela estavam na jaqueta do Chase quando ele foi encontrado morto. — O xerife bateu o parecer no próprio pulso, então tornou a falar: — Vamos repassar o que temos aqui. Primeiro, o pescador de camarão vai testemunhar que viu a Srta. Clark de barco perto da torre logo antes de Chase cair e morrer. O colega dele vai confirmar o depoimento. Segundo, Patti Love disse que a Srta. Clark fez para Chase o colar de concha que sumiu na noite em que o rapaz morreu. Terceiro, fios do gorro dela estavam na jaqueta dele. Quatro, motivação: foi enganada. E um álibi que podemos refutar. Deve ser suficiente.

— Um motivo melhor ajudaria — disse Joe. — Ser largada não parece suficiente.

— Não é como se a gente tivesse terminado a investigação, mas temos o suficiente para convocá-la a depor. Provavelmente para indiciá-la. Vamos ver como as coisas andam depois que a gente trouxer ela até aqui.

— Bom, o problema é esse, né? Como? Ela passou anos fugindo de todo mundo. Agentes educacionais, pesquisadores do censo, *todo mundo*, ela fugiu de todo mundo. Inclusive de nós. Se a gente for atrás dela lá no meio do brejo, vamos fazer papel de bobos.

— Não tenho medo disso. Só porque ninguém mais conseguiu pegar a garota não significa que nós não vamos conseguir. Mas esse não seria o jeito mais inteligente de fazer isso. Acho que devemos armar uma arapuca.

— Ah, é? Bem... — disse o delegado. — Eu sei uma coisinha ou outra sobre arapucas. E quando você quer armar uma arapuca para uma raposa, em geral é a arapuca que cai na armadilha. Não temos mais o fator surpresa a nosso favor. Já batemos na porta dela um número suficiente de vezes para espantar um urso-pardo. E os cachorros? Isso seria tiro e queda.

O xerife passou alguns segundos calado.

— Não sei. Talvez eu esteja ficando velho e cheio de frescura na idade avançada de cinquenta e um anos. Mas perseguir uma mulher com cães para conseguir um depoimento não me parece correto. Para foragidos tudo bem, é gente que já foi condenada. Mas, assim como qualquer um, ela é inocente até que se prove o contrário, e não acho certo soltar cachorros atrás de uma suspeita. Talvez como último recurso, mas ainda não.

— Muito bem. Que tipo de arapuca?

— É isso que precisamos pensar.

No dia 15 de dezembro, enquanto Ed e Joe conversavam sobre alternativas para chamar Kya para depor, alguém bateu na porta. Um homem grandalhão se avultava atrás do vidro jateado.

— Pode entrar — disse o xerife.

Quando o sujeito entrou, Ed falou:

— Ora, olá, Rodney. Em que podemos ajudar?

Rodney Horn, mecânico aposentado, passava a maior parte dos dias pescando com o amigo Denny Smith. Os moradores do vilarejo o conheciam como alguém calmo e tranquilo, sempre de macacão. Nunca faltava à missa, mas ia à igreja de macacão, com uma bela camisa limpa passada a ferro e engomada pela esposa, Elsie, até ficar dura feito uma tábua.

Rodney tirou o chapéu de feltro e o segurou em frente à barriga. Ed ofereceu uma cadeira, mas ele negou com a cabeça.

— Não vai demorar muito — disse ele. — É só uma coisa que talvez ajude no caso do Chase Andrews.

— O quê? — perguntou Joe.

— Bom, já faz um tempinho. Eu e Denny estávamos pescando no dia 30 de agosto e vimos uma coisa lá em Cypress Cove. Pode ser que seja interessante para vocês.

— Pode falar — disse o xerife. — Mas, por favor, Rodney, sente-se. Todos nós ficaríamos mais à vontade se você se sentasse.

Rodney acomodou-se na cadeira oferecida e nos cinco minutos seguintes contou sua história. Depois de ir embora, Ed e Joe se entreolharam.

— Bom, agora temos um motivo — disse Joe.

— Vamos trazê-la até aqui.

37.

Tubarões-cinzentos

1969

Poucos dias antes do Natal e mais cedo de manhã do que de costume, Kya, devagar e sem fazer barulho, seguiu no seu barco até o posto de Pulinho. Desde que o xerife ou o delegado começaram a aparecer de fininho no barracão tentando pegá-la em casa — tentativas fracassadas que ela havia observado escondida do palmeiral —, vinha comprando gasolina e mantimentos antes do raiar do dia, quando só os pescadores estavam acordados. Agora, nuvens baixas se moviam depressa acima de um mar agitado, e ao leste — enrolado bem apertado, feito um chicote — um temporal ameaçava no horizonte. Ela teria de fazer depressa o que precisava no posto de Pulinho e voltar para casa antes da chuva. A meio quilômetro, viu o cais dele cercado pela névoa. Diminuiu ainda mais a velocidade e olhou em volta para o silêncio enevoado à procura de outras embarcações.

Por fim, quando faltavam uns quarenta metros, viu a silhueta de Pulinho na velha cadeira encostada na parede. Acenou. Ele não acenou de volta. Nem se levantou. Balançou de leve a cabeça, só um pouquinho. Ela soltou o acelerador.

Tornou a acenar. Pulinho continuou encarando-a, mas não se mexeu.

Ela deu um tranco no acelerador e se virou bruscamente na direção do mar de novo. Mas um barco grande vinha da névoa com o xerife no leme. Ladeado por duas outras embarcações. E, logo atrás deles, o temporal.

Ela acelerou ao máximo e passou pelo espaço ínfimo entre as embarcações que vinham na direção dela, chocando o casco nas cristas de espuma à medida que se apressava rumo ao alto-mar. Quis dar meia-volta e ir para o brejo, mas o xerife estava perto demais, iria alcançá-la antes que ela chegasse lá.

O mar não se movia mais em ondas simétricas; se agitava de modo confuso. A água foi se enfurecendo à medida que a borda do temporal a engolia. Em poucos segundos, começou a chuva torrencial. Ela ficou encharcada, com os fios do cabelo comprido colados no rosto. Virou-se a favor do vento para não tombar, mas o mar batia por cima da proa.

Sabendo que as embarcações deles eram mais velozes, ela seguiu direto para dentro do vendaval. Talvez conseguisse despistá-los naquele dilúvio ou mergulhar e fugir a nado. Sua mente percorreu num segundo os detalhes da possibilidade de pular, que parecia ser sua melhor chance. Tão perto assim do litoral, devia haver uma contracorrente ou um repuxo que a sugaria para debaixo d'água bem mais depressa do que eles pensavam que ela seria capaz de nadar. Subindo de vez em quando para respirar, ela poderia chegar à terra firme e se esgueirar para dentro de alguma vegetação na margem.

Atrás dela, os motores deles faziam mais barulho do que o temporal. Chegando mais perto. Como ela podia simplesmente parar? Nunca havia desistido. Precisava pular agora. Mas de repente, como tubarões-cinzentos, eles a rodearam, aproximando-se. Uma das embarcações apareceu do nada diante dela e seu barquinho se chocou com toda força na lateral. Ela foi arremessada para trás por cima do motor e sentiu um tranco no pescoço. O xerife estendeu o braço e segurou a lateral do barco dela, todos sacudidos pelas ondas agitadas. Dois homens subiram a bordo da embarcação dela ao mesmo tempo em que o delegado dizia:

— Srta. Catherine Clark, a senhora está presa pelo assassinato de Chase Andrews. Tem o direito de permanecer calada...

Ela não ouviu o resto. Ninguém nunca ouve o resto.

38.

Justiça de Domingo

1970

Kya fechou os olhos por causa da luz forte que vinha das lâmpadas no teto e das janelas quase tão altas quanto as paredes do cômodo. Havia passado dois meses na penumbra, e agora, ao abrir os olhos outra vez, viu uma borda suave do brejo lá fora. Carvalhos abrigavam samambaias do tamanho de arbustos e azevinho de inverno. Ainda tentou segurar por mais tempo aquele verde vital, mas foi conduzida por mãos firmes em direção a uma mesa comprida com cadeiras diante da qual estava sentado seu advogado, Tom Milton. Tinha os pulsos presos na frente do corpo, o que a obrigava a manter as mãos numa estranha postura de prece. De calça preta e blusa branca simples, com uma única trança caindo pelas escápulas, não virou a cabeça para olhar os espectadores. Mesmo assim, sentiu o calor e a agitação das pessoas que abarrotavam a sala do tribunal para o seu julgamento por assassinato. Sentia os ombros e a cabeça das pessoas se movendo para vê-la. Para vê-la algemada. O cheiro de suor, fumaça velha e perfume barato a enjoou ainda mais. As tosses cessaram, mas o burburinho aumentou quando ela se aproximou do seu lugar; sendo que para ela tudo isso eram sons distantes, pois o que mais escutava era a própria respiração irregular e nauseada. Encarou as tábuas do piso — tábuas de pinheiro muito enceradas —

enquanto as algemas eram removidas, e então sentou-se pesadamente na cadeira. Eram nove e meia da manhã do dia 25 de fevereiro de 1970.

Tom inclinou-se para perto dela e sussurrou que ficaria tudo bem. Ela não disse nada, mas perscrutou seus olhos em busca de sinceridade, de qualquer coisa a que se agarrar. Não que acreditasse nele, mas pela primeira vez na vida precisava se entregar à responsabilidade alheia. Bastante alto para setenta e um anos, ele usava o farto cabelo branco e o terno de linho amarfanhado com a mesma graça acidental, embora clichê, de um político do interior. Movia-se com suavidade e falava baixo por trás de um sorriso agradável que morava em seu rosto.

O juiz Sims havia atribuído à Srta. Clark um advogado jovem, uma vez que ela não tomara providência alguma nesse sentido, mas, ao ouvir falar no caso, Tom Milton tinha voltado da aposentadoria e pedira para representá-la *pro bono*. Como todo mundo, ouvira histórias sobre a Menina do Brejo, e ao longo dos anos a vira uma vez ou outra, deslizando suavemente pelos cursos d'água como se fizesse parte da correnteza, ou então saindo depressa da mercearia, feito um guaxinim fugindo de uma lixeira.

Na primeira vez que fora visitar Kya na cadeia, dois meses antes, ele havia sido conduzido até uma sala escura onde ela estava sentada diante de uma mesa. Ela mantivera a cabeça baixa. Tom tinha se apresentado e dito que iria representá-la, mas ela não falou nada nem levantou os olhos. Ele teve um impulso fortíssimo de estender a mão para afagar a dela, mas algo — talvez a postura ereta ou o modo como ela encarava o nada com a expressão vazia — a protegia de ser tocada. Mexendo a cabeça em ângulos diferentes — numa tentativa de encontrar seu olhar —, ele explicou como funcionava o julgamento, o que ela deveria esperar, e então lhe fez algumas perguntas. Mas ela não respondeu, nem se mexeu, nem olhou para ele nenhuma vez. Ao ser conduzida para fora da sala, virou a cabeça e espiou por uma janelinha pela qual dava para ver o céu. Aves marinhas grasnavam acima do porto da cidade e Kya parecia estar observando o canto delas.

Na visita seguinte, Tom enfiou a mão em um saco de papel pardo e deslizou na direção dela um livro brilhante de papel couché. Intitulado *As conchas mais raras do mundo*, o exemplar reunia desenhos a óleo em tamanho real das conchas dos litorais mais distantes da Terra. Com a boca entreaberta, ela virou as páginas devagar, meneando a cabeça para determinados espécimes. Ele lhe deu tempo. Então voltou a falar, e dessa vez ela o encarou. Com uma paciência tranquila, ele lhe explicou como funcionava o julgamento e chegou a desenhar a sala do tribunal, mostrando a tribuna dos jurados, a do juiz e onde os advogados e ela mesma ficariam sentados. Então desenhou bonequinhos de palito representando o oficial de justiça, o juiz e a escrevente e explicou as atribuições de cada um.

Como no primeiro encontro, tentou explicar as provas que havia contra ela e lhe perguntar seu paradeiro na noite da morte de Chase, mas qualquer menção a detalhes a fazia se esconder dentro da concha outra vez. Mais tarde, quando ele se levantou para ir embora, ela deslizou de volta o livro pela mesa, mas ele disse:

— Não, eu trouxe para você. É seu.

Ela mordeu o lábio e piscou.

E agora, pela primeira vez na sala do tribunal, ele tentou distraí-la da agitação atrás dos dois indicando no desenho as diversas partes da corte. Mas foi inútil. Às 9h45, a galeria já transbordava de moradores que ocupavam os bancos e zumbia com os comentários estridentes sobre indícios e penas de morte. Um balcão pequeno nos fundos da sala comportava mais vinte pessoas, e, embora não houvesse nenhuma sinalização, todo mundo entendia que os negros só podiam se sentar ali. Naquele dia, o balcão estava quase todo ocupado por brancos, com apenas alguns negros, já que era um caso de brancos do início ao fim. Sentados perto da primeira fila estavam agrupados alguns jornalistas do *Atlanta Constitution* e do *Raleigh Herald*. Quem não encontrara lugar se aglomerava junto à parede dos fundos e às laterais do recinto, perto das janelas grandes. Remexendo-se, cochichando, fofocando. A Menina do Brejo julgada por assassinato; não poderia haver nada melhor. Justiça de Domingo, o gato do tribunal — costas pretas, cara branca, uma máscara negra ao redor dos olhos verdes —, espreguiçava-se numa poça de luz num dos peitoris largos. Morador antigo dali, livrava o porão de ratos e a sala do tribunal de camundongos, conquistando seu espaço.

Como Barkley Cove tinha sido o primeiro vilarejo assentado naquele trecho pantanoso e acidentado do litoral da Carolina do Norte, a Coroa o havia declarado capital do condado e construído a corte original em 1754. Mais tarde, muito embora outras cidades como Sea Oaks tenham se tornado mais populares e desenvolvidas, Barkley Cove continuava sendo a sede administrativa oficial do condado.

Um raio havia atingido o primeiro tribunal em 1912, reduzindo a cinzas boa parte da estrutura de madeira. Reconstruído no ano seguinte na mesma praça no fim da Main Street, agora era um prédio de tijolo de dois andares, com janelas de quatro metros de altura rodeadas de granito. Nos anos 1960, capins selvagens, palmeiras e até mesmo algumas tifas haviam avançado do brejo e invadido o terreno outrora bem cuidado. Uma lagoa sufocada de ninfeias alagava na primavera e ao longo dos anos havia comido parte da calçada.

A sala do tribunal, por sua vez, projetada para replicar a original, era imponente. A tribuna elevada do juiz feita de mogno escuro com o brasão colorido do estado encravado na madeira era encimada por várias bandeiras, entre elas a Confederada. A divisória com a tribuna dos jurados, também de mogno, tinha arremates em cedro vermelho, e as janelas que margeavam um dos lados do recinto emolduravam o mar.

Enquanto as autoridades entravam na sala, Tom foi apontando para os bonequinhos de palito do desenho e explicando quem eram.

— Aquele ali é o oficial de justiça, Hank Jones — disse ele quando um homem alto e magro, de sessenta anos, com cabelo que havia recuado até depois das orelhas, o que tornava sua cabeça quase exatamente metade careca e metade não, andou até a frente do tribunal.

Ele estava usando um uniforme cinza e um cinto largo do qual pendiam um rádio, uma lanterna, um molho de chaves impressionante e um Colt de seis tiros dentro do coldre.

O Sr. Jones falou para os presentes:

— Desculpe, pessoal, mas vocês conhecem as regras da brigada de incêndio. Quem não tiver lugar sentado tem que sair.

— Aquela é a Srta. Henrietta Jones, filha do oficial de justiça, a escrevente do tribunal — explicou Tom enquanto uma moça tão alta e magra quanto o pai entrava sem dizer nada e se sentava diante de uma mesa próxima à tribuna do juiz.

Já sentado, o promotor, Dr. Eric Chastain, retirava blocos de anotações da pasta. Ruivo de peito largo e com mais de um metro e oitenta de altura, Eric só usava ternos azuis e gravatas largas e brilhantes compradas na Sears de Asheville.

O oficial Jones falou:

— Todos de pé. Declaro aberta a sessão deste tribunal. Sua Excelência juiz Harold Sims preside esta corte.

Fez-se silêncio. A porta interna se abriu e o juiz Sims entrou, indicou com um gesto de cabeça para todos se sentarem e pediu aos advogados de defesa e acusação que se aproximassem da tribuna. Homem de ossatura larga, rosto redondo e costeletas grandes e brancas, ele morava em Sea Oaks, mas já presidia casos em Barkley Cove fazia nove anos. Em geral era considerado um árbitro direto, firme e justo. Sua voz ressoou pelo recinto:

— Dr. Milton, sua petição para transferir este caso para outro condado sob a alegação de que a Srta. Clark não pode ter um julgamento justo devido a preconceitos contra ela nesta comunidade foi indeferida. Aceito que ela tenha vivido em circunstâncias incomuns e sido alvo de preconceito, mas não vejo indícios de que tenha suportado mais preconceitos do que muitas pessoas julgadas em cidades pequenas de norte a sul deste país. E em algumas grandes, aliás. Vamos prosseguir aqui e agora. — Meneios de aprovação se espalharam pelo recinto enquanto os advogados retomavam seus lugares. O juiz prosseguiu: — Catherine Danielle Clark, do Condado de Barkley, Carolina do Norte, a senhorita está sendo acusada do homicídio qualificado de Chase Lawrence Andrews, ex-morador de Barkley Cove. O homicídio qualificado é definido como um ato premeditado, e nesses casos o estado pode solicitar a pena de morte. A promotoria indicou que vai fazer isso se a senhorita for considerada culpada.

Murmúrios pelo recinto.

Tom parecia ter se aproximado um pouco de Kya, e ela não negou esse reconforto a si mesma.

— Vamos iniciar a seleção do júri. — O juiz Sims virou-se para as duas primeiras fileiras ocupadas por jurados em potencial. Enquanto ele lia uma lista de regras e condições, Justiça de Domingo saltou do peitoril da janela com um leve baque e, num único e fluido movimento, pulou na tribuna do juiz. Distraidamente, o juiz Sims afagou a cabeça do gato enquanto prosseguia: — Nos casos de pena capital, o estado da Carolina do Norte permite a dispensa do jurado caso ele ou ela não acredite na pena de morte. Por favor, levante a mão quem não quiser ou não puder impor sentença de morte caso um veredito de culpada seja decidido.

Ninguém levantou a mão.

Tudo que Kya escutou foi "pena de morte".

O juiz continuou:

— Outro motivo legítimo para ser dispensado do júri é manter ou haver mantido relacionamento próximo o suficiente com a Srta. Clark ou com o

Sr. Andrews a ponto de não ser objetivo no caso em questão. Por favor, me avisem se julgarem que isso se aplica.

Do meio da segunda fileira, a Sra. Sally Culpepper levantou a mão e se anunciou. Seu cabelo grisalho estava puxado para trás de modo severo e preso num coquinho, e seu chapéu, terninho e sapatos tinham o mesmo tom sem graça de marrom.

— Muito bem, Sally, diga-me o que está pensando — pediu o juiz.

— Como o senhor sabe, durante quase vinte e cinco anos fui a agente encarregada de perseguir os matadores de aula do Condado de Barkley. A Srta. Clark foi um dos meus casos, então tive algum envolvimento com ela, ou tentei ter.

Kya não poderia ver a Sra. Culpepper nem ninguém mais na galeria principal a menos que se virasse, coisa que naturalmente jamais faria. Mas se lembrava com clareza da última vez que a Sra. Culpepper ficara sentada no carro enquanto o homem do chapéu de feltro corria atrás dela. Kya havia facilitado ao máximo as coisas para o velho, fugindo pelo meio dos arbustos fazendo muito barulho, para lhe dar uma pista, depois voltando e se escondendo no meio de alguns arbustos perto do carro. Mas Chapéu de Feltro correu na direção oposta, para a praia.

Agachada, Kya sacudiu um galho de azevinho junto à porta do carro e a Sra. Culpepper olhou pela janela diretamente nos seus olhos. Na época ela achou que a agente educacional tivesse sorrido de leve. Em todo caso, não fez qualquer tentativa de denunciá-la quando Chapéu de Feltro voltou, proferindo vários palavrões, desaparecendo em seguida na estrada para nunca mais voltar.

Agora, a Sra. Culpepper disse ao juiz:

— Bem, como interagi com ela, não sei se isso significa que eu deveria ser dispensada.

O juiz Sims falou:

— Obrigado, Sally. Alguns de vocês podem ter lidado com a Srta. Clark nas lojas ou de maneira oficial, como no caso da Sra. Culpepper, agente educacional. A questão é: conseguem escutar o testemunho dado aqui e decidir se ela é culpada ou inocente com base nos indícios, não em experiências ou sentimentos anteriores?

— Sim, tenho certeza de que posso fazer isso. Meritíssimo.

— Obrigado, Sally, você pode ficar.

Às onze e meia, havia sete mulheres e cinco homens sentados na tribuna do júri. De lá Kya conseguia vê-los e lançou olhares furtivos para o rosto deles. Reconheceu a maioria do vilarejo, embora soubesse poucos nomes. A Sra. Culpepper, sentada bem no meio, proporcionou a Kya um ligeiro reconforto. Ao seu lado, porém, estava sentada Teresa White, a esposa loura do pastor metodista, que, anos antes, saíra correndo da sapataria para tirar a filha de perto de Kya quando ela estava na calçada após ter almoçado na lanchonete com Pa... aquela única vez. A Sra. White, que dissera à filha que Kya era suja, também estava sentada entre os jurados.

O juiz Sims convocou uma pausa para o almoço até uma da tarde. A lanchonete mandaria entregar atum, salada de frango e sanduíches de presunto para os jurados, que comeriam na sala de deliberação. Para ser justo com os dois estabelecimentos da cidade, a Cervejaria Dog-Gone mandaria entregar cachorros-quentes, ensopado de carne picante e sanduíches de camarão em dias alternados. Também sempre traziam alguma coisa para o gato. Justiça de Domingo preferia sanduíches.

39.

Por acaso, Chase

1969

Uma névoa se erguia numa manhã de agosto de 1969 enquanto Kya seguia de barco até uma península afastada que os moradores da região chamavam de Cypress Cove, onde certa vez tinha visto cogumelos raros. Agosto era tarde para cogumelos, mas Cypress Cove era fresca e úmida, então talvez ela voltasse a encontrar a espécie rara. Mais de um mês havia passado desde que Tate deixara a bússola no toco das penas, e, embora ela o tivesse visto no brejo, não havia se aventurado perto o suficiente para agradecer o presente. Tampouco havia usado a bússola, ainda que estivesse seguramente guardada em um dos vários bolsos da sua mochila.

Árvores envoltas em barba-de-velho contornavam a margem e seus galhos baixos formavam uma caverna acima d'água pela qual Kya deslizou, procurando nos arvoredos pequenos cogumelos laranja ou caules finos. Finalmente os viu, chamativos e brilhantes, presos às laterais de um toco velho, e após puxar o barco para a margem sentou-se de pernas cruzadas na enseada para desenhá-los.

De repente, ela ouviu passos na turfa e logo em seguida uma voz:

— Ora, vejam só quem está aqui. Minha Menina do Brejo.

Virando-se e ficando de pé ao mesmo tempo, ela se viu frente a frente com Chase.

— Oi, Kya — disse ele. Olhou em volta. Como chegara até ali? Ela não tinha escutado nenhuma embarcação. Ele sentiu sua pergunta. — Eu estava pescando, vi você passar, então atraquei ali do outro lado.

— Por favor, vá embora — disse ela, enfiando os lápis e o bloco de desenho na mochila.

Mas ele pôs a mão no seu braço.

— Qual é, Kya. Desculpe pelo jeito como as coisas aconteceram.

Ele chegou mais perto e ela sentiu no seu hálito volutas do bourbon que ele havia tomado no café da manhã.

— Não toque em mim!

— Ei, eu já pedi desculpa. Você sabia que a gente não podia se casar. Você nunca poderia morar perto da cidade. Mas eu sempre gostei de você; fiquei do seu lado.

— Ficou do meu lado! O que isso quer dizer? Me deixe em paz.

Kya segurou a mochila debaixo da axila e andou em direção ao barco, mas ele a agarrou pelo braço com força.

— Kya, nunca vai ter ninguém como você, nunca. E eu sei que você me ama.

Ela arrancou o braço da mão dele.

— Você está errado! Eu nem tenho certeza se um dia te amei. Mas você falou sobre casamento *comigo*, lembra? Falou sobre construir uma casa para a gente. Em vez disso descobri no jornal *seu* noivado com *outra pessoa*. Por que você fez uma coisa dessas? Por quê, Chase?!

— Qual é, Kya, para com isso. Era impossível. Você com certeza sabia que não teria dado certo. Qual o problema com o jeito como as coisas estavam? Vamos voltar para o que a gente tinha.

Ele a segurou pelos ombros e a puxou.

— Me solta!

Ela se contorceu, tentou se desvencilhar, mas ele a agarrou, machucando seus braços. Encostou a boca na dela e a beijou. Ela jogou os braços para cima e afastou as mãos dele. Puxou a cabeça para trás e sibilou:

— Não se atreva!

— Essa é a minha gata selvagem. Mais selvagem do que nunca. — Segurando-a pelos ombros, ele acertou a parte de trás dos seus joelhos com uma das pernas e a empurrou para o chão. A cabeça dela bateu com força na terra.

— Eu sei que você me quer — disse ele, com um olhar lascivo.

— Não, para! — gritou ela.

Ajoelhado, ele apoiou o joelho na barriga dela, deixando-a sem fôlego, ao mesmo tempo que abria o zíper da calça jeans e a abaixava.

Ela se arqueou, empurrando-o com as mãos. De repente, ele acertou seu rosto com o punho direito fechado. Um estalo nauseante ecoou dentro da cabeça dela. Seu pescoço deu um tranco para trás e seu corpo foi jogado outra vez no chão. Igualzinho a quando Pa batia em Ma. Sua mente ficou vazia por alguns segundos, tomada por uma dor latejante. Então ela se contorceu e se virou, tentando se desvencilhar de baixo dele, mas Chase era forte demais. Segurando os braços de Kya acima da cabeça dela com uma das mãos, ele baixou o zíper do short e arrancou a calcinha dela enquanto a garota o chutava. Ela gritou, mas não havia ninguém para escutar. Chutando o chão, lutou para se soltar, mas ele a segurou pela cintura e a virou de bruços. Empurrou seu rosto latejante no chão, enfiou a mão por baixo da sua barriga e puxou o quadril para si enquanto se ajoelhava atrás dela.

— Não vou soltar você desta vez. Goste ou não, você é minha.

Buscando forças em algum lugar primitivo, Kya empurrou o chão com os joelhos e os braços e se levantou ao mesmo tempo que desferia o cotovelo para trás bem no maxilar dele. Quando a cabeça dele foi jogada para o lado, começou a socá-lo de qualquer maneira com os punhos até ele perder o equilíbrio e cair para trás na terra. Então, mirando bem, deu-lhe um chute certeiro e forte no saco.

Chase curvou o corpo e rolou de lado, segurando os testículos e se contorcendo. Por desencargo de consciência, Kya lhe deu um chute nas costas, exatamente no ponto onde ficam os rins. Chutou várias vezes. Com força.

Subindo o short, pegou a mochila e correu para o barco. Puxou a cordinha da ignição e olhou para trás enquanto ele engatinhava, gemendo. Xingou até o motor pegar. Esperando que ele fosse vir atrás dela a qualquer segundo, girou abruptamente a cana do leme e acelerou para longe da margem bem na hora em que ele ficou de pé. Com as mãos tremendo, subiu o zíper do short e abraçou com força o próprio corpo com um dos braços. Com uma expressão desvairada, olhou na direção do mar e encontrou outro barco de pesca ali perto, com dois homens a encarando.

40.

Cypress Cove

1970

Depois do almoço, o juiz Sims perguntou ao promotor:

— Eric, estão prontos para chamar sua primeira testemunha?

— Estamos, Meritíssimo.

O costume, em casos de homicídio anteriores, era chamar o médico-legista primeiro, porque o testemunho dele apresentava indícios materiais como a arma usada, a hora e o local do óbito e fotos da cena do crime, e tudo isso causava uma forte impressão nos jurados. Mas, naquele caso, como não havia arma do crime, tampouco digitais ou pegadas, Eric pretendia começar com o motivo.

— A promotoria gostaria de chamar o Sr. Rodney Horn, Meritíssimo.

Todos no tribunal observaram Rodney Horn subir no banco das testemunhas e jurar dizer a verdade. Kya reconheceu seu rosto, muito embora o tivesse visto apenas por alguns segundos. Virou-se para o outro lado. Mecânico aposentado, era um deles, passava a maior parte dos dias pescando, caçando ou jogando pôquer no Swamp Guinea. No seu estômago cabia tanta bebida quanto num barril. Naquele dia, como em todos os outros, ele estava usando macacão jeans com camisa xadrez limpa e tão engomada que o colarinho chegava a empinar. Segurou a boina de pescador com a mão esquerda enquanto prestava juramento com a direita, então se sentou no banco das testemunhas e apoiou a boina nos joelhos.

Eric se aproximou casualmente do banco das testemunhas.

— Bom dia, Rodney.

— Bom dia, Eric.

— Pois bem, Rodney, acredito que você estava pescando com um amigo perto de Cypress Cove na manhã do dia 30 de agosto de 1969, correto?

— Isso, correto, é isso mesmo. Eu e Denny fomos pescar. A gente chegou com o dia raiando.

— Para constar dos autos, está se referindo a Denny Smith?

— Isso, eu e Denny.

— Certo. Gostaria que contasse ao tribunal o que viu naquela manhã.

— Bem, como eu disse, a gente chegou lá no raiar do dia, e eu acho que eram quase onze horas e já fazia tempo que nenhum peixe mordia a isca, então a gente estava quase puxando as linhas e indo embora quando ouvimos uma confusão no meio das árvores vindo da ponta da enseada. No meio da mata.

— Que tipo de confusão?

— Bom, a gente ouviu umas vozes, primeiro meio abafadas, depois mais altas. Um homem e uma mulher. Mas não conseguimos ver, só ouvir, como se eles estivessem discutindo.

— E o que aconteceu depois?

— Bom, a mulher começou a berrar, então a gente ligou o motor e foi até lá para ver melhor. Para conferir se ela estava em apuros.

— E o que vocês viram?

— Bom, chegando lá a gente viu a mulher em pé ao lado do homem dando um chute bem no...

Rodney olhou para o juiz.

— Onde ela o chutou? Pode dizer — falou o juiz.

— Ela chutou bem no saco dele e ele caiu de lado no chão, gemendo e grunhindo. Então ela chutou as costas dele de novo várias vezes. Doida, feito uma mula atacada por abelhas.

—Vocês reconheceram a mulher? Ela está aqui no tribunal hoje?

— Sim, reconhecemos, sim. É aquela ali, a ré. O pessoal chama ela de Menina do Brejo.

O juiz Sims se inclinou em direção à testemunha.

— Sr. Horn, o nome da ré é Srta. Clark. Não se refira a ela por nenhum outro nome.

— Certo, então. Foi a Srta. Clark que a gente viu.

Eric retomou:

—Vocês reconheceram o homem que ela estava chutando?

— Bom, a gente não conseguiu ver a cara dele na hora porque ele estava se contorcendo e se revirando no chão. Mas alguns minutos depois ele se levantou e era Chase Andrews, o *quarterback* de alguns anos atrás.

— E o que aconteceu depois?

— Ela foi cambaleando até o barco e, bom, estava meio sem roupa. O short nos tornozelos e a calcinha em volta dos joelhos. Estava tentando puxar o short para cima e correr ao mesmo tempo. E o tempo todo gritando com ele. Chegou ao barco, pulou para dentro e foi embora depressa, ainda puxando o short. Quando passou pela gente, olhou bem nos nossos olhos. Por isso eu sei exatamente quem era.

— Você disse que ela estava gritando com ele o tempo todo enquanto corria para o barco. Ouviu exatamente o que ela disse?

— Sim, nessa hora a gente ouviu perfeitamente porque a gente estava bem perto.

— Por favor, diga ao tribunal o que a ouviram gritar.

— Ela estava gritando: "Me deixa em paz, seu filho da mãe! Se me incomodar de novo eu te mato!"

Um murmúrio alto percorreu a sala do tribunal e não parou. O juiz Sims bateu o martelo.

— Basta. Já chega.

Eric disse à sua testemunha:

— Rodney, obrigado. Sem mais perguntas. A testemunha é da defesa.

Tom passou por Eric e se aproximou do banco das testemunhas.

— Então, Rodney, segundo seu testemunho, no início, quando você ouviu as vozes abafadas, porém exaltadas, não conseguiu ver o que estava acontecendo entre a Srta. Clark e o Sr. Andrews. Correto?

— Correto. A gente não conseguiu ver os dois até a gente chegar um pouco mais perto.

— E você disse que a mulher, que posteriormente identificou como a Srta. Clark, gritava como se estivesse em apuros. Correto?

— Sim.

—Você não presenciou beijos nem qualquer comportamento sexual entre dois adultos conscientes. Ouviu uma mulher gritando como se estivesse sendo atacada, como se estivesse em apuros. Correto?

— Sim.

— Nesse caso, seria possível que, ao chutar Chase Andrews, a Srta. Clark estivesse se defendendo? Uma mulher sozinha na mata enfrentando um homem muito forte e atlético? Um ex-*quarterback*, que a havia atacado?

— Sim, acho que é possível.

— Sem mais perguntas.

—Tréplica?

— Sim, Meritíssimo — disse Eric, levantando-se da mesa da promotoria.

— Então, Rodney, sem considerar se determinado comportamento foi consentido ou não entre os dois, é correto dizer que a ré, a Srta. Clark, estava extremamente brava com o falecido Chase Andrews?

— Sim, bastante brava.

— Brava o suficiente para gritar que, se ele voltasse a incomodá-la, iria matá-lo. Correto?

— Sim, isso mesmo.

— Sem mais perguntas, Meritíssimo.

41.

Um pequeno rebanho

1969

As mãos de Kya tremiam na cana do leme enquanto ela olhava para trás, conferindo se Chase a estava seguindo em seu barco de Cypress Cove. Ela foi depressa até a sua lagoa e correu mancando para o barracão com os joelhos já começando a inchar. Na cozinha, desabou no chão aos prantos, tocando o olho roxo e cuspindo terra da boca. Então tentou escutar ruídos da chegada dele.

Tinha visto o colar de concha. Ele ainda o usava. Como era possível?

"Você é minha", tinha dito. Ficaria uma fera por ter sido chutado e iria atrás dela. Poderia ir hoje. Ou esperar anoitecer.

Ela não podia contar para ninguém. Pulinho insistiria para ela chamar o xerife, mas a lei nunca acreditaria na Menina do Brejo contra Chase Andrews. Ela não sabia ao certo o que os dois pescadores tinham visto, mas eles jamais a defenderiam. Diriam que ela havia feito por merecer, pois, antes de Chase deixá-la, tinha passado anos se engraçando com ele, comportando-se de modo pouco condizente com uma dama. *Igual uma puta*, diriam eles.

Lá fora, o vento uivava da direção do mar e ela teve medo de não ouvir o barco dele chegando, então, devagar por causa da dor, pôs na mochila pães de minuto, queijo e castanhas, e com a cabeça baixa para enfrentar o vendaval seguiu os canais pelo meio do capim-da-praia até o chalé de leitura. A caminhada levou quarenta e cinco minutos, e, a cada ruído, seu corpo dolorido e tenso se sobressaltava e sua cabeça dava um tranco para o lado, conforme ela vasculhava a vegetação rasteira. Por fim, a velha estrutura de madeira foi surgindo aos poucos, coberta pelo mato alto na altura dos joelhos e agarrada à margem do córrego. O vento tinha se acalmado. A campina suave estava silenciosa. Ela nunca havia contado a Chase sobre aquele esconderijo, mas talvez ele soubesse. Não tinha certeza.

O cheiro de rato selvagem sumira. Quando Tate foi contratado pelo laboratório de ecologia, ele e Scupper haviam consertado o velho chalé para ele poder pernoitar ali após algumas das suas expedições. Haviam escorado as paredes, endireitado o telhado e comprado móveis básicos: uma cama pequena coberta por uma colcha de retalhos, um fogareiro, uma mesa com cadeira. Panelas e frigideiras pendiam das vigas. Então, destoante e protegido por plástico, um microscópio na mesinha dobrável. No canto, um baú velho de metal armazenava latas de feijão cozido e sardinha. Nada que atraísse os ursos.

Mas lá dentro ela se sentia presa, incapaz de ver se Chase estava chegando, portanto foi se sentar na beira do córrego e, com o olho direito, começou a vasculhar a paisagem de mato alagado. O esquerdo estava fechado de tão inchado.

Mais para baixo do córrego, um rebanho de cinco cervos fêmeas a ignorou e continuou passeando pela borda da água mordiscando folhas. Se ao menos pudesse entrar para aquele grupo, pertencer a ele... Kya sabia que, mais do que o rebanho estar incompleto sem um dos cervos, cada cervo estaria incompleto sem o rebanho. Um dos animais levantou a cabeça, perscrutando o meio das árvores ao norte com os olhos escuros, então bateu no chão com a pata direita e depois com a esquerda. Os outros ergueram a cabeça, em seguida silvaram, assustados. No mesmo instante, o olho bom de Kya examinou a floresta em busca de sinais de Chase ou de algum outro predador. Mas estava tudo calmo. Talvez a brisa os tivesse assustado. Eles pararam de bater com os cascos no chão, mas se afastaram lentamente para dentro do mato alto, deixando Kya sozinha e inquieta.

Ela tornou a vasculhar a campina em busca de intrusos, mas apurar os ouvidos e vasculhar a paisagem esgotava toda a sua energia, e ela decidiu voltar para o chalé. Tirou um queijo da bolsa. Então se jogou no chão e começou a comer avidamente, tocando a bochecha ferida. Seu rosto, seus braços e suas pernas estavam cortados e sujos de terra e sangue. Os joelhos ardiam e latejavam. Ela soluçou, lutando contra a vergonha, e de repente cuspiu pedaços de queijo misturados com saliva.

Havia causado aquilo a si mesma. Saíra sozinha com um homem. Um desejo natural a tinha levado solteira até um hotel barato de beira de estrada, mas nem assim ficara satisfeita. Sexo sob luzes néon piscantes, marcado apenas por um borrão de sangue nos lençóis, como rastros de um animal.

Chase devia ter se gabado com todo mundo do que eles tinham feito. Não surpreendia que as pessoas a rejeitassem; ela era indigna, repulsiva.

Enquanto a lua surgia pela metade entre as nuvens velozes, ela ficou observando a janelinha, tentando distinguir formas humanas agachadas e furtivas. Por fim, se acomodou na cama de Tate e dormiu com a colcha dele. Acordou várias vezes, à espreita de passos, então puxou o tecido macio para perto do rosto.

Mais queijo esfarelado para o café da manhã. Seu rosto agora exibia uma cor entre roxo e verde, o olho inchado feito um ovo cozido, o pescoço dolorido. Partes do lábio superior se contorciam grotescamente. Igual a Ma, monstruosa, com medo de voltar para casa. Com súbita clareza, Kya entendeu o que Ma tinha suportado e por que ela havia ido embora.

— Ma, Ma — sussurrou. — Agora eu entendo. Finalmente entendo por que você teve que ir embora e nunca mais voltou. Desculpa eu não ter sabido, não ter podido ajudar. — Kya deixou a cabeça pender e chorou. Então a levantou bruscamente e tornou a falar: — Eu nunca vou viver assim... sem saber quando e onde vou levar o próximo soco.

Voltou para casa naquela tarde, mas, embora estivesse com fome e precisasse de mantimentos, não foi ao posto de Pulinho. Chase poderia encontrá-la. Além do mais, não queria que ninguém visse o seu rosto espancado, muito menos Pulinho.

Depois de uma refeição simples de pão dormido com peixe defumado, ela se sentou na beira da sua cama na varanda e ficou encarando o lado de fora pela tela. Nesse instante, reparou num louva-a-deus fêmea andando por um galho próximo ao seu rosto. O inseto catava traças com as patas dianteiras articuladas e as mastigava enquanto as asas continuavam batendo dentro da sua boca. Um louva-a-deus macho, de cabeça erguida e orgulhoso feito um pônei, passou se exibindo para cortejá-la. Ela pareceu interessada e balançou as antenas como se fossem varinhas de condão. O abraço dele pode ter sido apertado ou suave, Kya não soube dizer, mas enquanto ele tateava com seu órgão copulatório para fertilizar os óvulos da fêmea, a louva-a-deus virou para trás o pescoço elegante e comprido e arrancou a cabeça dele com uma mordida. O macho estava tão entretido copulando que nem reparou. O toco do seu pescoço se balançava enquanto ele continuava copulando e a fêmea devorava seu tórax, depois suas asas. Por fim, a última pata dianteira do macho ficou espetada para fora da boca da fêmea enquanto a parte inferior do corpo dele, já sem cabeça e coração, seguia copulando num ritmo perfeito.

Vaga-lumes fêmeas atraem machos de outra espécie por meio de sinais desonestos e os devoram; louva-a-deus fêmeas devoram os próprios parceiros. Os insetos fêmeas sabem lidar com seus amantes, pensou Kya.

Alguns dias mais tarde, ela entrou no brejo de barco e explorou áreas que Chase não conhecia, mas estava nervosa e alerta, o que tornava difícil pintar. Seu olho continuava inchado ao redor de um corte fino e o hematoma havia espalhado cores repulsivas por metade do rosto. Boa parte do seu corpo latejava de dor. O simples guincho de um esquilo a fazia se virar e apurar os ouvidos para os corvos grasnando — uma linguagem anterior às palavras, quando a comunicação era simples e clara —, e aonde quer que ela fosse mapeava mentalmente uma rota de fuga.

42.

Uma cela

1970

Feixes de luz melancólicos entravam pela janela minúscula da cela de Kya. Ela encarou as partículas de poeira dançando em silêncio na mesma direção, como quem segue sonhadoramente um líder. Desapareceram ao chegarem às sombras. Sem o sol não eram nada.

Ela puxou o baú de madeira, sua única mesa, até debaixo da janela, situada mais de dois metros acima do chão. Usando um macacão cinza com os dizeres DETENTO DO CONDADO nas costas, subiu no baú e ficou olhando para o mar, quase impossível de ver por trás do vidro grosso e das barras da janela. Ondas com cristas brancas de espuma batiam e esguichavam água, e pelicanos voavam baixo por cima das ondas, inclinando a cabeça à procura de peixes. Se esticasse o pescoço o suficiente para a direita, ela via a coroa espessa do limite do brejo. Na véspera tinha visto uma águia mergulhar e se contorcer atrás de um peixe.

A cadeia do condado consistia em seis celas de um pouco mais de dez metros quadrados num prédio de cimento de um andar só atrás do escritório do xerife, na periferia da cidade. As celas eram enfileiradas no sentido do comprimento do prédio; de um lado só, para os detentos não verem uns aos outros. Três das paredes eram feitas de blocos úmidos de cimento; a quarta era toda de grades, incluindo a porta trancada. Cada cela tinha uma cama de madeira com um colchão de algodão cheio de calombos, um travesseiro de penas, um cobertor de lã cinza, uma pia e uma mesa de caixote de madeira, além de uma privada. Acima da pia não havia um espelho, mas uma imagem emoldurada de Jesus pendurada pelo Voluntariado de Senhoras da Igreja Batista. A única exceção aberta para ela, a primeira detenta mulher em anos — tirando os pernoites —, era uma cortina de plástico cinza que fechava entre a pia e a privada.

Por dois meses antes do julgamento, ela fora mantida naquela cela sem direito a fiança por causa da tentativa fracassada de fugir do xerife de barco. Kya se perguntou quem tinha começado a usar a palavra *cela* no lugar de *gaiola*. Devia ter havido um momento em que a humanidade exigira essa mudança. Seus braços estavam riscados com uma teia de marcas vermelhas onde ela mesma havia se arranhado. Durante uma quantidade indefinida de minutos, sentada na cama, ela estudava fios do próprio cabelo que ia arrancando como se fossem penas. Como fazem as gaivotas.

Em pé no baú, com o pescoço esticado em direção ao brejo, recordou um poema de Amanda Hamilton:

Gaivota ferida de Brandon Beach

Alma alada, você dançou céu afora,
E, com gritos estridentes, intimidou a aurora.
Acompanhou as velas, desbravou o mar,
Então flutuou no vento para voltar.

Quebrou sua asa, que se arrastou na areia.
E deixou sua marca pela praia inteira.
Quando penas quebram você não pode voar,
Mas quem decide a hora que a morte deve chegar?

Você sumiu, não sei para onde.
Mas sua marca o mar não esconde.
Um coração partido não pode voar,
Mas quem decide a hora que a morte deve chegar?

Muito embora os detentos não pudessem se ver, os únicos outros ocupantes da cadeia — dois homens no extremo oposto da sequência de celas — passavam boa parte do dia e do início da noite tagarelando. Ambos estavam cumprindo trinta dias por terem começado uma briga vendo quem cuspia mais longe na Cervejaria Dog-Gone, o que terminou com os espelhos do bar e alguns ossos quebrados. O que mais faziam era ficar deitados na cama chamando um ao outro de suas celas contíguas, parecendo uma dupla de caipiras no meio do mato. A maior parte do que diziam eram fofocas sobre o caso de Kya ouvidas de quem os visitava. Principalmente sobre as chances de ela receber pena de morte, algo que não acontecia no condado havia duas décadas e jamais acontecera a uma mulher.

Kya escutava cada palavra. Morrer não a incomodava; eles não a assustavam com ameaças de pôr fim àquele arremedo de vida. Mas o processo de ser morta por mãos alheias, de modo planejado e agendado, era tão inconcebível que a deixava sem fôlego.

O sono lhe escapava, esgueirando-se até a borda e depois fugindo. Sua mente mergulhava nos paredões profundos de um cochilo repentino — um instante de felicidade —, e seu corpo então estremecia e a acordava.

Ela desceu do baú, sentou-se na cama, recolheu as pernas e apoiou o queixo nos joelhos. Eles a tinham levado para lá depois da sessão do tribunal, então talvez já fossem seis da tarde. Apenas uma hora tinha se passado. Ou quem sabe nem isso.

43.

Um microscópio

1969

No início de setembro, mais de uma semana depois do ataque de Chase, Kya caminhava devagar por sua praia. O vento tentou arrancar a carta que segurava na mão e ela a apertou junto ao peito. Seu editor a tinha convidado para encontrá-lo em Greenville, disse que entendia que ela não ia muito à cidade, mas que desejava conhecê-la e que a editora pagaria as despesas.

O dia estava ensolarado e quente, então ela pegou o barco e entrou no brejo. Ao final de um estuário estreito, contornou uma curva de mato e viu Tate acocorado num banco de areia amplo, recolhendo amostras de água em tubinhos de ensaio. Sua embarcação de lazer e pesquisa estava amarrada a um tronco e flutuava no canal, impedindo a passagem. Com a mão na cana do leme, ela sentiu um calafrio. O edema e os hematomas no seu rosto tinham melhorado um pouco, mas o olho continuava cercado por manchas verdes e roxas bem feias. Ela entrou em pânico. Não podia deixar Tate ver seu rosto espancado e tentou dar meia-volta depressa com o barco.

Mas ele olhou para cima e acenou.

— Chega aqui, Kya. Tenho um microscópio novo para te mostrar.

O efeito foi o mesmo de quando a agente educacional chamou sua atenção citando o empadão de frango. Ela desacelerou, mas não respondeu.

—Venha cá. Você não vai acreditar no quanto ele aumenta. Dá para ver os pseudópodos das amebas.

Ela nunca tinha visto uma ameba e certamente não as partes de uma. E rever Tate lhe trouxe paz, calma. Ela decidiu que poderia manter o rosto ferido virado para o outro lado, atracou e caminhou pela água rasa até o barco dele. Estava usando uma calça jeans cortada e uma camiseta branca, com o cabelo solto. Em pé no alto da escada de popa, ele estendeu a mão e ela a pegou, virando o rosto.

O bege-claro da embarcação se confundia com a cor do brejo. Kya nunca tinha visto nada tão chique quanto o deque de teca e o leme de latão.

—Venha aqui — disse ele, descendo para a cabine.

Ela deu uma olhada na mesa do capitão, na pequena cozinha, mais bem equipada que a sua, e na área de convivência que fora transformada num laboratório a bordo, com vários microscópios e suportes para frascos. Outros instrumentos zumbiam e piscavam.

Tate manuseou o maior dos microscópios e ajustou a lâmina.

— Aqui, só um segundo. — Pingou uma gota da água do brejo na lâmina, cobriu-a com uma segunda lâmina e ajustou o foco do visor. Levantou-se. — Dê só uma olhada.

Kya se inclinou delicadamente, como se fosse beijar um bebê. A luz do microscópio refletiu em suas pupilas escuras e ela suspirou quando um carnaval inteiro de foliões fantasiados surgiu deslizando e rodopiando. Adornos de cabeça inimagináveis enfeitavam corpos espantosos, tão ávidos por mais vida que se agitavam como se estivessem dentro da lona de um circo e não de uma única gota d'água.

Ela levou a mão ao coração.

— Eu não fazia ideia de que eram tantas e tão lindas — falou, ainda olhando.

Ele identificou uma ou outra espécie, então deu um passo para trás, observando-a. *Ela sente a vida pulsar*, pensou, *porque não há camadas entre ela e o planeta.*

Mostrou outras lâminas.

— É como se você nunca tivesse visto as estrelas e de repente visse — sussurrou Kya.

— Quer um café? — perguntou ele baixinho.

Ela levantou a cabeça.

— Não, não, obrigada.

Ela então se afastou do microscópio e foi para a cozinha. Movendo-se de modo desajeitado, tentando manter o olho marrom e verde virado para o lado oposto.

Tate estava acostumado com o fato de Kya ser arisca, mas o comportamento dela parecia mais distante e estranho do que nunca. Ela sempre mantinha a cabeça virada no mesmo ângulo.

— Por favor, Kya. Só um café.

Na cozinha, ele estava despejando água numa máquina que coava um café forte. Kya ficou parada junto à escada que levava ao convés, mas ele lhe passou uma caneca e acenou para ela subir. Convidou-a para se sentar no banco estofado, mas ela ficou em pé na popa. Como um gato, sabia onde ficava a saída. O banco de areia branco e brilhante se estendia para longe numa curva sob o abrigo dos carvalhos.

— Kya... — Tate começou a fazer uma pergunta, mas, quando ela o encarou, ele viu o hematoma já desbotado. — O que houve com o seu rosto?

Ele foi na direção dela, estendendo a mão para tocar sua bochecha. Ela se virou.

— Nada. Esbarrei na porta no meio da noite.

Ele sabia que não era verdade pelo modo como ela havia levado a mão ao rosto. Alguém tinha batido nela. Será que fora Chase? Será que ela continuava saindo com ele por mais que estivesse casado? Tate contraiu o maxilar. Kya esticou o braço para largar a caneca, como se estivesse indo embora.

Ele se forçou a soar calmo.

— Começou um livro novo?

— Estou quase acabando o de cogumelos. Meu editor vai a Greenville no fim de outubro e quer que eu encontre com ele lá. Mas ainda não sei...

— Você deveria ir. Seria bom encontrar com ele. Tem ônibus saindo de Barkley todo dia, um à noite até. Não leva tanto tempo assim. Uma hora e vinte, talvez, por aí.

— Não sei onde comprar a passagem.

— O motorista vai saber tudo. É só aparecer no ponto do ônibus na Main e ele vai dizer o que você precisa fazer. Acho que Pulinho tem os horários pregados na loja dele.

Tate quase comentou que tinha pegado muitas vezes esse mesmo ônibus de Chapel Hill, mas achou melhor não lembrar essa época, quando ela ficara esperando na praia em julho.

Os dois passaram um tempo sem dizer nada, bebericando o café e escutando um par de gaviões assobiando junto às bordas de uma nuvem alta.

Ele hesitou em oferecer mais café, sabendo que ela iria embora se o fizesse. Então lhe perguntou sobre o livro de cogumelos e explicou os protozoários que estava estudando. Qualquer isca para mantê-la ali.

Começou a anoitecer enquanto um vento leve soprava. Ela tornou a largar a caneca e disse:

— Preciso ir.

— Eu estava pensando em abrir um vinho. Quer um pouco?

— Não, obrigada.

— Espera um instantinho antes de você ir — disse Tate, descendo até a cozinha do barco e voltando com um saco de pão e pães de minuto dormidos. — Mande lembranças minhas para as gaivotas, por favor.

— Obrigada.

Ela desceu a escada.

Enquanto ela ia para seu barco, ele chamou:

— Esfriou, Kya. Você não quer um casaco ou algo assim?

— Não. Estou bem.

— Tome, leva pelo menos o meu gorro.

E ele lhe jogou um gorro de esqui vermelho. Ela o pegou e tacou de volta. Ele tornou a jogá-lo, mais longe dessa vez; ela correu pelo banco de areia, inclinou-se até perto do chão e o interceptou. Rindo, subiu no barco, ligou o motor e, ao passar perto da embarcação dele, tornou a jogar o gorro lá dentro. Ele sorriu e ela deu uma risadinha. Os dois então pararam de rir e ficaram apenas se olhando e jogando o gorro para lá e para cá até Kya fazer a curva. Ela se sentou pesadamente no banco da popa e tapou a boca com a mão.

— Não — falou em voz alta. — Eu não posso me apaixonar por ele outra vez. Não vou me magoar de novo do mesmo jeito.

Tate continuou em pé na popa do barco. Cerrando os punhos ao imaginar alguém batendo nela.

Kya margeou a costa até logo depois da arrebentação, seguindo para o sul. Por esse caminho passaria por sua praia antes de chegar ao canal que entrava pelo brejo e ia até o barracão. Ela em geral não parava na praia, percorria o labirinto de cursos d'água até a lagoa e depois caminhava até a margem.

Mas quando passou pela praia as gaivotas a viram e se juntaram em volta do barco. Vermelho Grande pousou na proa e inclinou a cabeça. Ela riu.

— Muito bem, vocês venceram.

Passou a arrebentação, atracou atrás de um trecho alto de arroz-de-costa e ficou em pé na linha d'água jogando as migalhas que Tate tinha lhe dado.

Enquanto o sol coloria a água de dourado e rosa, ela se sentou na areia com as gaivotas pousando à sua volta. De repente, ouviu um motor e viu a lancha de Chase passar depressa em direção ao seu canal. Ele não conseguia ver o barco dela atrás do arroz-de-costa, mas Kya estava totalmente exposta ali na areia. No mesmo instante, jogou-se no chão e virou a cabeça para observá-lo. Ele estava em pé no leme, o cabelo soprado para trás, uma expressão feia e fechada. Mas não olhou para ela ao entrar no canal e seguir até o barracão.

Quando ele sumiu de vista, Kya se sentou. Se não tivesse parado ali com as gaivotas, ele a teria encontrado em casa. Tinha aprendido com Pa: aquele tipo de homem precisava dar o último soco. Ela havia deixado Chase estatelado no chão. Os dois velhos pescadores certamente a tinham visto derrubá-lo. Como Pa teria dito, Kya precisava aprender a lição.

Assim que descobrisse que ela não estava no barracão, ele iria até aquela praia. Ela correu para o barco, deu partida no motor e seguiu outra vez na direção de Tate. Mas não queria contar a ele o que Chase tinha feito com ela; a vergonha superava a racionalidade. Desacelerou e flutuou pelas ondas conforme o sol sumia. Precisava se esconder e esperar Chase ir embora. Se não o visse sair, não saberia quando seria seguro voltar de barco para casa.

Entrou no canal, apavorada que ele surgisse rugindo a qualquer momento. Mal acelerando o motor para ouvir o barco dele, deslizou para dentro de um arbusto de árvores altas e vegetação rasteira no fundo de um canal. Recuou mais para dentro das plantas, empurrando galhos para longe até várias camadas de folhas e a noite caindo a esconderem.

Com a respiração ofegante, ouviu com atenção. Por fim, escutou o motor dele rugir em meio ao ar suave da noite. Abaixou-se ainda mais quando ele se aproximou, subitamente com medo de a ponta do seu barco estar visível. O som chegou muito perto e segundos depois a lancha dele passou zunindo. Ela continuou ali sentada por quase meia hora, até ficar escuro de verdade, então voltou para casa sob a luz das estrelas.

Levou o colchão e a roupa de cama até a praia e se sentou com as gaivotas. As aves não se importaram com sua presença, se exibindo com as asas abertas antes de se acomodarem na areia feito pedras com plumas. Enquanto grasnavam baixinho e encolhiam a cabeça para dormir, Kya chegou o mais perto delas que pôde. Mas mesmo em meio aos arrulhos e farfalhares leves não conseguiu pegar no sono. Ficou se revirando de um lado para outro, e se sentava toda vez que o vento imitava passos.

As ondas do amanhecer rugiam sob um vento forte que fazia seu rosto arder. Ela se sentou entre as aves que passeavam por ali, espreguiçando-se e coçando-se com chutes delicados. Vermelho Grande — olhos arregalados, pescoço encolhido — parecia ter achado algo muito interessante debaixo da asa, o que normalmente teria feito Kya rir. Mas as aves não lhe trouxeram nenhuma alegria.

Ela foi até a beira do mar. Chase não iria deixar para lá. Estar isolada era uma coisa; viver com medo, outra bem diferente.

Imaginou-se dando um passo depois do outro para dentro do mar revolto, afundando na imobilidade que havia sob as ondas, com os fios do cabelo erguidos feito uma aquarela negra no tom azul-claro do mar, os dedos e braços compridos boiando de volta em direção à superfície ofuscante iluminada pelo sol. Sonhos de fuga — mesmo pela morte — sempre sobem em direção à luz. O prêmio inalcançável e brilhante da paz por um triz fora de alcance, até seu corpo finalmente afundar e se aninhar no silêncio lamacento. Em segurança.

Mas quem decide a hora que a morte deve chegar?

44.

Companheiro de cela

1970

Kya ficou parada no meio da cela. Ali estava ela, presa. Se aqueles que ela amara não a tivessem abandonado, inclusive Jodie e Tate, não estaria ali. Apoiar-se nos outros deixa você desamparado.

Antes de ser presa, tinha vislumbrado um caminho de volta para Tate: uma abertura do seu coração. O amor mais perto da superfície. Mas ele fora visitá-la na prisão em várias ocasiões, e ela se recusara a vê-lo. Não sabia ao certo por que a prisão tinha fechado seu coração com ainda mais força. Por que não abraçara o conforto que ele poderia lhe dar ali? Era como se agora que estava mais vulnerável isso fosse um motivo para confiar ainda menos. No momento mais frágil da sua vida, ela recorria à única rede que conhecia: ela mesma.

Ser jogada atrás das grades sem direito a fiança deixava claro o quanto ela estava sozinha. A oferta de um telefonema feita pelo xerife tinha sido um duro lembrete: não havia ninguém para quem ligar. O único número de telefone que ela conhecia no mundo era o de Jodie, mas como poderia ligar para o irmão e dizer que estava na cadeia, acusada de assassinato? Depois de tantos anos, como poderia incomodá-lo com seus problemas? E talvez a vergonha também tivesse alguma influência.

Eles a tinham abandonado para sobreviver e se defender. Então ali estava ela, sozinha.

Mais uma vez, pegou o assombroso livro de conchas que Tom Milton lhe dera de presente, de longe o mais precioso que tinha. No chão estavam empilhados alguns textos de biologia que o guarda dissera terem sido trazidos por Tate, mas ela não conseguia se concentrar nas palavras. As frases se espalhavam em várias direções e depois retornavam ao início. Imagens de conchas eram mais fáceis.

Passos ecoaram no piso de lajotas baratas, e Jacob, um homem negro baixinho que trabalhava como guarda na prisão, apareceu diante da sua cela. Segurava um grande embrulho de papel pardo.

— Desculpe incomodar, Srta. Clark, mas a senhorita tem visita. Precisa vir comigo.

— Quem é?

— O Dr. Milton, seu advogado. — Um ruído de metal batendo em metal soou, *tlem*, quando Jacob destrancou a porta da cela e lhe entregou o embrulho. — E isto aqui é do Pulinho.

Ela pôs o embrulho em cima da cama e seguiu Jacob pelo corredor até uma sala ainda menor do que a sua cela. Tom Milton se levantou da cadeira quando ela entrou. Kya balançou a cabeça para ele, então olhou pela janela, onde uma nuvem imensa de tempestade estufava as bochechas cor de pêssego.

— Boa tarde, Kya.

— Dr. Milton.

— Por favor, me chame de Tom, Kya. O que houve com seu braço? Você se machucou?

Ela rapidamente cobriu com a mão os arranhões que tinha feito no próprio braço.

— São só picadas de mosquito, eu acho.

— Vou falar com o xerife. Não deveria haver mosquitos aqui na sua... aqui no seu quarto.

Com a cabeça baixa, ela falou:

— Não, por favor, não tem problema. Não estou preocupada com insetos.

— Está bem, claro, não vou fazer nada que você não quiser. Kya, vim conversar sobre suas opções.

— Que opções?

— Vou explicar. É difícil saber a esta altura qual é a inclinação do júri. A promotoria tem um bom caso. Não é sólido, de forma alguma, mas, considerando como as pessoas aqui nesta cidade são preconceituosas, você precisa estar preparada, porque não vai ser fácil nós ganharmos. Mas existe a opção de um acordo. Sabe a que estou me referindo?

— Não exatamente.

— Você se declarou inocente de homicídio qualificado. Se nós perdermos, você vai perder muito: prisão perpétua ou, como você sabe, vão tentar a pena de morte. Sua alternativa é se declarar culpada de uma acusação mais branda, como homicídio culposo, por exemplo. Se estiver disposta a dizer que sim, você foi à torre naquela noite, encontrou Chase lá, vocês se desentenderam e num acidente horrível ele deu um passo para trás e caiu pela grade. Assim pode ser que o julgamento acabe na hora e você não precise passar por mais nada desse drama, e pode ser que consigamos negociar uma sentença com a promotoria. Como você nunca foi acusada de nada, provavelmente a condenariam a dez anos e você poderia sair em seis, digamos. Sei que parece ruim, mas é melhor do que passar a vida presa ou a outra coisa.

— Não, eu não vou dizer nada que sugira culpa. Não vou para a prisão.

— Kya, eu entendo, mas, por favor, pense um pouco. Você não vai querer passar a vida inteira na cadeia, nem vai querer... a outra coisa.

Kya tornou a olhar pela janela.

— Não preciso pensar. Não vou ficar na cadeia.

— Bom, não precisamos decidir agora. Ainda temos tempo. Vamos ver como as coisas se desenrolam. Antes de eu ir, tem alguma coisa sobre a qual quer conversar comigo?

— Por favor, me tire daqui. De um jeito... ou de outro.

— Vou fazer o possível para tirar você daqui, Kya. Mas não desista. E, por favor, me ajude. Como eu já comentei, você precisa se envolver mais, olhar para os jurados de vez em quando...

Mas Kya já tinha se virado para sair.

Jacob a conduziu de volta para a cela, onde ela pegou o embrulho de Pulinho que tinha sido aberto pelo carcereiro e depois fechado de qualquer maneira com fita adesiva. Abriu, dobrando e guardando o papel. Lá dentro havia um cesto com alguns vidrinhos minúsculos de tinta, um pincel, papel e um saco de papel com *muffins* de milho feitos por Mabel. O cesto estava forrado com um ninho de palha de pinheiro, algumas folhas de carvalho, poucas conchas e caules compridos de tifa. Kya inspirou. Crispou os lábios. Pulinho. Mabel.

O sol tinha se posto; não havia nenhum grão de poeira para acompanhar.

Mais tarde, Jacob veio recolher a bandeja do jantar.

— Ora, ora, Srta. Clark, a senhorita quase que não comeu nada. As costelas de porco e as verduras estão bem boas.

Kya abriu um sorrisinho para ele, então ficou escutando seus passos soarem até o fim do corredor. Esperou ouvir a porta grossa de metal se fechar de modo pesado e definitivo.

Mas algo se moveu pelo chão do corredor, bem do outro lado das barras. Os olhos dela se viraram para lá. Justiça de Domingo estava sentado, encarando com seus olhos verdes de gato os olhos escuros dela.

O coração de Kya acelerou. Várias semanas trancafiada sozinha e agora aquela criatura dava um jeito de surgir feito um mago por entre as barras. Para estar com ela. Justiça de Domingo desviou os olhos e os voltou para o corredor, em direção à conversa dos detentos. Kya ficou apavorada que ele a deixasse e fosse até lá. Mas o gato a encarou outra vez, piscou com um tédio obrigatório e passou com facilidade por entre as barras. Entrando na cela.

Kya soltou o ar e sussurrou:

— Por favor, fique.

Sem pressa, ele percorreu a cela, farejando, examinando as paredes úmidas de cimento, os canos expostos e a pia, fazendo questão de ignorá-la o tempo todo. Uma rachadura discreta na parede era mais interessante. Ela soube disso porque os pensamentos dele transpareciam na sua cauda agitada. Ele concluiu o tour pela cela junto à cama pequena. Então, do nada, pulou para o colo dela e girou, pressionando suavemente as patas grandes e brancas nas suas coxas. Kya ficou sentada sem se mexer, com os braços levemente erguidos para não interferir nos movimentos do gato. Por fim, ele se acomodou como se ali houvesse sido seu ninho em todas as noites da vida. Olhou para Kya. Com toda delicadeza, ela tocou sua cabeça, então acarinhou seu pescoço. Um ronronar alto irrompeu feito uma corrente elétrica. Ela fechou os olhos diante daquela aceitação tão fácil. Uma pausa profunda numa vida inteira de anseio.

Com medo de se mexer, ficou sentada rígida até sentir cãibra na perna, então se mexeu de leve para esticar os músculos. Sem abrir os olhos, Justiça de Domingo desceu do seu colo e se enroscou ao lado dela. Kya se deitou completamente vestida e os dois se acomodaram. Ela o observou dormir, então também caiu no sono. Não uma queda rumo a um despertar sobressaltado, mas um deixar-se ir, enfim, em direção a uma calmaria vazia.

Durante a noite, abriu os olhos e observou o gato dormindo de barriga para cima, as patas dianteiras esticadas numa direção, as traseiras numa outra. Quando acordou de manhãzinha ele tinha ido embora. Um gemido escapou com dificuldade da sua garganta apertada.

Mais tarde, Jacob apareceu do lado de fora da cela com a bandeja de café da manhã numa das mãos e com a outra destrancando a porta.

— Está aqui seu mingau de aveia, Srta. Clark.

Ela pegou a bandeja e disse:

— Jacob, o gato preto e branco que dorme na sala do tribunal... Ele veio aqui essa noite.

— Ah, me desculpe, senhorita. É o Justiça de Domingo. Às vezes ele entra quando eu não vejo porque estou carregando as bandejas com a janta. Acabo fechando ele aqui dentro com vocês.

Teve a bondade de não dizer *trancando*.

— Tudo bem. Eu gostei de ter ele aqui. Por favor, pode deixar ele entrar sempre que o vir depois do jantar? Ou na hora que for.

Ele a encarou com uma expressão suave.

— Claro que posso. Vou fazer isso, sim, Srta. Clark, vou fazer com certeza. Dá para ver que ele seria uma ótima companhia.

— Obrigada, Jacob.

Naquela noite, Jacob voltou.

— Aqui está sua comida agora, Srta. Clark. Frango frito e purê com molho lá da lanchonete. Tomara que a senhorita consiga comer hoje.

Kya se levantou e olhou ao redor dos pés dele. Pegou a bandeja.

— Obrigada, Jacob. Viu o gato por aí?

— Não. Não vi, não, senhorita. Mas vou ficar de olho.

Kya aquiesceu. Sentou-se na cama, o único lugar que havia para se sentar, e ficou encarando o prato. Ali na cadeia a comida era a melhor que ela já vira na vida. Cutucou o frango, empurrou o feijão-verde. Agora que havia encontrado comida, tinha perdido a fome.

Então ouviu o barulho de uma fechadura girando e a porta pesada de metal se abrindo.

No fim do corredor, ouviu Jacob dizer:

— Vá lá, então, Sr. Justiça de Domingo.

Prendendo a respiração, Kya ficou olhando para o chão do lado de fora da sua cela, e, poucos segundos depois, Justiça de Domingo apareceu. As marcas da sua pelagem eram ao mesmo tempo surpreendentemente nítidas e suaves. Sem hesitar dessa vez, ele entrou na cela e foi até ela. Kya largou o prato no chão e ele comeu o frango — puxando a coxa para o chão — e depois lambeu o molho. Deixou o feijão-verde. Sem parar de sorrir, ela limpou o chão com um lenço de papel.

Ele pulou na sua cama e um sono agradável envolveu a ambos.

No dia seguinte, Jacob apareceu na porta da sua cela.

— Srta. Clark, a senhorita tem outra visita.

— Quem?

— É o Sr. Tate de novo. Ele já veio várias vezes, Srta. Clark, sempre traz alguma coisa ou pede para ver a senhorita. Não quer receber ele hoje, Srta. Clark? É sábado, não tem nada para fazer aqui.

— Está bem, Jacob.

Ele a conduziu até a mesma sala sem graça em que ela havia encontrado Tom Milton. Quando Kya entrou pela porta, Tate se levantou da cadeira e foi depressa na sua direção. Exibia um sorrisinho, mas seus olhos revelavam tristeza por vê-la ali.

— Você está com uma cara boa, Kya. Andei tão preocupado. Obrigado por me receber. Sente-se.

Eles se sentaram de frente um para o outro; Jacob ficou no canto lendo o jornal com uma concentração notável.

— Oi, Tate. Obrigada pelos livros que você trouxe.

Ela se mostrou calma, mas seu coração estava partido em mil pedaços.

— O que mais posso fazer por você?

— Talvez dar comida às gaivotas, se passar pela minha casa.

Ele sorriu.

— Eu tenho feito isso. Dia sim, dia não, mais ou menos.

Ele fez a frase soar casual, mas estava indo de carro ou de barco à casa dela todo dia ao amanhecer e ao entardecer para alimentar as aves.

— Obrigada.

— Kya, eu estava no tribunal sentado bem atrás de você. Como você não se virou, eu não tive certeza se você sabia. Mas vou estar lá todos os dias. — Ela olhou pela janela. — Tom Milton é muito bom, Kya. Deve ser o melhor advogado nesta parte do estado. Ele vai tirar você daqui. É só aguentar firme. — Como ela continuou sem dizer nada, ele prosseguiu: — E assim que você sair a gente volta a explorar as lagoas como antigamente.

— Tate, por favor, você precisa me esquecer.

— Eu nunca esqueci nem nunca vou esquecer, Kya.

— Você sabe que eu sou diferente. Não me encaixo. Não posso ser parte do seu mundo. Por favor, você não entende que tenho medo de me aproximar de alguém outra vez? Eu não consigo.

— Não culpo você, Kya, mas...

— Tate, escute. Eu passei anos querendo estar com outras pessoas. Acreditava de verdade que alguém fosse ficar comigo, que eu teria amigos e uma família. Que faria parte de um grupo. Só que ninguém ficou. Nem você nem qualquer pessoa da minha família. Agora eu finalmente aprendi a lidar com isso e a me proteger. Mas não posso tocar nesse assunto agora. Agradeço por você ter vindo me visitar aqui, de verdade. E quem sabe um dia a gente possa ser amigo, mas eu não consigo pensar no que vai acontecer depois. Não aqui.

— Está bem. Eu entendo. De verdade, entendo mesmo. — Após um breve silêncio, ele acrescentou: — Os jacurutus já estão chamando. — Ela aquiesceu e quase sorriu. — Ah, e ontem, quando eu estava na sua casa, você não vai acreditar, mas um gavião-de-cooper macho aterrissou bem nos degraus da frente.

Ela finalmente sorriu ao pensar em Coop. Uma de suas muitas lembranças particulares.

— Acredito, sim.

Dez minutos mais tarde, Jacob falou que o tempo deles tinha acabado e que Tate precisava ir. Kya lhe agradeceu outra vez por ter vindo.

— Vou continuar dando comida às gaivotas, Kya. E vou trazer uns livros para você.

Ela balançou a cabeça e seguiu Jacob.

45.

Gorro vermelho

1970

Na segunda-feira de manhã, após a visita de Tate, Kya foi conduzida pelo oficial de justiça até a sala do tribunal e manteve os olhos longe da plateia, como da primeira vez, fixando-os bem no meio das árvores escuras lá fora. Mas ouviu um som conhecido, talvez uma tosse discreta, e virou a cabeça. E ali, na primeira fileira, ao lado de Tate, estavam Pulinho e Mabel, que usava seu chapéu de ir à igreja enfeitado com rosas de seda. A plateia tinha se agitado ao vê-los entrar com Tate e se sentarem no térreo, na "área branca". Quando o oficial de justiça relatou isso ao juiz Sims, ainda em sua sala, o juiz mandou avisar que qualquer pessoa, de qualquer cor ou credo, poderia se sentar onde quisesse no seu tribunal, e se alguém não gostasse que ficasse à vontade para se retirar. Na verdade, ele faria questão que se retirasse.

Ao ver Pulinho e Mabel, Kya sentiu um tiquinho de força e suas costas se endireitaram um pouco.

A testemunha seguinte da acusação, o legista Dr. Stuart Cone, tinha cabelo grisalho cortado bem curto e usava uns óculos que desciam até a ponta do nariz, hábito que o obrigava a inclinar a cabeça para trás e ver através das lentes. Conforme ele respondia às perguntas de Eric, Kya começou a pensar nas gaivotas. Passara todos aqueles meses na cadeia sentindo falta delas, mas durante esse tempo Tate lhes dera de comer. Elas não tinham sido abandonadas. Pensou em Vermelho Grande, em como ele passava por cima dos dedos dos pés dela quando lhe jogava migalhas.

O legista inclinou a cabeça para trás para ajeitar os óculos e o gesto trouxe Kya de volta à sala do tribunal.

— Então, recapitulando, o senhor afirmou no seu depoimento que Chase Andrews morreu entre meia-noite e duas da manhã da noite de 29 de novembro de 1969 para a manhã do dia 30. A causa da morte foram ferimentos graves no cérebro e na medula devido à queda por uma das grades abertas na torre de incêndio, uns vinte metros acima do chão. Ao cair, ele bateu a cabeça numa viga de sustentação, fato confirmado por amostras de sangue e cabelo colhidas na viga. Isso tudo está correto de acordo com a sua opinião de especialista?

— Sim, está.

— Dr. Cone, por que um rapaz inteligente e em boa forma física como Chase Andrews iria pisar numa grade aberta e sofrer uma queda fatal? Para descartar a possibilidade, no sangue dele havia álcool ou qualquer outra substância que possa ter prejudicado seu julgamento?

— Não, não havia.

— Provas apresentadas anteriormente demonstram que Chase Andrews bateu na viga com a parte de trás da cabeça, não com a testa. — Eric parou diante do júri e deu um passo largo. — Mas quando eu dou um passo minha cabeça fica um pouquinho à frente do meu corpo. Se eu fosse pisar num buraco que estivesse aqui diante de mim, o impulso e o peso da minha cabeça fariam eu me inclinar para a frente. Correto? Se estivesse dando um passo à frente, Chase Andrews teria batido a testa na viga, não a parte de trás do crânio. Assim, Dr. Cone, é verdade que os indícios sugerem que Chase estava andando para trás quando caiu?

— Sim, os indícios corroborariam essa conclusão.

— Então podemos concluir também que, se Chase Andrews estava de costas para a grade aberta e foi empurrado por alguém, ele teria caído para trás e não para a frente? — Antes que Tom pudesse fazer qualquer objeção, Eric arrematou bem depressa: — Não estou pedindo para o senhor afirmar que se trata de um indício conclusivo de que Chase foi empurrado de costas para a queda que o matou. Estou apenas deixando claro que, se alguém empurrou

Chase de costas pelo buraco, os ferimentos deixados pela viga na cabeça dele teriam coincidido com os que de fato foram encontrados. Correto?

— Sim.

— Certo, Dr. Cone. Quando o senhor examinou Chase Andrews na clínica na manhã do dia 30 de outubro ele estava usando um colar de concha?

— Não.

Para conter a náusea crescente, Kya se concentrou em Justiça de Domingo, que se embelezava no peitoril de uma janela. Contorcido numa posição impossível, com uma das patas esticada para cima, lambia a parte interna da ponta da cauda. O próprio banho parecia absorvê-lo e entretê-lo por completo.

Alguns minutos mais tarde, o promotor perguntou:

— Chase Andrews estava usando uma jaqueta jeans na noite em que morreu, correto?

— Sim, correto.

— E segundo seu parecer oficial, Dr. Cone, o senhor encontrou fios de lã vermelha na jaqueta dele, correto? Fios que não eram de nenhuma peça de roupa que ele estava usando.

— Sim.

Eric ergueu um saco plástico transparente contendo pedacinhos de lã vermelha.

— Estes fios vermelhos foram encontrados na jaqueta de Chase Andrews?

— Sim.

Eric ergueu um saco maior de cima da sua mesa.

— E não é verdade que as fibras de lã vermelha encontradas na jaqueta de Chase corresponderam às deste gorro vermelho?

Ele entregou o saco à testemunha.

— Sim. Estas são as minhas amostras e houve uma correspondência exata entre os fios do gorro e os da jaqueta.

— Onde este gorro foi encontrado?

— O xerife encontrou o gorro na casa da Srta. Clark.

Não era uma informação de conhecimento geral, e murmúrios percorreram a plateia.

— Havia algum indício de que ela tivesse usado o gorro?

— Sim. Fios de cabelo da Srta. Clark foram encontrados no gorro.

Observar Justiça de Domingo na sala do tribunal levou Kya a pensar que sua família nunca tivera um bicho de estimação. Nem um cão nem um gato.

O mais próximo foi a fêmea de gambá — animal sedoso, gracioso e atrevido — que morava debaixo do barracão. Ma a chamava de Chanel.

Depois de algumas tentativas e erros, todos eles haviam se conhecido e Chanel tinha se tornado muito educada, usando seu armamento apenas quando as crianças ficavam agitadas demais. Ela ia e vinha, às vezes chegando a poucos metros de quem estivesse subindo ou descendo os degraus de tijolo e tábua.

Toda primavera, a fêmea de gambá acompanhava os filhotes em incursões às matas de carvalho e pelas valas. Eles corriam atrás dela, esbarrando e caindo uns por cima dos outros numa confusão de preto e branco.

Pa, é claro, vivia ameaçando se livrar da gambá, mas Jodie, demonstrando maturidade muito superior à do pai, falara de bate-pronto: "Outro vai acabar tomando o lugar dessa aí e acho que é melhor o gambá que você conhece do que o gambá que você não conhece."

Ela sorriu ao pensar em Jodie. Então se controlou.

— Pois bem, Dr. Cone, na noite em que Chase Andrews morreu, na noite em que ele caiu de costas por uma grade aberta, posição condizente com ter sido empurrado, fios na jaqueta dele provinham de um gorro vermelho encontrado na casa da Srta. Clark. E no gorro havia fios de cabelo da Srta. Clark.

— Sim.

— Obrigado, Dr. Cone. Sem mais perguntas.

Tom Milton olhou rapidamente para Kya, que fitava o céu. O recinto pendia fisicamente para o lado da acusação, como se o piso estivesse inclinado, e o fato de Kya estar ali sentada, rígida e alheia não ajudava; ela parecia esculpida em gelo. Ele afastou o cabelo branco da testa e se aproximou do legista:

— Bom dia, Dr. Cone.

— Bom dia.

— Dr. Cone, o senhor afirmou no seu depoimento que o ferimento na parte de trás da cabeça de Chase Andrews condizia com o fato de ele ter caído de costas pelo buraco aberto. É verdade que se ele tivesse dado um passo para trás sozinho e caído pelo buraco por acidente o resultado do impacto na parte de trás da cabeça teria sido exatamente o mesmo?

— Sim.

— Havia algum hematoma no peito ou nos braços dele condizente com o fato de ter sido empurrado ou arremessado?

— Não. Havia, obviamente, hematomas feios por todo o corpo devido à queda. Sobretudo na parte de trás do corpo e das pernas. Mas nenhum que pudesse ser identificado como decorrente de um empurrão ou arremesso.

— É verdade então que não existe absolutamente nenhum indício de que Chase Andrews tenha sido empurrado no buraco?

— Sim, é verdade. Não há indícios, que eu saiba, de Chase Andrews ter sido empurrado.

— Isso significa então, Dr. Cone, que o exame profissional do corpo de Chase Andrews não encontrou qualquer prova de que a morte dele tenha sido um assassinato e não um acidente?

— Correto.

Tom fez uma pausa para deixar o júri absorver a resposta, então retomou:

— Agora vamos falar sobre os fios vermelhos encontrados na jaqueta de Chase. Existe alguma maneira de determinar há quanto tempo os fios estavam na jaqueta?

— Não. Podemos dizer de onde vieram, mas não quando.

— Em outras palavras, os fios poderiam ter estado na jaqueta dele por um ano ou até mesmo por quatro anos?

— Correto.

— Mesmo que a jaqueta tenha sido lavada?

— Sim.

— Isso significa que não há provas concretas de que os fios ficaram presos na jaqueta na noite em que Chase morreu?

— Correto.

— Por outros depoimentos sabemos que a ré conheceu Chase Andrews quatro anos antes da morte dele. O senhor pode afirmar então que é possível que os fios tenham sido transferidos do gorro para a jaqueta em qualquer momento desses quatro anos, quando eles se encontraram usando essas peças de roupa?

— Pelo que eu vi, sim.

— Então os fios vermelhos não são uma prova de que a Srta. Clark esteve com Chase Andrews na noite em que ele morreu. Havia algum indício de que a Srta. Clark tenha estado perto de Chase Andrews naquela noite? Fragmentos da pele dela no corpo dele, por exemplo, sob as unhas, ou digitais nos botões ou fechos da jaqueta dele? Fios de cabelo dela nas roupas ou no corpo dele?

— Não.

— Então, na verdade, como os fios vermelhos poderiam ter estado na jaqueta dele por até quatro anos, não existe qualquer prova de que a Srta. Catherine Clark tenha estado perto de Chase Andrews na noite da morte dele?

— Segundo o meu exame, não existe.

— Obrigado. Sem mais perguntas.

O juiz Sims decretou uma pausa para o almoço.

Tom tocou de leve o cotovelo de Kya e sussurrou que tinha sido uma boa interrogação. Ela aquiesceu enquanto todos se levantavam e esticavam o corpo. Quase todos ficaram para ver Kya ser algemada e conduzida para fora do recinto.

Quando os passos de Jacob ecoaram pelo corredor após deixá-la na cela, Kya sentou-se pesadamente na cama. No começo da sua estadia na cadeia não a tinham deixado carregar a mochila para a cela, mas lhe permitiram levar parte do conteúdo dentro de um saco de papel pardo. Ela enfiou a mão no saco e pegou o pedaço de papel com o telefone e o endereço de Jodie. Desde que chegara ali, tinha olhado para aquele papel quase todos os dias e pensado em ligar para o irmão e pedir que ele fosse lhe fazer companhia. Sabia que ele iria, e Jacob tinha dito que ela podia usar o telefone. Mas não tinha ligado. Como poderia dizer: *Por favor, venha para cá, eu estou presa, acusada de assassinato.*

Com todo o cuidado, tornou a guardar o papel na sacola e pegou a bússola da Primeira Guerra Mundial que Tate lhe dera. Deixou a agulha se mover para o norte e a observou ficar imóvel. Segurou-a junto ao coração. Onde mais uma pessoa poderia precisar tanto de uma bússola do que naquele lugar?

Então sussurrou as palavras de Emily Dickinson:

O Coração varrido
E o Amor posto de lado
Que não vamos usar de novo
Até a Eternidade.

46.

Rei do Mundo

1969

O mar e o céu de setembro cintilavam azul-claros com um sol brando quando Kya se aproximou, com seu barquinho resfolegando, do cais de Pulinho para pegar o horário dos ônibus. A ideia de viajar de ônibus com desconhecidos até uma cidade estranha a deixava nervosa, mas ela queria conhecer Robert Foster, seu editor. Fazia mais de dois anos que os dois trocavam bilhetes breves — e também algumas cartas longas —, principalmente para discutir ajustes editoriais da prosa e das imagens dos seus livros, mas a correspondência, composta em sua maior parte por expressões de biologia misturadas a descrições poéticas, havia se tornado um vínculo forjado numa linguagem própria. Ela queria conhecer aquela pessoa do outro lado do papel que sabia como a luz comum se estilhaça em prismas microscópicos nas penas dos beija-flores para criar a iridescência do pescoço vermelho e dourado. E que sabia dizer isso em palavras tão vibrantes quanto cores.

Quando ela pisou no cais, Pulinho a cumprimentou e perguntou se ela precisava de gasolina.

— Não, obrigada, desta vez não. Preciso só anotar os horários dos ônibus. O senhor tem uma cópia, não tem?

— Tenho sim. Está ali pregada na parede, senhorita, do lado esquerdo da porta. Pode ir lá.

Quando ela saiu da loja com os horários, ele perguntou:

— Vai para algum lugar, Srta. Kya?

— Talvez. Meu editor me convidou para encontrar com ele em Greenville. Ainda não tenho certeza.

— Ora, ora, isso seria muito bom, né? Greenville é longe daqui para caramba, mas uma viagem ia fazer bem para a senhorita. — Enquanto Kya se virava para embarcar outra vez, Pulinho chegou mais perto e a examinou com mais atenção. — Srta. Kya, o que é que houve com seu olho? Com o seu rosto? Está parecendo que a senhorita apanhou, Srta. Kya.

Ela desviou o rosto depressa. O hematoma deixado pelo soco de Chase, quase um mês antes, havia desbotado até virar uma mancha tênue e amarela que ela pensara que ninguém fosse notar.

— Não, nada, eu só esbarrei numa porta no...

— Não me venha com historinha, Srta. Kya. Eu não sou bobo não. Quem que bateu na senhorita desse jeito?

Kya ficou em silêncio.

— Foi o Sr. Chase que fez isso, foi? A senhorita sabe que pode me contar, né? Na verdade, a gente nem vai sair daqui se a senhorita não me contar que que aconteceu.

— Sim, foi o Chase.

Kya mal conseguiu acreditar que as palavras tivessem saído da sua boca. Jamais pensara que teria alguém a quem contar essas coisas. Tornou a se virar para o outro lado, segurando o choro.

O rosto inteiro de Pulinho se franziu. Ele passou vários segundos sem dizer nada. Então perguntou:

— Que mais que ele fez?

— Nada, eu juro. Ele tentou, Pulinho, mas eu lutei e consegui escapar.

— Esse cara precisa levar uma boa de uma surra e ser expulso da cidade, senhorita.

— Por favor, Pulinho. Você não pode contar para ninguém. Sabe que não pode contar para o xerife nem para ninguém. Eles me arrastariam até o escritório do xerife e me fariam descrever o que aconteceu para um bando de homens. Eu não conseguiria passar por isso.

Kya enterrou o rosto nas mãos.

— Bom, Srta. Kya, mas alguma coisa tem que ser feita sim. Ele não pode fazer essas coisas e depois ficar passeando por aí naquela lancha dele metida à besta. O Rei do Mundo.

— Pulinho, você sabe como as coisas são. Vão ficar do lado dele. Vão dizer que eu estou só criando problemas. Tentando arrancar dinheiro dos pais dele ou algo assim. Pensa só no que iria acontecer se alguma das moças de Colored Town acusasse Chase Andrews de agressão e tentativa de estupro. Ninguém faria nada. Zero. — A voz de Kya foi ficando cada vez mais aguda. — Tudo terminaria numa baita encrenca para a moça. Matérias no jornal. Pessoas acusando ela de ser prostituta. Bom, para mim seria a mesma coisa, e o senhor sabe. Por favor, me prometa que não vai contar para ninguém.

Ela concluiu com um nó na garganta.

— A Srta. Kya está certa. Está sim. Não tem que se preocupar que eu vou fazer nada para piorar ainda mais essas coisas. Mas como pode saber que ele não vai atrás da senhorita outra vez? Com a senhorita sempre sozinha por lá?

— Eu sempre me protegi. Só bobeei dessa vez porque não ouvi chegando. Vou tomar cuidado, Pulinho. Se eu decidir ir a Greenville, quando voltar talvez eu fique um tempo no meu chalé de leitura. Acho que Chase não sabe da existência dele.

— Está bem então. Mas quero que a senhorita apareça aqui mais vezes e quero que diga para mim como as coisas estão. A senhorita sabe que pode sempre ficar com Mabel e comigo, sabe disso, né?

— Obrigada, Pulinho. Eu sei.

— Quando que vai para Greenville?

— Não sei direito. A carta do editor falava em fim de outubro. Ainda não providenciei nada, nem sequer aceitei o convite.

Ela sabia que só poderia aceitar se o hematoma desaparecesse por completo.

— Bom, não esquece de me avisar quando for viajar e quando for voltar. Ouviu bem? Preciso saber quando que a senhorita vai estar fora da cidade. Porque se eu não ver você por mais de um dia ou algo assim, eu vou lá na sua casa. E vou levar um monte de gente com arma se precisar.

— Eu aviso, sim. Obrigada, Pulinho.

47.

O especialista

1970

O promotor Eric Chastain havia começado a interrogar o xerife sobre os dois meninos que tinham encontrado o corpo de Chase Andrews ao pé da torre no dia 30 de outubro, sobre o exame do legista e os primeiros passos da investigação.

Eric continuou:

— Xerife, por favor nos diga o que o levou a acreditar que Chase Andrews não tinha caído da torre por acidente. O que o fez pensar que havia sido cometido um crime?

— Bem, uma das primeiras coisas que notei foi que não havia nenhuma pegada ao redor do corpo de Chase, nem mesmo as dele. Fora as deixadas pelos meninos que o encontraram. Assim concluí que alguém as havia apagado para acobertar um crime.

— É verdade também, xerife, que não havia impressões digitais nem marcas de veículo na cena do crime?

— Sim, está correto. Os pareceres do laboratório afirmaram que não havia nenhuma impressão digital nova na torre. Nem mesmo na grade que precisou ser aberta. O delegado e eu procuramos marcas de veículos, mas também não havia nenhuma. Tudo isso indicava que alguém tinha destruído os indícios de propósito.

— Então, quando o parecer do laboratório provou que os fios de lã vermelha do gorro da Srta. Clark foram encontradas nas roupas de Chase naquela noite, o senhor...

— Objeção, Meritíssimo — disse Tom. — Indução de testemunha. Além do mais, outro depoimento já estabeleceu que os fios vermelhos poderiam ter sido transferidos da peça da Srta. Clark para a do Sr. Andrews antes da noite de 29 para 30 de outubro.

— Deferida — bradou o juiz.

— Sem mais perguntas. A testemunha é da defesa.

Eric sabia que o depoimento do xerife seria bastante fraco para a acusação; não se pode fazer muita coisa sem arma do crime, sem digitais, pegadas ou marcas de pneu. Mesmo assim, ainda havia o suficiente para convencer o júri de que alguém tinha assassinado Chase e, considerando os fios vermelhos, de que esse alguém poderia ter sido a Srta. Clark.

Tom Milton foi até o banco das testemunhas.

— Xerife, o senhor ou outra pessoa pediu a um especialista que procurasse pegadas ou indícios de pegadas que foram apagadas?

— Não foi preciso. O especialista sou eu. Exame de pegadas fez parte do meu treinamento oficial. Não precisei de outro especialista.

— Entendo. Então havia indícios de que pegadas tinham sido apagadas do chão? Quero dizer, havia por exemplo marcas de algum arbusto ou galho usado para encobrir rastros? Ou lama que tenha sido colocada por cima de mais lama? Algum indício, alguma foto de um ato desses?

— Não. Estou aqui para afirmar, na condição de especialista, que não havia pegada alguma sob a torre com exceção das nossas e das dos meninos. Então alguém só pode ter apagado.

— Certo. Mas, xerife, é uma característica física do brejo que, com a subida e a descida das marés, a água subterrânea, até mesmo muito além da maré, também sobe e desce, secando determinados pontos por algum tempo, e então algumas horas depois a água torna a subir. Em muitos lugares, ao subir, a água encharca a área, apagando todas as marcas na lama, como pegadas, por exemplo. Tábula rasa. Não é assim?

— Bem, sim, pode ser. Mas não há indícios de que tenha acontecido algo assim.

— Eu tenho aqui os horários das marés na noite de 29 de outubro e na manhã de 30 de outubro, e veja, xerife Jackson, eles mostram que a maré baixa ocorreu por volta da meia-noite. Na hora em que Chase chegou à torre e foi até a escada, ele teria deixado pegadas na lama úmida. Então, quando a maré e a água subterrânea subiram, as pegadas foram apagadas. Foi esse o motivo pelo qual o senhor e os meninos deixaram pegadas fundas, e foi por esse mesmo motivo que as pegadas de Chase desapareceram. O senhor concorda que é possível?

Kya balançou a cabeça de leve, sua primeira reação a um depoimento desde o início do julgamento. Muitas vezes tinha visto as águas do brejo engolirem a história da véspera: marcas de cervo junto a um córrego ou pegadas de lince perto de um filhote morto, desaparecidas.

O xerife respondeu:

— Bem, nunca vi a maré apagar nada de modo tão completo assim, então não sei.

— Mas, xerife, como o senhor mesmo disse, é um especialista treinado no exame de pegadas. E agora diz que não sabe se algo tão corriqueiro ocorreu naquela noite ou não.

— Bem, não seria muito difícil provar uma coisa ou outra, não é? Basta ir até lá na maré baixa, deixar algumas pegadas e ver se apagam quando a maré sobe.

— Sim, não seria tão difícil assim determinar uma coisa ou outra, então por que isso não foi feito? Aqui estamos nós, no tribunal, e o senhor não tem prova nenhuma de que alguém tenha apagado pegadas para acobertar um crime. O mais provável é que Chase Andrews tenha deixado pegadas sob a torre, que foram apagadas pela água que cobriu o chão. E se algum amigo ou amiga o acompanhou para subir a torre por diversão, as pegadas deles também teriam sido apagadas. Nessas circunstâncias muito prováveis não existe sugestão alguma de crime. Não está correto, xerife?

Os olhos de Ed se viraram para a esquerda, depois para a direita, então para a esquerda e para a direita outra vez, como se a resposta estivesse nas paredes. Pessoas se remexeram nos bancos.

— Xerife? — repetiu Tom.

— Na minha opinião profissional, parece improvável que um ciclo normal de água cobrindo o solo tenha apagado de vez as pegadas a ponto de elas terem desaparecido. No entanto, como não houve sinal de acobertamento, a ausência de pegadas por si só não prova que houve crime. Mas...

— Obrigado. — Tom se virou para o júri e repetiu as palavras do xerife. — A ausência de pegadas não prova que houve crime. Então, xerife, prosseguindo, e a grade que foi deixada aberta no piso da torre? O senhor a examinou em busca das digitais da Srta. Clark?

— Sim, é claro que examinamos.

— E encontraram digitais da Srta. Clark na grade ou em qualquer outro lugar da torre?

— Não. Não, mas também não encontramos nenhuma outra digital, então...

O juiz se inclinou para a frente:

— Responda somente ao que é perguntado, Ed.

— E fios de cabelo? A Srta. Clark tem cabelo preto e comprido... Se ela houvesse subido até lá e tivesse se agitado na plataforma para abrir uma grade e coisa assim, eu imagino que haveria fios de cabelo dela por lá. Os senhores encontraram algum?

— Não.

A testa do xerife reluzia.

— O legista afirmou no seu depoimento que, após examinar o corpo de Chase, não houve indício algum de que a Srta. Clark tivesse chegado perto dele naquela noite. Ah, havia os tais fios, mas poderiam ter quatro anos. E agora o senhor está nos dizendo que não havia indício algum de que a Srta. Clark esteve na torre de incêndio naquele dia. É uma afirmação correta?

— Sim.

— Quer dizer que não temos indícios que provem que a Srta. Clark esteve na torre de incêndio na noite em que Chase Andrews sofreu a queda fatal. Correto?

— Foi o que eu disse.

— Então a resposta é sim.

— Sim, a resposta é sim.

— Xerife, não é verdade que aquelas grades lá no alto da torre já foram deixadas abertas muitas vezes por crianças que sobem lá para brincar?

— Sim, já foram deixadas abertas algumas vezes. Mas, como eu já disse, em geral isso acontecia com a grade que era preciso abrir para subir até lá, não com as outras.

— Mas não é verdade que a grade acima da escada e ocasionalmente as outras já foram deixadas abertas tantas vezes e eram consideradas tão perigosas que o seu escritório apresentou uma solicitação por escrito ao Serviço Florestal

Federal para resolver a situação? — Tom estendeu um documento para o xerife. — Esta não é a solicitação oficial ao Serviço Florestal feita em 18 de julho do ano passado?

O xerife examinou o papel.

— É, sim.

— Quem foi que redigiu essa solicitação?

— Eu mesmo.

— Então, apenas três meses antes de Chase Andrews sofrer uma queda fatal por uma grade aberta na torre, o senhor apresentou uma solicitação por escrito ao Serviço Florestal pedindo a eles para interditarem a torre ou então prenderem as grades para ninguém se machucar. Correto?

— Sim.

— Xerife, poderia, por favor, ler para este tribunal a última frase do documento que o senhor redigiu para o Serviço Florestal? Só esta última frase aqui.

Ele passou o papel para o xerife, apontando para a última linha.

O xerife leu em voz alta para o tribunal:

— "Repito: essas grades são muito perigosas, e, se providências não forem tomadas, ferimentos graves ou mesmo uma morte irão ocorrer."

— Sem mais perguntas.

48.

Uma viagem

1969

No dia 28 de outubro de 1969, Kya se aproximou do cais de Pulinho para se despedir, conforme prometido, então seguiu até o cais da cidade, onde pescadores de peixe e camarão, como sempre, pararam o que estavam fazendo para espiá-la. Ignorando-os, ela amarrou o barco e levou até a Main Street a mala de papelão desbotada que encontrou nos fundos do guarda-roupa velho de Ma. Não tinha bolsa de mão, mas carregava uma mochila cheia de livros, um pouco de presunto e pães de minuto além de uma pequena quantia em dinheiro, depois de ter enterrado a maior parte dos seus royalties numa lata perto da lagoa. Pela primeira vez na vida, parecia bastante normal, usando uma saia marrom da Sears, uma blusa branca e sapatilhas. Todos os comerciantes ocupados recebendo clientes ou varrendo a calçada a encararam.

Ela parou na esquina sob a placa *Ponto de ônibus* e esperou o veículo da Trailways encostar cantando os freios pneumáticos e escondendo a vista do mar. Ninguém saltou nem embarcou quando Kya deu um passo à frente e comprou com o motorista uma passagem para Greenville. Quando ela perguntou sobre as datas e os horários de volta, ele lhe entregou uma grade de horários impressa, então guardou a mala no bagageiro. Ela se agarrou com força à mochila e embarcou. E antes de ter tempo para pensar muito no assunto, o ônibus, que parecia tão comprido quanto a cidade, saiu de Barkley Cove.

Dois dias depois, às 13h16 da tarde, Kya saltou do ônibus da Trailways vindo de Greenville. Dessa vez havia ainda mais moradores nas ruas, encarando e cochichando enquanto ela jogava o cabelo comprido por cima do ombro e pegava a mala com o motorista. Ela atravessou a rua até o cais, subiu no seu barco e foi direto para casa. Queria parar e avisar Pulinho que tinha voltado, como prometera, mas outros barcos faziam fila no cais dele para comprar gasolina, por isso ela resolveu voltar no dia seguinte. Além do mais, assim encontraria logo as gaivotas.

Na manhã seguinte, portanto, dia 31 de outubro, ela encostou no cais de Pulinho, o chamou e ele saiu da lojinha.

— Oi, Pulinho, só para avisar que já cheguei. Voltei ontem.

Ele não disse nada ao avançar na sua direção. Assim que ela subiu no seu cais, falou:

— Srta. Kya, eu...

Ela inclinou a cabeça.

— O que foi? O que aconteceu?

Ele ficou olhando para ela.

— Srta. Kya, a senhorita está sabendo que que houve com o Sr. Chase?

— Não. O que aconteceu?

Ele balançou a cabeça.

— O Chase Andrews morreu. Morreu bem no meio da noite enquanto a senhorita estava lá em Greenville.

— O quê?

Kya e Pulinho se encararam no fundo dos olhos.

— Encontraram ele ontem de manhã debaixo da velha torre de incêndio com um... bom, disseram que o pescoço dele estava quebrado e a cabeça estava toda esmagada, senhorita. Estão achando que ele caiu lá de cima.

Os lábios de Kya continuaram entreabertos. Pulinho prosseguiu:

— A cidade está enlouquecida. Tem gente falando que foi acidente, mas dizem também que o xerife não tem tanta certeza assim. A mãe do Chase está maluca também, fica dizendo que foi crime... Uma confusão só.

— Por que acham que foi crime...? — perguntou Kya.

— Uma grade da torre ficou aberta e ele caiu, e estão achando isso suspeito. Tem gente dizendo que as grades ficam sempre abertas por causa dos garotos que vivem subindo lá para aprontar, e o Sr. Chase pode ter caído por acidente, né? Mas tem gente dizendo que foi assassinato. — Como Kya ficou calada, Pulinho continuou: — Um dos motivos é porque encontraram o corpo do Sr. Chase sem aquele colar de concha que ele usava todos os dias há um monte de anos, e a esposa dele disse que ele estava com o colar de noite quando saiu para jantar na casa dos pais. Disse que ele usava sempre.

Kya sentiu a boca seca ao ouvir sobre o colar.

— Os dois meninos que encontraram o Chase, então, eles ouviram o xerife dizer que não tinha pegada nenhuma lá não. Nenhumazinha. Como se alguém tivesse apagado tudo. Os meninos espalharam a notícia pela cidade inteira.

Pulinho lhe falou quando seria o funeral, mas sabia que Kya não iria. Que espetáculo seria para os futriqueiros e grupos de estudos da Bíblia. Com certeza as suposições e fofocas iriam incluí-la. *Graças ao Senhor ela estava em Greenville quando ele morreu, senão iam colocar a culpa na Srta. Kya*, pensou Pulinho.

Kya balançou a cabeça para Pulinho e voltou resfolegando para casa. Parou na margem de lama da lagoa e sussurrou um dos poemas de Amanda Hamilton:

Jamais subestime
O coração,
Capaz de atos que a mente
Não consegue conceber.
Além de sentir, o coração ordena.
De que outro modo explicar
O caminho que segui,
E você ter ido pela trilha
Mais longa desta travessia?

49.

Disfarces

1970

Declarando se chamar Larry Price, um homem de cabelo branco e encaracolado cortado curto, usando um terno azul cujo tecido barato reluzia e afirmando conduzir o ônibus da Trailways em diversas rotas por aquela região da Carolina do Norte, a testemunha seguinte prestou juramento. Quando Eric o interrogou, o Sr. Price confirmou que era possível ir de ônibus de Greenville até Barkley Cove e voltar na mesma noite. Afirmou também que estava dirigindo o ônibus de Greenville com destino a Barkley Cove na noite em que Chase morreu, e nenhum dos passageiros se parecia com a Srta. Clark.

Eric falou:

— Sr. Price, durante a investigação o senhor disse ao xerife que havia um passageiro magro no ônibus que poderia ter sido uma mulher alta disfarçada de homem. Procede? Descreva esse passageiro, por favor.

— Sim, é isso mesmo. Um rapaz branco. Acho que tinha quase um metro e oitenta, a calça estava folgada feito lençóis pendurados no varal. Ele usava uma boina grande e volumosa azul. Manteve a cabeça baixa, sem olhar para ninguém.

— E agora que o senhor viu a Srta. Clark, acredita que seja possível que o homem magro do ônibus fosse a Srta. Clark disfarçada? O cabelo comprido dela poderia estar escondido debaixo da boina volumosa?

— Acredito que sim.

Eric pediu ao juiz para mandar Kya se levantar e ela o fez ladeada por Tom Milton.

— Pode se sentar, Srta. Clark — falou Eric, então tornou a se dirigir à testemunha: — O senhor diria que o rapaz no ônibus tinha a mesma altura e porte físico da Srta. Clark?

— Eu diria que quase exatamente igual — respondeu o Sr. Price.

— Então, resumindo, o senhor diria que é provável que o homem magro a bordo do ônibus das 23h50 de Greenville para Barkley Cove na noite de 29 de outubro do ano passado seja na realidade a ré, Srta. Clark?

— Sim, eu diria que é bem possível.

— Obrigado, Sr. Price. Sem mais perguntas. A testemunha é da defesa.

Tom parou diante do banco das testemunhas e, após um interrogatório de cinco minutos, resumiu o depoimento do Sr. Price:

— Então o senhor nos disse o seguinte: primeiro, não havia nenhuma mulher parecida com a ré no ônibus de Greenville para Barkley Cove na noite de 29 de outubro de 1969; segundo, havia um homem alto e magro, mas, na ocasião, mesmo o senhor tendo visto o rosto dele de muito perto, não pensou que fosse uma mulher disfarçada; terceiro, essa ideia de disfarce só lhe ocorreu quando o xerife lhe sugeriu. — Tom continuou antes de a testemunha poder reagir: — Sr. Price, diga como tem certeza de que o homem magro estava a bordo do ônibus das 23h50 no dia 29 de outubro? Fez alguma anotação, escreveu isso em algum lugar? Pode ter sido na noite anterior ou na seguinte. Tem cem por cento de certeza de que foi no dia 29 de outubro?

— Bem, entendo aonde o senhor quer chegar. Quando o xerife estava puxando pela minha memória tive a impressão de que esse tal homem estava naquele ônibus, mas agora acho que não tenho cem por cento de certeza.

— Além disso, Sr. Price, o ônibus estava muito atrasado naquela noite, certo? Na realidade, vinte e cinco minutos atrasado, e só chegou a Barkley Cove à 1h40 da manhã. Correto?

— Sim. — O Sr. Price olhou para Eric. — Só estou tentando ajudar, fazer a coisa certa.

Tom o tranquilizou.

— O senhor foi de grande ajuda, Sr. Price. Muito obrigado. Sem mais perguntas.

Eric chamou a testemunha seguinte, o motorista do ônibus das 2h30 da manhã de Barkley Cove para Greenville na manhã do dia 30 de outubro, um homem chamado John King. Ele afirmou que a ré, a Srta. Clark, não estava no ônibus, mas que havia uma senhora mais velha...

— ...alta como a Srta. Clark, de cabelo grisalho curto e encaracolado, como num permanente.

— Olhando para a ré, Sr. King, seria possível que, caso a Srta. Clark tivesse se disfarçado como uma senhora de idade, ela houvesse ficado parecida com a mulher no ônibus?

— Bem, é difícil de imaginar, mas pode ser.

— Então é possível?

— É, acho que sim.

Na sua interrogação, Tom disse:

— Não podemos aceitar a palavra *acho* num julgamento por assassinato. O senhor viu a ré Srta. Clark no ônibus das 2h30 de Barkley Cove para Greenville na madrugada do dia 30 de outubro de 1969?

— Não, não vi.

— E algum outro ônibus foi de Barkley Cove para Greenville naquela noite?

— Não.

50.

O diário

1970

Quando foi conduzida até a sala do tribunal no dia seguinte, Kya olhou na direção de Tate, Pulinho e Mabel e ficou sem ar ao ver um uniforme completo e um sorrisinho num rosto marcado por uma cicatriz. Jodie. Balançou de leve a cabeça, perguntando-se como ele descobriu sobre o julgamento. Provavelmente pelo jornal de Atlanta. Baixou a cabeça, envergonhada.

Eric se levantou.

— Meritíssimo, se for do agrado desta corte, a promotoria gostaria de chamar a Sra. Sam Andrews.

O recinto inteiro expirou quando Patti Love, a mãe enlutada, se encaminhou até o banco das testemunhas. Ao observar a mulher que um dia quisera ter como sogra, Kya se deu conta do absurdo da ideia. Mesmo naquele ambiente sóbrio, Patti Love, usando a seda preta mais luxuosa, parecia muito ciosa da própria aparência e importância. Sentou-se com as costas eretas, a bolsa lustrosa no colo e o cabelo escuro preso num coque perfeito sob um chapéu inclinado no ângulo exato, com um véu preto extravagante escondendo os olhos. Ela jamais teria aceitado uma moradora descalça do brejo como nora.

— Sra. Andrews, sei que é difícil para a senhora, portanto vou ser o mais breve possível. É verdade que seu filho Chase costumava usar um colar de couro com uma concha pendurada?

— Sim, é verdade.

— Quando e com que frequência ele usava esse colar?

— O tempo todo. Ele nunca tirava. Durante quatro anos eu não o vi sem esse colar.

Eric entregou um diário de couro à Sra. Andrews.

— Pode identificar este livro para o tribunal?

Kya fixou os olhos no chão e mordeu os lábios, furiosa com aquela invasão de privacidade, enquanto o promotor erguia seu diário para o tribunal inteiro ver. Ela o fizera para Chase, pouco depois de eles se conhecerem. Durante a maior parte da vida, fora-lhe negado o prazer de dar presentes, uma privação que poucas pessoas compreendiam. Após passar dias e noites fazendo o diário, ela o havia embrulhado em papel pardo e decorado com samambaias verdes vistosas e penas brancas de gansos-da-neve. Entregara-o quando Chase saltara da lancha na margem da lagoa.

"O que é isso?"

"Só um presente meu", dissera ela, sorrindo.

Eram imagens do tempo que eles haviam passado juntos. A primeira era um desenho a tinta dos dois sentados encostados no tronco da praia, com Chase tocando gaita. Os nomes em latim do arroz-de-costa e das conchas espalhadas pelo chão estavam escritos em letra de forma na caligrafia de Kya. Arabescos de aquarela revelavam a lancha dele boiando ao luar. A imagem seguinte era um desenho abstrato de botos curiosos nadando em volta da lancha com as palavras "Michael, reme até a margem" flutuando em meio às nuvens. Outra a mostrava rodopiando entre gaivotas prateadas numa praia prateada.

Chase tinha virado as páginas, maravilhado. Passara de leve os dedos por cima de alguns dos desenhos, rira de outros, mas quase sempre calado, balançando a cabeça.

"Eu nunca tive nada igual a isso." Inclinando-se para abraçá-la, ele havia completado: "Obrigado, Kya." Os dois tinham passado um tempo sentados na areia, enrolados em cobertores, conversando, de mãos dadas.

Kya se lembrava de como o prazer de presentear tinha feito disparar seu coração, sem nunca imaginar que outra pessoa fosse ver o diário. Com certeza não como prova no seu julgamento por assassinato.

Não olhou para Patti Love quando ela respondeu à pergunta de Eric:

— É uma coletânea de imagens que a Srta. Clark fez para Chase. Ela deu de presente para ele.

Patti Love se lembrava de ter achado o diário debaixo de uma pilha de discos enquanto limpava o quarto do filho. Aparentemente escondido para ela não encontrar. Havia se sentado na cama de Chase e aberto a capa grossa. E ali, desenhado com tinta, em detalhes, estava seu filho deitado com aquela garota no tronco encalhado na praia. A Menina do Brejo. Seu Chase com lixo. Ela mal conseguiu respirar. *E se alguém descobrir?* Primeiro com frio, depois suando, sentiu o corpo se descontrolar.

— Sra. Andrews, poderia, por favor, explicar o que vê nesse desenho feito pela ré, a Srta. Clark?

— É um desenho de Chase e da Srta. Clark no alto da torre de incêndio.

Um murmúrio percorreu o recinto.

— O que mais está acontecendo no desenho?

— Aqui... entre as mãos dos dois, ela está dando o colar de concha para ele.

E ele nunca mais o tirou, pensou Patti Love. *Eu achava que ele me contava tudo, pensava ter um vínculo com meu filho maior do que o das outras mães; era isso que eu pensava. Mas eu não sabia de nada.*

— Então, porque ele lhe contou e por causa deste diário, a senhora sabia que seu filho estava saindo com a Srta. Clark, e sabia que ela lhe dera o colar?

— Sim.

— Quando Chase foi jantar na sua casa na noite de 29 de outubro, ele estava usando o colar?

— Sim, ele só saiu da nossa casa depois das onze e estava com o colar.

— E quando a senhora foi à clínica no dia seguinte reconhecer o corpo de Chase, ele estava usando o colar?

— Não, não estava.

— A senhora sabe de algum motivo pelo qual algum dos amigos dele, ou qualquer outra pessoa, exceto a Srta. Clark, quisesse tirar o colar de Chase?

— Não.

— Objeção, Meritíssimo — interveio Tom rapidamente do seu lugar. — Boatos. Pergunta induz à especulação. Ela não pode responder por outras pessoas.

— Deferida. Jurados, queiram desconsiderar a última pergunta e resposta. — Então, abaixando a cabeça feito um ganso para o promotor, o juiz arrematou: — Cuidado com o que diz, Eric. Por favor! Você sabe que isso não é permitido.

Sem se deixar abalar, Eric retomou:

— Está bem, nós sabemos pelos desenhos que a ré, Srta. Clark, subiu na torre de incêndio com Chase pelo menos uma vez, e sabemos que ela lhe deu de presente o colar de concha. Depois disso, ele o usou sem parar até a noite em que morreu. Quando o colar sumiu. Isso tudo está correto?

— Sim.

— Obrigado. Sem mais perguntas. A testemunha é da defesa.

— Não tenho perguntas — disse Tom.

51.

Lua minguante

1970

A linguagem do tribunal não era tão poética quanto a linguagem do brejo, claro. Apesar disso, Kya via semelhanças na essência de ambas. O juiz, obviamente o macho alfa, estava seguro na sua posição, de modo que tinha uma postura imponente, mas relaxada e nada ameaçadora, como líder do território. Tom Milton também irradiava segurança e status com seus movimentos fluidos e postura tranquila. Um macho poderoso reconhecido como tal. O promotor, por sua vez, contava com gravatas grandes de cores berrantes e paletós de ombros largos para aumentar seu status. Tentava intimidar os outros agitando os braços ou erguendo a voz. Um macho de menor importância precisa gritar para chamar atenção. O oficial de justiça representava o macho menos importante de todos, e para aumentar seu status dependia do cinto no qual estavam pendurados a pistola reluzente, um molho de chaves chacoalhante e um rádio escandaloso. *As hierarquias de dominação reforçam a estabilidade nas populações naturais e em algumas nem tão naturais assim*, pensou Kya.

O promotor, usando uma gravata vermelha, avançou com passos altivos até a frente do recinto e chamou a testemunha seguinte, Hal Miller, um rapaz magro feito um varapau com vinte e oito anos e um tufo desgrenhado de cabelo castanho.

— Sr. Miller, por favor, diga-nos onde estava e o que viu na noite de 29 para 30 de outubro de 1969, por volta da 1h45 da manhã.

— Eu e Allen Hunt fazíamos parte da tripulação do barco de pescar camarão de Tim O'Neal. A gente estava voltando tarde para o porto de Barkley Cove, e então a gente viu a Srta. Clark no seu barco a mais ou menos um quilômetro e meio da costa, a leste da baía, indo na direção norte-noroeste.

— E para onde essa direção a conduziria?

— Justamente para aquela enseada perto da torre de incêndio.

O juiz Sims teve de bater o martelo por causa do alvoroço, que durou um minuto inteiro.

— Ela não poderia estar indo para algum outro lugar?

— Bem, acho que sim, mas não tem nada naquela direção a não ser quilômetros e mais quilômetros de mata alagada. Não conheço nenhum outro destino a não ser a torre de incêndio.

Leques que as senhoras usavam em enterros bombearam no tribunal agitado e cada vez mais quente. Justiça de Domingo, adormecido no peitoril da janela, pulou no chão e foi até Kya. Pela primeira vez no tribunal, esfregou-se na perna dela, então subiu no seu colo e se acomodou. Eric parou de falar e olhou para o juiz, talvez cogitando uma objeção àquela demonstração patente de parcialidade, mas não parecia haver nenhum precedente legal.

— Como pode ter certeza de que era a Srta. Clark?

— Ah, a gente conhece o barco. Ela anda sozinha nesse barco por aí tem anos.

— O barco dela tinha alguma luz?

— Não, nenhuma. Poderíamos ter passado por cima dela se a gente não tivesse visto.

— Mas não é contra a lei navegar à noite sem iluminação?

— É, ela deveria estar com alguma luz acesa. Mas não estava.

— Quer dizer que na noite em que Chase Andrews morreu na torre de incêndio a Srta. Clark estava indo de barco exatamente nessa direção minutos antes do horário da morte dele. Correto?

— Sim, foi o que a gente viu.

Eric se sentou.

Tom foi na direção da testemunha.

— Bom dia, Sr. Miller.

— Bom dia.

— Sr. Miller, há quanto tempo trabalha como tripulante no barco de pescar camarão de Tim O'Neal?

— Vai fazer três anos.

— E diga-me, por favor, a que horas a lua nasceu na noite de 29 para 30 de outubro?

— Estava minguante e só nasceu depois que a gente atracou em Barkley. Em algum momento depois das duas da manhã, eu acho.

— Entendi. Quer dizer que quando o senhor viu um barco pequeno perto de Barkley Cove naquela noite não havia lua. Devia estar muito escuro.

— Sim. Estava escuro. Havia alguma luz das estrelas, mas, sim, estava bem escuro.

— Poderia, por favor, dizer ao tribunal que roupa a Srta. Clark estava usando ao passar por vocês no barco dela naquela noite?

— Bom, a gente não estava perto o suficiente para ver que roupa ela estava usando.

— Ah, é? Não estavam perto o suficiente para ver a roupa dela. — Tom olhou para o júri ao dizer isso. — Bom, a que distância vocês estavam?

— Acho que a uns bons cinquenta metros, no mínimo.

— Cinquenta metros. — Tom tornou a olhar para o júri. — É uma distância e tanto para identificar um barco pequeno na escuridão. Diga-me, Sr. Miller, que características, que detalhes daquela pessoa no barco o fizeram ter tanta certeza de que era a Srta. Clark?

— Bom, como eu falei, quase todo mundo nesta cidade conhece o barco dela, reconhece seu aspecto de perto e de longe. Conhecemos o formato da embarcação e a silhueta que a Srta. Clark forma na popa, magra e alta. Um formato bem específico.

— Um formato específico. Ou seja, qualquer pessoa com esse mesmo formato, qualquer pessoa alta e magra nesse tipo de embarcação teria se parecido com a Srta. Clark. Correto?

— Acho que outra pessoa poderia se parecer com ela, mas como a gente vive o tempo todo no mar a gente passou a conhecer muito bem os barcos e seus donos, sabe?

— Mas, Sr. Miller, permita-me lembrar que isto é um julgamento de homicídio. Nada pode ser mais sério do que isto aqui e nesses casos nós precisamos ter certeza. Não podemos nos guiar por silhuetas ou formas vistas a cinquenta metros de distância no escuro. Sendo assim, por favor, o senhor poderia dizer ao tribunal que tem certeza de que a pessoa que viu na madrugada do dia 29 para o dia 30 de outubro de 1969 era a Srta. Clark?

— Bem, não, eu não tenho como ter certeza absoluta. Nunca disse que tinha certeza absoluta de que era ela. Mas eu tenho quase...

— É só isso, Sr. Miller. Obrigado.

— Eric, deseja reinterrogar a testemunha?

De onde estava sentado, Eric indagou:

— Hal, você declarou no seu depoimento que tem visto e reconhecido a Srta. Clark na sua embarcação há pelo menos três anos. Diga-me, alguma vez pensou ter visto a Srta. Clark no seu barco de longe e depois, ao chegar mais perto, descobriu que no final das contas não era ela? Isso já aconteceu?

— Não, nunca.

— Nenhuma vez em três anos?

— Nenhuma vez em três anos.

— A promotoria não tem mais nada a dizer, Meritíssimo.

52.

Hotel Three Mountains

1970

O juiz Sims entrou na sala do tribunal e acenou com a cabeça para a mesa da defesa.

— Dr. Milton, está pronto para convocar a primeira testemunha da defesa?

— Estou, sim, Meritíssimo.

— Pode prosseguir.

Após a testemunha prestar juramento e se sentar, Tom falou:

— Queira, por favor, declarar seu nome e a sua ocupação em Barkley Cove.

Kya ergueu a cabeça o suficiente para ver a mulher de idade avançada, baixinha, com o cabelo branco-arroxeado moldado por um permanente rígido, que anos antes tinha lhe perguntado por que ela sempre ia fazer compras sozinha. Talvez ela estivesse mais baixa, e seu cabelo, mais frisado, mas era impressionante como a aparência era a mesma. A Sra. Singletary parecera enxerida e mandona, mas tinha dado de presente de Natal para Kya a meia arrastão com o apito azul no inverno depois que Ma foi embora. Fora o único Natal que Kya tivera.

— Meu nome é Sarah Singletary e eu sou vendedora no armazém Piggly Wiggly em Barkley Cove.

— Sarah, é verdade que, da caixa registradora dentro do Piggly Wiggly, a senhora consegue ver o ponto de ônibus?

— Sim, consigo ver muito bem.

— No dia 28 de outubro do ano passado, a senhora viu a ré Srta. Catherine Clark esperando no ponto de ônibus às duas e meia da tarde?

— Sim, vi a Srta. Clark em pé no ponto.

Ao dizer isso, Sarah olhou para Kya e recordou a menininha que passara tantos anos indo descalça ao mercado. Ninguém nunca ficara sabendo, mas, antes de Kya saber contar, Sarah lhe dava troco a mais, e depois tirava do próprio bolso para acertar o caixa. Kya no começo lidava com somas pequenas, claro, portanto Sarah contribuíra apenas com moedas de cinco e dez centavos, mas isso certamente havia ajudado.

— Quanto tempo ela ficou esperando? E a senhora chegou a vê-la embarcar no ônibus das duas e meia?

— Ela esperou uns dez minutos, eu acho. Todos a viram comprando a passagem com o motorista, entregando a mala a ele e subindo no ônibus. O ônibus partiu e com toda certeza ela estava a bordo.

— E acredito que a senhora também a viu retornar dois dias depois, 30 de outubro, no ônibus das 13h16. Correto?

— Sim. Dois dias depois, um pouquinho depois das 13h15, olhei para cima bem na hora em que o ônibus estava parando e vi a Srta. Clark saltar. Mostrei para as outras vendedoras do mercado.

— E depois, o que ela fez?

— Foi até o cais, subiu no barco e partiu rumo ao sul.

— Obrigado, Sarah. É só isso.

— Alguma pergunta, Eric? — indagou o juiz Sims.

— Não, Meritíssimo, não tenho nenhuma pergunta. Na verdade, estou vendo pela lista de testemunhas que a defesa pretende convocar vários moradores da cidade para testemunharem que a Srta. Clark embarcou e desembarcou do ônibus da Trailways nas datas e horários mencionados pela Sra. Singletary. A promotoria não refuta esse depoimento. Na verdade, faz parte do caso por nós apresentado a informação de que a Srta. Clark viajou nesses ônibus nesses horários e, se for do agrado deste tribunal, não há necessidade de ouvir outras testemunhas sobre essa questão.

— Certo. Sra. Singletary, está dispensada. E o senhor, Dr. Milton? Se a promotoria aceita o fato de que a Srta. Clark embarcou no ônibus das duas e meia no dia 28 de outubro de 1969 e retornou por volta da 13h16 no dia 30 de outubro de 1969, o senhor precisa convocar outras testemunhas para declarar isso?

— Não, Meritíssimo.

Apesar do semblante calmo, por dentro Tom estava xingando. O álibi de Kya estar fora da cidade na hora da morte de Chase era um dos pontos mais fortes da defesa. Mas Eric o havia diluído de modo eficaz ao simplesmente aceitar o fato e afirmar que não precisava ouvir os testemunhos sobre Kya ter ido e voltado de Greenville durante o dia. Isso não importava para a versão da acusação, pois eles alegavam que Kya tinha retornado a Barkley Cove durante a noite e cometido o assassinato. Tom havia previsto esse risco, mas julgara crucial que o júri escutasse os depoimentos, que visualizasse Kya saindo da cidade à luz do dia e só voltando após o incidente. Agora eles iriam pensar que o álibi dela não era sequer importante o suficiente para ser confirmado.

— Anotado. Queira prosseguir com sua próxima testemunha.

Calvo, baixo e gordo, com o casaco apertado abotoado sobre a barriga redonda, o Sr. Lang Furlough declarou ser dono e administrador do Hotel Three Mountains, em Greenville, e que a Srta. Clark havia se hospedado lá do dia 28 até 30 de outubro de 1969.

Kya detestou escutar aquele homem de cabelo sebento que jamais pensara rever, e ali estava ele, falando a seu respeito como se ela não estivesse presente. Explicou que ele havia mostrado o quarto de hotel a ela, mas omitiu o fato de ter se demorado além da conta. Ficara inventando motivos para permanecer no quarto até ela abrir a porta, dando uma indireta para ele sair. Quando Tom perguntou como ele podia ter certeza dos horários em que ela chegara e saíra do hotel, ele deu uma risadinha e disse que ela era o tipo de mulher em que os homens reparam. Acrescentou dizendo que ela era muito estranha, não sabia usar o telefone, chegara da rodoviária carregando uma mala de papelão e trouxera o próprio jantar.

— Sr. Furlough, na noite seguinte, ou seja, 29 de outubro de 1969, a noite em que Chase Andrews morreu, o senhor passou a noite inteira trabalhando na recepção. Correto?

— Sim.

— Após a Srta. Clark voltar para o quarto às dez da noite, depois de ter jantado com seu editor, o senhor a viu sair novamente? Em algum momento da noite de 29 de outubro ou início da manhã de 30 de outubro o senhor a viu sair ou voltar para o quarto?

— Não. Fiquei lá a noite inteira e não a vi sair do quarto. Como falei, o quarto dela ficava bem em frente ao balcão da recepção, portanto eu a teria visto sair.

— Obrigado, Sr. Furlough, é só isso. A testemunha é da promotoria.

Após vários minutos de interrogatório, Eric seguiu falando:

— Certo, Sr. Furlough, estabelecemos até agora que o senhor saiu duas vezes da área da recepção para ir até seu quarto, usar o toalete e voltar; que o rapaz da pizza foi fazer uma entrega; que o senhor o pagou *et cetera*; que quatro hóspedes fizeram o check-in e dois fizeram o check-out; e no meio disso tudo o senhor atualizou seu talão de recibos. De modo que eu diria, Sr. Furlough, que durante toda essa atividade houve muitos momentos em que a Srta. Clark poderia ter saído discretamente do quarto, atravessado depressa a rua sem que o senhor visse. Não é totalmente possível uma coisa dessas?

— Bem, suponho que seja possível. Mas eu não vi nada. Não a vi sair do quarto naquela noite, é isso que estou dizendo.

— Entendo, Sr. Furlough. E o que estou dizendo é que é muito possível a Srta. Clark ter saído do quarto, andado até a rodoviária, pegado um ônibus para Barkley Cove, assassinado Chase Andrews e voltado para o quarto, e o senhor não a viu porque estava muito ocupado fazendo o seu trabalho. Sem mais perguntas.

Após o intervalo de almoço, quando todos estavam acomodados e o juiz sentado na sua tribuna, Scupper entrou no tribunal. Tate se virou e observou o pai, ainda de macacão e calçando as galochas amarelas de pescador, descendo o corredor. Scupper revelou que não havia comparecido ao julgamento por causa do trabalho, mas sobretudo porque o longo vínculo do filho com a Srta. Clark o intrigava. Tate não parecia ter sentido nada por nenhuma outra moça, e mesmo agora, adulto e com uma profissão, continuava amando aquela mulher estranha e misteriosa. Uma mulher agora acusada de assassinato.

Então, ao meio-dia, em pé em seu barco, com as redes caídas ao redor das botas, Scupper exalou fundo. Sentira o rosto arder de vergonha ao se dar conta de que ele — como alguns dos moradores ignorantes da cidade — fora preconceituoso com Kya pelo fato de ela ter crescido no brejo. Lembrou-se de Tate mostrando com orgulho o primeiro livro dela sobre conchas, e como ele se espantara com seus dotes científicos e artísticos. Chegara a comprar um exemplar de cada um dos livros dela, mas não comentara nada com Tate. Que bobagem.

Sentia muito orgulho do filho, de como ele sempre soubera o que queria e como alcançar esse objetivo. Bem, Kya havia feito a mesma coisa superando obstáculos bem maiores.

Como ele podia não estar lá com Tate? Nada importava a não ser apoiar o filho. Ele largou as redes a seus pés, deixou o barco se balançando junto ao cais e seguiu direto para o tribunal.

Quando chegou à primeira fila, Jodie, Pulinho e Mabel se levantaram para deixá-lo passar se espremendo e se sentar ao lado de Tate. Pai e filho se cumprimentaram com a cabeça e Tate ficou com os olhos marejados.

Tom Milton aguardou Scupper se sentar e fazer silêncio absoluto no tribunal, então disse:

— Meritíssimo, a defesa convoca Robert Foster.

Usando paletó de tweed, gravata e calça bege, o Sr. Foster era esbelto, de estatura mediana, tinha barba bem aparada e olhar bondoso. Tom perguntou seu nome e ocupação.

— Meu nome é Robert Foster e sou editor sênior na editora Harrison Morris, em Boston, Massachusetts.

Com a mão na testa, Kya encarava o chão. Seu editor era a única pessoa que ela conhecia que não pensava nela como a Menina do Brejo, que a tinha respeitado e chegado até a se assustar com seu conhecimento e talento. E agora ele estava no tribunal vendo-a no banco dos réus acusada de assassinato.

— O senhor é o editor dos livros da Srta. Catherine Clark?

— Sim, sou. Ela é uma naturalista, artista e escritora de grande talento. Uma das nossas autoras preferidas.

— Pode confirmar que viajou até Greenville, Carolina do Norte, no dia 28 de outubro de 1969, e se reuniu com a Srta. Clark tanto no dia 29 quanto no dia 30?

— Essa informação está correta. Eu estava participando de um pequeno congresso lá e sabia que teria um tempo livre enquanto estivesse na cidade, mas não o suficiente para ir até a casa dela, então convidei a Srta. Clark para ir a Greenville para nos encontrarmos.

— Pode nos dizer o horário exato em que a levou de volta de carro até o hotel no qual ela estava hospedada na noite de 29 de outubro do ano passado?

— Depois das nossas reuniões, jantamos no hotel e em seguida levei Kya de carro de volta até seu hotel às 21h55.

Kya se lembrava de ter ficado parada na soleira da porta do salão de jantar repleto de mesas iluminadas por velas e encimadas por lustres que irradiavam uma luz suave. Clientes vestidos com elegância conversavam em voz baixa, enquanto ela vestia uma saia e blusa simples. Ela e Robert comeram truta da Carolina do Norte com crosta de amêndoas, arroz selvagem, creme de espinafre e brioches. Kya se sentiu à vontade enquanto ele conduzia a conversa de modo gracioso e descontraído, atendo-se a temas relacionados à natureza, o que ela conhecia bem.

Ao se lembrar disso naquele momento, ficou pasma com o fato de ter levado aquele jantar adiante. Mas na verdade o restaurante, apesar de todo o brilho, não tinha a grandiosidade do seu piquenique preferido. Quando tinha quinze anos, Tate aparecera de barco no seu barracão certo dia bem cedo e, depois de ele pôr um cobertor em volta dos seus ombros, os dois haviam seguido pelo brejo por um labirinto de cursos d'água até uma floresta que ela nunca vira. Caminharam um quilômetro e meio até uma campina alagada onde um mato recente despontava da lama, e ali ele havia esticado o cobertor debaixo de samambaias grandes como guarda-chuvas.

"Agora a gente espera", tinha dito ele, servindo-lhe chá quente de uma garrafa térmica e lhe oferecendo "bolinhas de guaxinim", salgado assado que consistia numa mistura de massa de pão, salsicha e um queijo cheddar forte que ele havia preparado especialmente para aquela ocasião. Mesmo ali, naquele tribunal frio, ela recordava o calor dos ombros dele encostados nos seus sob a coberta enquanto eles comiam e bebiam as iguarias daquele piquenique de café da manhã.

Não tiveram de esperar muito tempo. Instantes depois, uma algazarra estrondosa como o rugido de canhões veio do norte.

"Lá vêm eles", tinha dito Tate.

Uma nuvem negra e fina despontou no horizonte e foi subindo pelo céu conforme avançava na direção deles. Os gritos agudos aumentaram de intensidade e volume até a nuvem preencher rapidamente o céu, sem deixar nenhum pontinho azul. Centenas de milhares de gansos-da-neve batendo as asas, grasnando e planando cobriram o mundo. Massas rodopiantes se viraram e tombaram para pousar. Talvez meio milhão de asas brancas se agitaram em uníssono ao mesmo tempo que patas entre tons de rosa e laranja penderam e uma chuva de aves pousou. Um verdadeiro tapete branco que fez tudo desaparecer na terra, perto e longe. Um de cada vez, depois dez de cada vez, então centenas de gansos-da-neve aterrissaram a poucos metros de onde Kya e Tate estavam sentados sob as samambaias. O céu se esvaziou conforme a campina alagada ia sendo preenchida até se cobrir de plumas brancas.

Nenhum salão de jantar elegante se comparava àquilo, e os bolinhos de guaxinim tinham mais sabor e exuberância do que a truta com crosta de amêndoas.

— O senhor viu a Srta. Clark entrar no quarto?

— Claro. Abri a porta para ela e me certifiquei de que havia entrado direitinho antes de ir embora.

— Encontrou a Srta. Clark no dia seguinte?

— Nós tínhamos combinado de nos encontrar para o café da manhã, então fui buscá-la às sete e meia. Comemos naquele lugar de panquecas chamado Stack'Em High. Levei-a de volta para o hotel às nove. E foi a última vez que a vi desde então.

Ele olhou para Kya, mas ela baixou os olhos para a mesa.

— Obrigado, Sr. Foster. Sem mais perguntas.

Eric se levantou e disse:

— Sr. Foster, fiquei pensando: por que se hospedou no Hotel Piedmont, que é o melhor da região, enquanto a sua editora pagou para a Srta. Clark ficar no Three Mountains, um hotel de beira de estrada bem básico, sendo que ela é uma autora tão talentosa e uma das preferidas da editora, como o senhor mesmo disse?

— Bem, naturalmente nós oferecemos, inclusive recomendamos, que a Srta. Clark se hospedasse no Piedmont, mas ela insistiu para ficar no outro hotel.

— É mesmo? Ela sabia o nome do hotel? Solicitou especificamente para ficar hospedada no Three Mountains?

— Sim, ela mandou um recado dizendo que preferia ficar no Three Mountains.

— Ela disse por quê?

— Não, eu não sei por quê.

— Bem, eu imagino. Eis aqui um mapa turístico de Greenville. — Eric se aproximou do banco das testemunhas acenando com o mapa. — O senhor pode ver aqui, Sr. Foster, que o Hotel Piedmont, o estabelecimento de quatro estrelas que ofereceu para a Srta. Clark, fica no centro. Já o Hotel Three Mountains fica na beira da Rodovia 258, perto do terminal de ônibus da Trailways. Na verdade, se o senhor examinar o mapa como eu examinei, vai perceber que o Three Mountains é o hotel de beira de estrada mais próximo do terminal rodoviário...

— Objeção, Meritíssimo — interveio Tom. — O Sr. Foster não é uma autoridade quanto à disposição da cidade de Greenville.

— Não, mas o mapa é. Estou vendo aonde você quer chegar, Eric, e vou permitir. Prossiga.

— Sr. Foster, se alguém estivesse planejando uma ida rápida ao terminal de ônibus no meio da noite, o mais lógico seria escolher o Three Mountains em vez do Piedmont. Principalmente se estivesse planejando ir a pé. Tudo que eu preciso do senhor é uma confirmação de que a Srta. Clark pediu especificamente para se hospedar no Three Mountains e não no Piedmont.

— Como eu disse, ela solicitou o Three Mountains.

— Não tenho mais nada a dizer.

— Defesa? — indagou o juiz Sims.

— Sim, Meritíssimo. Sr. Foster, há quantos anos trabalha com a Srta. Clark?

— Três anos.

— E muito embora nunca a tenha encontrado antes da reunião em Greenville em outubro passado, o senhor diria que passou a conhecer muito bem a Srta. Clark por meio da sua correspondência ao longo desses anos? Caso sim, como a descreveria?

— Passei, sim. Acredito que ela seja uma pessoa tímida e gentil. Prefere ficar sozinha na natureza; demorei algum tempo para convencê-la a ir a Greenville. Com certeza ela evitaria multidões.

— Multidões do tipo que se poderia encontrar num hotel grande como o Piedmont?

— Sim.

— Na realidade, Sr. Foster, é possível dizer que não surpreende que a Srta. Clark, alguém que gosta de ficar sozinha, escolhesse um hotel pequeno de beira de estrada e bastante afastado em vez de um grande e movimentado bem no centro da cidade? Que essa escolha seria condizente com o temperamento dela?

— Sim, é possível.

— E também não faria sentido que a Srta. Clark, que não tem familiaridade com o transporte público e sabia que precisaria ir a pé do terminal de ônibus até o hotel, na ida e na volta, carregando a mala, optasse por um estabelecimento mais próximo do terminal rodoviário?

— Sim.

— Obrigado. É só isso.

Ao descer do banco das testemunhas, Robert Foster foi se sentar atrás de Kya junto de Tate, Scupper, Jodie, Pulinho e Mabel.

* * *

Nessa tarde, Tom tornou a chamar o xerife como sua testemunha seguinte.

Kya sabia pelo rol de testemunhas de Tom que não restavam muitas mais a serem convocadas, e se sentiu mal ao pensar nisso. Em seguida viriam as argumentações conclusivas e depois o veredito. Contanto que várias testemunhas a apoiassem, ela podia ter esperanças de ser absolvida, ou pelo menos de que a sua condenação fosse adiada. Se o julgamento se arrastasse para sempre, nunca sairia uma sentença. Ela tentou conduzir a mente para distrações tais como campinas repletas de gansos-da-neve, como vinha fazendo desde o início do julgamento, mas em vez disso só conseguiu ver imagens de cadeia, barras e paredes úmidas de cimento. Aqui e ali surgiam clarões mentais de uma cadeira elétrica. Com muitas correias.

De repente, teve a sensação de não conseguir respirar, de não poder mais ficar sentada ali, de que a sua cabeça estava pesada demais para sustentar. Afundou um pouco na cadeira e Tom se virou do xerife para Kya bem na hora em que ela segurou a cabeça com as mãos. Correu até ela.

— Meritíssimo, solicito um curto intervalo. A Srta. Clark precisa de uma pausa.

— Deferido. Sessão interrompida para um intervalo de quinze minutos.

Tom ajudou-a a se levantar e a conduziu pela porta lateral até a salinha de reunião, onde ela se jogou numa cadeira. Sentando-se ao seu lado, ele perguntou:

— O que foi? Qual é o problema, Kya?

Ela enterrou a cabeça nas mãos.

— Como você pode fazer essa pergunta? Não é óbvio? Como alguém suporta passar por isso? Estou enjoada demais, cansada demais para ficar ali sentada. Preciso mesmo ficar? O julgamento não pode continuar sem mim?

Tudo que ela conseguia fazer, tudo que queria era voltar para sua cela e se aconchegar junto a Justiça de Domingo.

— Infelizmente não. Num caso de pena capital como esse, a lei exige a sua presença.

— E se eu não conseguir? E se eu recusar? Tudo que eles podem fazer é me jogar na prisão.

— Kya, é a lei. Você precisa estar presente, além do mais é melhor se você estiver aqui. É mais fácil para um júri condenar um réu ausente. E não vai demorar muito agora, Kya.

— Isso não faz eu me sentir melhor, não entende? O que vem depois é pior do que agora.

— Nós não sabemos se é. Não esqueça que podemos recorrer se o resultado não for favorável.

Kya não respondeu. Pensar num recurso a enjoava ainda mais: a mesma marcha forçada por outros tribunais ainda mais distantes do brejo. Cidades grandes, certamente. Algum céu sem gaivotas. Tom saiu da sala e voltou com um copo de chá gelado com bastante açúcar e um pacote de amendoim. Ela bebericou o chá e recusou o amendoim. Alguns minutos depois, o oficial de justiça bateu na porta e os conduziu de volta até o tribunal. A mente de Kya ficou se conectando e se desconectando da realidade, captando apenas fragmentos do depoimento.

— Xerife Jackson, a promotoria alega que a Srta. Clark saiu sem ser vista do hotel na beira da estrada durante a noite e foi a pé do Three Mountains até o terminal de ônibus, um trajeto de pelo menos vinte minutos. Ela então pegou o ônibus das 23h50 de Greenville até Barkley Cove, mas o ônibus atrasou, portanto ela não pôde ter chegado a Barkley antes de 1h40. Eles alegam que, do ponto de ônibus de Barkley, ela foi a pé até o cais da cidade, uns três ou quatro minutos; depois pegou seu barco até a enseada perto da torre de incêndio, pelo menos vinte minutos; foi até a torre, mais oito minutos; subiu as escadas no escuro, de quatro a cinco minutos no mínimo, digamos; abriu a grade, alguns segundos; aguardou Chase, não temos como estimar por quanto tempo, e depois fez todo esse caminho ao contrário.

"Essas ações teriam demorado uma hora e sete minutos, no mínimo, e isso sem contar o tempo que supostamente passou esperando Chase. Mas o ônibus de volta para Greenville, que ela precisava pegar, saía apenas cinquenta minutos depois de ela ter chegado. Sendo assim, é simples: não havia tempo suficiente para ela cometer esse suposto crime. Correto, xerife?

— Teria sido apertado, é verdade. Mas ela poderia ter ido e voltado depressa com o barco até a torre e ganhado um minuto aqui e ali.

— Um minuto aqui e ali não bastariam. Ela teria precisado de vinte minutos a mais. No mínimo. Como poderia ter ganhado vinte minutos?

— Bem, ela pode não ter ido no próprio barco, pode ter andado ou corrido do ponto de ônibus na Main pela estradinha de areia até a torre. Teria sido bem mais rápido do que pelo mar.

De onde estava sentado na mesa da promotoria, Eric Chastain fuzilou o xerife com o olhar. Ele tinha convencido o júri de que Kya tivera tempo suficiente de cometer o crime e pegar o ônibus de volta. Os jurados nem precisavam de tanto convencimento assim. Além do mais, eles tinham uma testemunha melhor, o pescador de camarão, que declarara ter visto a Srta. Clark de barco a caminho da torre.

— O senhor tem qualquer tipo de indício de que a Srta. Clark foi a pé até a torre, xerife?

— Não. Mas ir a pé é uma boa teoria.

— *Teoria!* — Tom virou-se para o júri. — A hora das *teorias* era antes de vocês prenderem a Srta. Clark, antes de a manterem dois meses na cadeia. O fato é que não têm como provar que ela foi a pé e não havia tempo suficiente para ela ir por mar. Sem mais perguntas.

Eric encarou o xerife para a sua interrogação.

— Xerife, não é verdade que as águas perto de Barkley Cove estão sujeitas a fortes correntezas, repuxos e correntes subterrâneas que podem influenciar a velocidade de uma embarcação?

— Sim, é verdade. Todo mundo que mora aqui sabe disso.

— Alguém que soubesse tirar proveito de uma correnteza dessas poderia ter ido muito depressa de barco do porto até a torre. Nesse caso, seria muito factível encurtar o trajeto de ida e volta em vinte minutos. Correto?

Eric estava contrariado por ter de sugerir mais uma teoria, mas tudo de que precisava era algum conceito plausível ao qual os jurados pudessem se agarrar para convencê-los.

— Sim, está correto.

— Obrigado.

Assim que Eric virou as costas para o banco das testemunhas, Tom ficou de pé para o seu interrogatório.

— Xerife, o senhor tem ou não algum indício de que uma correnteza, repuxo ou vento forte tenha ocorrido na madrugada de 29 para 30 de outubro e pudesse ter reduzido o tempo necessário para alguém ir de barco do porto de Barkley Cove até a torre de incêndio, ou algum indício de que a Srta. Clark tenha ido a pé até a torre?

— Não, mas tenho certeza que...

— Xerife, não faz diferença nenhuma do que o senhor tem certeza ou não. Tem algum indício de que um repuxo forte tenha ocorrido na noite de 29 de outubro de 1969?

— Não, não tenho.

53.

Elo perdido

1970

Na manhã seguinte, Tom tinha só mais uma testemunha. Sua última carta.

Ele chamou Tim O'Neal, que havia trinta e oito anos pilotava o próprio barco de camarão nas águas próximas de Barkley Cove. Com quase sessenta e cinco anos, alto e corpulento, Tim tinha cabelo castanho com apenas alguns fios grisalhos, mas uma barba cerrada quase branca. Era conhecido por ser discreto e sério, honesto e cortês. A última testemunha perfeita.

— Tim, está correto que na madrugada de 29 para 30 de outubro do ano passado você estava entrando no porto de Barkley Cove com seu barco entre aproximadamente 1h45 e duas da manhã?

— Sim.

— Dois de seus tripulantes, o Sr. Hal Miller, que depôs neste julgamento, e o Sr. Allen Hunt, que assinou um depoimento por escrito, alegam ter visto a Srta. Clark passar pelo porto a bordo do seu barco por volta do horário mencionado. Está ciente da declaração deles?

— Sim.

— Você viu a mesma embarcação no local e horário que o Sr. Miller e o Sr. Hunt viram?

— Vi, sim.

— E concorda com as declarações deles de que viram a Srta. Clark a bordo do seu barco navegando rumo ao norte?

— Não, não concordo.

— Por que não?

— Estava escuro. A lua demorou a aparecer. E aquela embarcação estava distante demais para ser reconhecida com alguma certeza. Eu conheço todo mundo por aqui com aquele tipo de barco e já vi a Srta. Clark no dela muitas vezes, e sempre soube na hora que era ela. Mas naquela noite estava escuro demais para reconhecer o barco ou quem estava a bordo.

— Obrigado, Tim. Sem mais perguntas.

Eric chegou bem perto do banco das testemunhas.

— Tim, mesmo que você não tenha identificado a embarcação ou quem estava a bordo, concorda que um barco de tamanho e formato próximos aos da Srta. Clark ia em direção à torre de Barkley Cove à 1h45 na madrugada em que Chase Andrews morreu por volta desse horário?

— Sim, posso dizer que o barco tinha um formato e um tamanho parecidos com o da Srta. Clark.

— Muito obrigado.

Na sua réplica, Tom se levantou e falou de onde estava.

— Tim, você declarou ter reconhecido muitas vezes a Srta. Clark no próprio barco, mas naquela noite não viu nada que pudesse identificar a embarcação ou o tripulante como sendo a Srta. Clark no próprio barco. Correto?

— Correto.

— E pode nos dizer se existem muitas embarcações do mesmo tamanho e formato que o da Srta. Clark navegando por esta região?

— Ah, sim, o barco dela é um dos mais comuns nessa região. Há muitas embarcações como a dela por aqui.

— Quer dizer que a pessoa que você viu de barco naquela noite poderia ter sido várias outras numa embarcação semelhante?

— Com certeza.

— Obrigado. Meritíssimo, a defesa não tem mais nada a dizer.

— Vamos fazer um intervalo de vinte minutos — disse o juiz Sims. — Sessão interrompida.

* * *

Para sua declaração final, Eric estava usando uma gravata com listras largas douradas e bordô. A plateia observou ele se aproximar do júri e parar junto à balaustrada da tribuna, olhando demoradamente para cada um dos jurados.

— Senhoras e senhores do júri, os senhores são membros de uma comunidade, de uma cidade orgulhosa e única. No ano passado, perderam um de seus filhos. Um homem jovem, uma estrela brilhante da vizinhança, com uma longa vida pela frente ao lado da sua linda...

Kya mal o escutou repetir o relato de como ela havia assassinado Chase Andrews. Ficou sentada, com os cotovelos em cima da mesa e a cabeça apoiada nas mãos, e captou apenas fragmentos do discurso dele.

— ...dois homens conhecidos nesta comunidade viram a Srta. Clark e Chase na mata... ouviram-na dizer *Eu vou matar você!*... um gorro de lã vermelha que deixou fios na jaqueta jeans dele... Quem mais iria querer tirar aquele colar... os senhores sabem que essas correntezas e ventos podem aumentar drasticamente a velocidade...

"Sabemos, pelo estilo de vida dela, que a Srta. Clark é muito capaz de navegar à noite, de subir a torre no escuro. Tudo se encaixa como na engrenagem de um relógio. Cada movimento dela naquela noite está claro. Os senhores podem e devem concluir que a ré é culpada de homicídio qualificado. Obrigado por cumprirem o seu dever."

O juiz Sims balançou a cabeça para Tom, que se aproximou da tribuna dos jurados.

— Senhoras e senhores do júri, fui criado em Barkley Cove, e quando era mais novo ouvi as histórias que contavam sobre a Menina do Brejo. Sim, vamos falar logo e acabar com isso. Nós a chamávamos de Menina do Brejo. Muitos ainda a chamam assim. Algumas pessoas sussurravam que ela era parte lobo, ou que era o elo perdido entre o macaco e o homem. Que os olhos dela brilhavam no escuro. Mas, na realidade, ela era apenas uma criança abandonada, uma menininha sobrevivendo sozinha num pântano, com fome e frio, mas nós não a ajudamos. Com exceção de um de seus únicos amigos, Pulinho, nenhuma das quatro igrejas da nossa comunidade lhe ofereceu comida ou roupas. Em vez disso, nós a rotulamos e rejeitamos porque pensamos que ela fosse diferente. Mas, senhoras e senhores, nós excluímos a Srta. Clark porque ela era diferente ou ela era diferente porque nós a excluímos? Se a tivéssemos acolhido como uma das nossas, acho que é isso que ela seria hoje. Se a tivéssemos alimentado, vestido e amado, convidado-a a frequentar nossas igrejas e casas, não teríamos preconceito contra ela. E acredito que ela não estaria sentada aqui hoje sendo acusada de um crime.

"O dever de julgar essa jovem tímida e rejeitada recaiu sobre seus ombros, mas os senhores devem basear esse juízo nos fatos apresentados neste caso, neste tribunal, não em boatos ou sentimentos dos últimos vinte e quatro anos.

"Quais são os fatos reais e sólidos?" Assim como no caso da acusação, a mente de Kya registrou apenas fragmentos. "...A promotoria nem sequer provou que o incidente foi de fato um assassinato e não apenas um trágico acidente. Não há arma do crime, nem ferimentos decorrentes de ter sido empurrado, nem testemunhas ou impressões digitais...

"Um dos fatos mais importantes e provados é que a Srta. Clark tem um álibi sólido. Sabemos que ela estava em Greenville na noite em que Chase morreu... não há indícios de que ela tenha se vestido de homem e pegado um ônibus até Barkley... Na verdade, a promotoria não conseguiu provar que ela esteve em Barkley Cove naquela noite, muito menos que ela esteve na torre. Repito: não existe sequer um indício que comprove que a Srta. Clark tenha estado na torre de incêndio, em Barkley Cove, ou matado Chase Andrews.

"...e o capitão Sr. O'Neal, que pilota um barco de pescar camarão há trinta e oito anos, afirmou no seu depoimento que estava escuro demais para identificar aquela embarcação.

"...fios na jaqueta dele, que poderiam ter estado lá por quatro anos... são fatos incontestáveis...

"Nenhuma das testemunhas da acusação tinha certeza do que viu, nenhuma. Na defesa, porém, todas as testemunhas têm cem por cento de certeza..." Tom ficou parado por alguns instantes em frente aos jurados. "Eu conheço a maioria dos senhores muito bem e sei que podem deixar de lado quaisquer preconceitos anteriores contra a Srta. Clark. Muito embora só tenha ido à escola um dia na vida, porque as outras crianças a importunaram, ela se educou e se tornou uma naturalista e escritora conhecida. Nós a chamávamos de Menina do Brejo; agora instituições científicas a conhecem como Especialista do Brejo.

"Acredito que os senhores podem deixar de lado todos os boatos e invenções. Acredito que vão chegar a um veredito com base nos fatos ouvidos neste tribunal, não nos boatos falsos que vêm escutando há anos.

"Finalmente chegou a hora de sermos justos com a Menina do Brejo."

54.

Vice-versa

1970

Tom acenou em direção às cadeiras diferentes umas das outras numa salinha de reunião, oferecendo assentos a Tate, Jodie, Scupper e Robert Foster. Eles se sentaram em volta de uma mesa retangular com manchas de canecas de café. As paredes tinham dois tons de gesso esfarelado: verde-limão no alto e verde-escuro rente ao chão. Um cheiro de umidade — oriundo tanto das paredes quanto do brejo — permeava o recinto.

— Vocês podem esperar aqui — disse Tom, fechando a porta ao entrar. — Tem uma máquina de café no fim do corredor em frente à sala do perito, mas não presta para nada. A lanchonete serve um café razoável. Vamos ver... São onze e pouco. Vamos combinar o almoço mais tarde.

Tate foi até a janela fechada por uma trama quadriculada de barras brancas, como se outras pessoas que haviam aguardado vereditos tivessem tentado fugir. Perguntou para Tom:

— Para onde levaram Kya? Para a cela dela? Precisa esperar lá sozinha?

— Sim, ela está na cela. Vou vê-la agora.

— Quanto tempo acha que o júri vai levar para chegar a uma decisão? — quis saber Robert.

— Impossível dizer. Quando você acha que vai ser rápido eles levam dias e vice-versa. A maioria dos jurados já deve ter decidido... e não a favor de Kya. Se alguns tiverem dúvidas e tentarem convencer os outros de que a culpa não foi provada em definitivo, então temos chance.

Eles balançaram a cabeça em silêncio, sentindo o peso da expressão *em definitivo*, como se a culpa houvesse sido provada, só não totalmente.

— Está bem — continuou Tom. — Vou falar com Kya e começar o trabalho. Preciso preparar a petição de recurso e até uma petição para anular o julgamento devido a preconceito. Por favor, não esqueçam: se ela for condenada, não é o fim. De modo algum. Vou ficar indo e vindo e com certeza aviso a vocês se houver alguma notícia.

— Obrigado — disse Tate. Então tornou a falar: — Por favor, avise à Kya que estamos aqui e que podemos ficar com ela se quiser.

Disse isso embora ela houvesse se recusado a ver qualquer um exceto Tom nos últimos dias e não tivesse encontrado quase ninguém em dois meses.

— Claro. Digo, sim.

Tom se retirou.

Pulinho e Mabel tiveram de aguardar o veredito do lado de fora, em meio às palmeiras e ao capim-navalha da praça, junto de outros poucos negros. Bem na hora em que estenderam colchas de retalhos multicoloridas no chão e desembalaram sacos de papel com pães de minuto e linguiças, um temporal os obrigou a recolher tudo e correr para se abrigar sob a marquise do posto Sing Oil. O Sr. Lane gritou que eles tinham de esperar do lado de fora — fato de que eles estavam cientes havia cem anos — e sem atrapalhar a passagem de nenhum cliente. Alguns brancos se aglomeraram na lanchonete ou na Dog-Gone para tomar café, e outros se reuniram na rua debaixo de guarda-sóis coloridos. Imaginando que fosse haver um desfile, crianças chapinhavam nas poças repentinas e comiam pipoca doce.

Ensinada pelos milhões de minutos que passou sozinha, Kya pensava saber o que era solidão. Uma vida inteira encarando a mesa velha da cozinha, quartos de dormir vazios, intermináveis extensões de mar e capim. Ninguém com quem compartilhar a alegria de uma pena encontrada ou de uma aquarela concluída. Recitando poesia para as gaivotas.

Mas depois de Jacob fechar a cela fazendo retinir as barras, desaparecer pelo corredor e trancar a porta pesada com um baque derradeiro, fez-se um silêncio frio. Aguardar o veredito do seu julgamento por assassinato trouxe uma solidão de outra ordem. A questão de se ela iria viver ou morrer não veio à tona em sua mente, mas afundou sob o medo maior de anos sozinha sem seu brejo. Sem gaivotas e mar num lugar desprovido de estrelas.

Os companheiros irritantes de cela do corredor tinham sido liberados. Ela quase sentia falta da falação constante; uma presença humana, por mais modesta que fosse. Agora só ela habitava aquele túnel comprido de cimento cheio de trancas e barras.

Conhecia a dimensão dos preconceitos contra ela e sabia que um veredito rápido significaria que houvera pouca deliberação, o que queria dizer uma condenação. O tétano lhe veio à mente: a vida contorcida e torturada de quem não tem salvação.

Pensou em empurrar o caixote até debaixo da janela e procurar gaviões acima do brejo. Em vez disso, ficou sentada. No silêncio.

Duas horas depois, à uma da tarde, Tom abriu a porta da sala em que Tate, Jodie, Scupper e Robert Foster aguardavam.

— Bom, temos uma notícia.

— Qual? — Tate levantou a cabeça com um tranco. — Um veredito já?

— Não, não. Não é um veredito. Mas acho que é uma notícia boa. Os jurados pediram para ver a transcrição dos depoimentos dos motoristas de ônibus durante o julgamento. Isso significa que pelo menos estão pensando no assunto, em vez de decidir às pressas um veredito. Os motoristas de ônibus têm uma importância-chave, claro, e os dois disseram ter certeza de que Kya não estava em seus respectivos veículos e que tampouco tinham certeza quanto aos disfarces. Às vezes, ler um depoimento preto no branco o torna mais definitivo para os jurados. Veremos, mas é uma ponta de esperança.

— Estamos aceitando — disse Jodie.

— Olhem, já passou da hora do almoço. Por que não vão na lanchonete? Prometo chamar vocês se alguma coisa acontecer.

— Acho melhor não — disse Tate. — Lá vão estar falando que ela é culpada.

— Entendo. Vou pedir para o meu assistente comprar uns hambúrgueres. Que tal?

— Ótimo, obrigado — disse Scupper, e puxou alguns dólares da carteira.

★ ★ ★

Às 14h15, Tom voltou para lhes dizer que os jurados tinham pedido para ver o depoimento do legista.

— Não sei se isso é favorável ou não.

— Que merda! — praguejou Tate. — Como é que alguém suporta isso?

— Tente relaxar; pode levar dias. Vou mantê-los informados.

Sem sorrir, com a cara fechada, Tom tornou a abrir a porta às quatro:

— Bem, cavalheiros, os jurados chegaram a um veredito. O juiz convocou todo mundo de volta à sala do tribunal.

Tate se levantou.

— O que isso significa? Uma decisão rápida assim?

— Venha, Tate. — Jodie tocou seu braço. — Vamos.

No corredor, eles se juntaram ao fluxo de moradores da cidade que entravam se acotovelando. Um ar rançoso vinha com eles, carregado de cheiro de fumaça de cigarro, cabelo molhado de chuva e roupas úmidas.

O tribunal encheu em menos de dez minutos. Muitos não conseguiram lugar e se apinharam no corredor ou nos degraus em frente ao prédio. Às quatro e meia, o oficial de justiça conduziu Kya até seu lugar. Pela primeira vez ele a segurava pelo cotovelo, e ela realmente parecia que iria cair caso não o fizesse. Ela não desgrudou os olhos do chão. Tate observou cada contração do seu rosto. Estava tão enjoado que era difícil respirar.

A Srta. Jones, escrevente, entrou e ocupou seu lugar. Então, tal como em um coro fúnebre, solene e sombrio, os jurados foram entrando um depois do outro na tribuna. A Sra. Culpepper olhou de relance para Kya. Os outros mantiveram os olhares fixos à frente. Tom tentou ler os seus semblantes. Não se ouvia uma só tosse ou pés arrastando na plateia.

— Todos de pé.

A porta do juiz Sims se abriu e ele se acomodou no seu lugar.

— Queiram se sentar. Sr. Presidente, é verdade que o júri chegou a um veredito?

O Sr. Tomlinson, um homem calado que era dono da sapataria Buster Brown, levantou-se na primeira fileira.

— Sim, Meritíssimo.

O juiz Sims olhou para Kya.

— Queira a ré, por favor, se levantar para a leitura do veredito.

Tom tocou o braço de Kya, então a ajudou a ficar em pé. Tate pôs a mão no guarda-corpo o mais perto dela que conseguiu. Pulinho segurou a mão de Mabel.

Ninguém presente ali jamais tinha sentido aquele conjunto de corações acelerados, aquela falta de ar compartilhada. Olhos se moviam depressa, mãos transpiravam. O pescador de camarão Hal Miller esquentava a cabeça tentando confirmar se era mesmo o barco da Srta. Clark que ele vira naquela noite. E se estivesse enganado? A maioria tinha o olhar fixo, não na nuca de Kya, mas no chão ou nas paredes. Era como se a cidade — e não Kya — aguardasse uma sentença, e poucos sentiam o contentamento perverso que haviam imaginado sentir nesse momento.

O Sr. Tomlinson, presidente do júri, entregou um pequeno pedaço de papel ao oficial de justiça, que o passou para o juiz. O juiz o desdobrou e leu com uma expressão vazia. O oficial então pegou o papel da mão do juiz Sims e o entregou para a escrevente Srta. Jones.

— Alguém poderia ler para nós? — disparou Tate.

A Srta. Jones se levantou, ficou de frente para Kya, desdobrou o papel e leu:

— Nós, os jurados, declaramos a Srta. Catherine Danielle Clark inocente da acusação de homicídio qualificado do Sr. Chase Andrews.

Kya sentiu os joelhos perderem a força e sentou-se. Tom fez o mesmo.

Tate piscou. Jodie conteve um arquejo. Mabel soluçou. Os espectadores ficaram sentados sem se mexer. Com certeza tinham entendido errado. "Ela falou inocente?" Uma sucessão de cochichos foi aumentando rapidamente de tom e volume até se transformar em perguntas raivosas.

— Isso não está certo — disse o Sr. Lane, alto.

O juiz bateu o martelo.

— Silêncio! Srta. Clark, o júri a considerou inocente da acusação. Está livre agora e peço desculpas em nome do estado da Carolina do Norte pelos dois meses que passou presa. Jurados, agradecemos pelo seu tempo e pelo serviço prestado a esta comunidade. Julgamento encerrado.

Um pequeno grupo se reuniu em volta dos pais de Chase. Patti Love chorava. Sarah Singletary exibia um semblante contrariado como todo mundo, mas se deu conta de que sentia um grande alívio. A Srta. Pansy torceu para ninguém ver seu maxilar relaxar. Uma lágrima solitária rolou pela bochecha da Sra. Culpepper, e então um esboço de sorriso surgiu pelo fato de a pequena trapaceira do brejo ter escapado outra vez.

Um grupo de homens de macacão estava parado no fundo da sala.

— Esses jurados precisam se explicar.

— Eric não pode anular o julgamento? Refazer tudo?

— Não. Vocês não lembram? Ninguém pode ser julgado duas vezes por assassinato. Ela está livre. Conseguiu fazer tudo e se safar.

— Foi o xerife quem estragou o caso do Eric. Não conseguiu manter um discurso coerente, saiu inventando as coisas enquanto falava. Teoria disso, teoria daquilo.

— Se exibindo como se estivesse num filme de faroeste.

Mas esse pequeno bando de descontentes se dispersou depressa quando alguns saíram pela porta falando sobre trabalho atrasado, sobre como a chuva tinha refrescado o tempo.

Jodie e Tate atravessaram correndo o portão de madeira até a mesa da defesa. Scupper, Pulinho, Mabel e Robert foram atrás deles e rodearam Kya. Ninguém tocou nela, mas ficaram por perto enquanto ela permanecia ali sentada, sem se mexer.

— Kya, você pode ir para casa — disse Jodie. — Quer que eu te leve de carro?

— Sim, por favor.

Ela se levantou e agradeceu a Robert por ter vindo de Boston. O editor sorriu.

— Esqueça essa bobagem toda e continue com seu trabalho incrível.

Ela tocou a mão de Pulinho e Mabel a puxou para junto do seu peito acolchoado. Kya então se virou para Tate.

— Obrigada pelas coisas que você me trouxe.

Virou-se para Tom e ficou sem palavras. Ele simplesmente a abraçou. Ela olhou para Scupper. Nunca tinha sido apresentada a ele, mas sabia pelos olhos quem ele era. Balançou a cabeça e sussurrou um agradecimento. Para sua surpresa, ele pôs a mão no seu ombro e apertou de leve.

Então, seguindo o oficial de justiça, ela foi com Jodie até a porta do fundo da sala do tribunal e, ao passar pelo peitoril da janela, estendeu a mão e tocou o rabo de Justiça de Domingo. Ele a ignorou e ela admirou seu fingimento perfeito de que não precisava se despedir.

Quando a porta se abriu, sentiu no rosto o hálito do mar.

55.

Flores no capim

1970

Enquanto a picape de Jodie sacolejava ao sair do calçamento e entrar na estradinha de areia do brejo, ele foi conversando gentilmente com Kya e disse que ela iria ficar bem, só levaria algum tempo. Ela observou as tifas e as garças, os pinheiros e lagos que passavam num clarão. Esticou o pescoço para ver dois castores remando. Como uma andorinha que voou milhares de quilômetros até o litoral em que havia nascido, sua mente latejava com o anseio e a expectativa de chegar em casa, de forma que ela mal escutava o que Jodie dizia. Desejou que o irmão ficasse quieto e escutasse a vastidão dentro de si. Então talvez ele entendesse.

Ficou sem ar quando Jodie fez a última curva na estradinha sinuosa e o barracão velho que a aguardava sob os carvalhos apareceu. A barba-de-velho flutuava suavemente à brisa acima do telhado enferrujado e a garça-azul-grande se equilibrava numa perna só nas sombras da lagoa. Assim que Jodie parou a picape, Kya saltou do carro e entrou correndo no barracão, onde tocou a cama, a mesa e o fogão. Sabendo o que ela iria querer, haviam deixado um saco de migalhas em cima da bancada, e com a energia renovada ela pegou o saco e correu até a praia; as lágrimas escorrendo por seu rosto quando as gaivotas voaram na sua direção de um lado e do outro da areia. Vermelho Grande pousou e começou a andar à sua volta, balançando a cabeça.

Ajoelhada na praia, cercada por um frenesi de pássaros, ela tremia.

— Nunca pedi nada a ninguém. Quem sabe agora as pessoas me deixam em paz.

Jodie levou os poucos pertences da irmã para dentro da casa e preparou um chá no bule velho. Sentou-se à mesa e ficou esperando. Por fim, ouviu a porta da varanda se abrir, e ao entrar na cozinha Kya falou:

— Ah, você ainda está aqui.

É claro que ele ainda estava ali: dava para ver perfeitamente a sua picape do lado de fora.

— Será que dá para você se sentar um minuto? — perguntou ele. — Eu queria conversar.

Ela não se sentou.

— Eu estou bem, Jodie. De verdade.

— Então isso significa que você quer que eu vá embora? Kya, você passou dois meses sozinha naquela cela achando que a cidade inteira estava contra você. Mal deixou qualquer um te visitar. Eu entendo isso tudo, juro que entendo, mas acho que eu não devia ir embora e deixar você sozinha. Quero passar uns dias aqui. Tudo bem?

— Vivi sozinha quase toda a minha vida, não foram só dois meses! E não *achei*, eu *sabia* que a cidade inteira estava contra mim.

— Kya, não deixe essa coisa horrível te afastar ainda mais das pessoas. Você passou por uma provação terrível, mas agora tem a oportunidade de recomeçar. O veredito talvez seja o jeito de eles dizerem que vão te aceitar.

— A maioria das pessoas não precisa ser inocentada de assassinato para ser aceita.

— Eu sei, e você tem todos os motivos do mundo para odiar as pessoas. Não é culpa sua, mas...

— É isso que ninguém entende. — Ela ergueu o tom de voz. — Eu nunca odiei as pessoas. *Elas me* odiaram. *Elas* riram de *mim*. *Elas me* abandonaram. *Elas me* atormentaram. *Elas me* atacaram. Bom, é verdade, eu aprendi a viver sem elas. Sem você. Sem Ma! Sem ninguém!

Ele tentou abraçá-la, mas ela se desvencilhou.

— Jodie, talvez eu só esteja cansada agora. Na verdade, estou exausta. Por favor, preciso superar isso tudo sozinha, o julgamento, a cadeia, a *possibilidade de ser executada...* tudo sozinha, porque *sozinha* é o único jeito que eu sei. Eu não sei ser consolada. Estou cansada demais até para ter essa conversa. Eu... — Ela não completou a frase.

Sem esperar uma resposta, Kya saiu do barracão e entrou na floresta de carvalhos. Jodie não foi atrás, sabia que não adiantava. Iria esperar. Na véspera, tinha feito compras e abastecido o barracão — só para o caso de Kya ser inocentada —, e então começou a cortar legumes para preparar o prato preferido dela: empadão de frango. Quando o sol se pôs, contudo, não conseguiu mais suportar que ela ficasse fora do barracão, então deixou o empadão quente e borbulhante em cima do fogão e saiu. Ela havia rodeado a casa até chegar à praia, e voltou correndo ao ouvir a picape dele se afastar lentamente pela estradinha.

Lufadas da massa dourada enchiam o barracão até o teto, mas Kya continuava sem fome. Na cozinha, pegou as tintas e começou a planejar seu próximo livro sobre capins do brejo. As pessoas raramente prestavam atenção em capins a não ser para cortá-los, pisoteá-los ou envenená-los. Ela pincelou a tela feito louca até obter uma cor mais preta do que verde. Imagens escuras surgiram, talvez campinas moribundas sob céus de tempestade. Difícil saber.

Ela baixou a cabeça e começou a chorar.

— Por que estou com raiva agora? Por que agora? Por que fui tão má com Jodie?

Inerte, ela escorregou até o chão feito uma boneca de pano. Encolheu-se, ainda chorando, e desejou poder se aconchegar junto à única criatura que a havia aceitado como ela era. Mas o gato tinha ficado na cadeia.

Logo antes de anoitecer, Kya voltou para a praia onde as gaivotas se pavoneavam e se acomodavam para a noite. Quando ela entrou no mar, lascas de conchas e pedaços de siri tocaram seus dedos dos pés ao voltarem dando cambalhotas para dentro d'água. Ela baixou a mão e catou duas penas de pelicano iguais às que Tate havia inserido no verbete *P* do dicionário que lhe dera de Natal anos antes.

Sussurrou um poema de Amanda Hamilton:

Você veio outra vez
Cegar meus olhos
Como o brilho do sol no mar.
Enquanto eu me sentia livre

A lua desenha seu rosto na janela.
Sempre que eu o esqueço
Seus olhos assombram meu coração e ele para.
Então até logo,
Até a próxima vez que você vier,
Até eu enfim não o ver mais.

Na manhã seguinte, antes de o dia raiar, Kya se sentou em sua cama na varanda e sorveu para dentro do coração os aromas ricos do brejo. Enquanto uma luz fraca entrava na cozinha, preparou mingau de milho, ovos mexidos e pães de minuto leves e fofos como os de Ma. Comeu até a última migalha. Então, enquanto o sol nascia, correu até o barco e, resfolegando, atravessou a lagoa, mergulhando os dedos na água límpida e profunda.

Roncando pelo canal, falou com as tartarugas e garças e ergueu os braços bem acima da cabeça. Seu lar.

— Vou passar o dia catando tudo que eu quiser — falou.

No fundo do seu pensamento estava a ideia de que talvez encontrasse Tate. Talvez ele estivesse trabalhando ali por perto e ela esbarrasse nele. Poderia convidá-lo para ir ao barracão dividir com ela o empadão de frango que Jodie havia feito.

A menos de um quilômetro e meio dela, Tate caminhava pela água rasa recolhendo amostras em tubinhos de ensaio. Uma leve ondulação se espalhava a cada passo, a cada tubo mergulhado. Ele planejava ficar perto da casa de Kya. Talvez ela saísse de barco pelo brejo e eles se encontrassem. Caso contrário, ele iria ao barracão naquela noite. Ainda não tinha decidido exatamente o que iria dizer para ela, mas passou pela sua cabeça lhe dar um beijo para acalmá-la.

Ao longe, um motor zangado rugiu — mais agudo e bem mais alto do que um barco a motor — e abafou os ruídos do brejo. Ele o identificou à medida que o barulho foi se aproximando, e de repente uma daquelas embarcações com motor de aviação próprias para áreas pantanosas que ele ainda não tinha visto surgiu em alta velocidade. O barco deslizava e escorregava de lado acima da água, acima até do mato, espirrando um leque de água atrás. Fazendo o barulho de dez sirenes.

Amassando arbustos e capim, a embarcação interrompeu sua trajetória pelo brejo e então entrou no estuário em alta velocidade. Garças-azuis e outras menores grasnaram. Três homens estavam em pé no leme e, ao verem Tate, viraram na sua direção. Quando estavam se aproximando, ele reconheceu o xerife Jackson, o delegado e um terceiro homem.

A popa do barco vistoso afundou quando ele diminuiu a velocidade e se aproximou devagar. O xerife gritou algo para Tate, mas mesmo com as mãos em concha junto às orelhas e inclinando-se na direção deles Tate não conseguiu escutar, tamanho o estrondo. Eles chegaram ainda mais perto até o barco ficar boiando ao seu lado, jogando água nas suas coxas. O xerife se abaixou, berrando alguma coisa.

Ali perto, Kya também ouviu aquele barco estranho e, ao ir na sua direção, viu-o se aproximar de Tate. Recuou para o meio de uns arbustos e o observou ouvir as palavras do xerife e então ficar totalmente imóvel, com a cabeça baixa e os ombros frouxos, rendido. Mesmo daquela distância, notou desespero em sua postura. O xerife tornou a gritar e Tate enfim estendeu o braço e deixou o delegado puxá-lo a bordo da embarcação. O outro homem pulou dentro d'água e depois subiu na lancha de Tate. Com o queixo encolhido e os olhos baixos, Tate ficou parado entre os dois homens uniformizados enquanto eles davam meia-volta e tornavam a atravessar o brejo em alta velocidade na direção de Barkley Cove, seguidos pelo terceiro homem, que conduzia a lancha de Tate.

Kya ficou olhando até as duas embarcações desaparecerem atrás de uma ponta de sargaço. Por que haviam detido Tate? Será que tinha a ver com a morte de Chase? Será que o haviam prendido?

A agonia a dilacerou por dentro. Finalmente, após uma vida inteira, ela admitiu que era a possibilidade de ver Tate, a esperança de fazer uma curva num córrego e encontrá-lo no meio dos juncos, que a atraíra para o brejo todos os dias desde que tinha sete anos. Ela conhecia as lagoas preferidas dele e os caminhos que ele gostava de fazer pelo meio dos lamaçais difíceis, e sempre o seguia a uma distância segura. Vivia escondida, roubando o amor. Sem nunca compartilhá-lo. Não dá para se magoar quando você ama alguém do outro lado de um estuário. Em todos os anos que o havia rejeitado, ela sobrevivia porque ele estava em algum lugar do brejo, à espera. Mas talvez agora ele não fosse mais estar.

Ela ficou atenta ao ruído cada vez mais fraco daquela embarcação estranha. Pulinho sabia tudo; ele saberia por que o xerife tinha levado Tate e o que ela poderia fazer em relação a isso.

Kya puxou a cordinha do seu motor e saiu a toda pelo brejo.

56.

O savacu-de-coroa

1970

O cemitério de Barkley Cove desaparecia sob túneis escuros de carvalhos. Barbas-de-velho pendiam em cortinas compridas que criavam santuários semelhantes a cavernas para lápides velhas: os resquícios de uma família aqui, um túmulo solitário acolá, sem qualquer ordem. Dedos de raízes nodosas haviam partido e revirado as lápides até se tornarem formas encurvadas e anônimas. Marcos da morte transformados em resíduos pelos elementos da vida. Ao longe, mar e céu brilhavam demais para um lugar tão sério.

Na véspera, o cemitério lotara de habitantes da cidade, feito formigas atarefadas, entre eles todos os pescadores e donos de loja, que tinham ido enterrar Scupper. As pessoas se amontoavam num silêncio constrangido enquanto Tate circulava entre moradores conhecidos e parentes nunca antes vistos. Desde que o xerife o encontrara no brejo para avisar que seu pai tinha morrido, ele simplesmente andava e agia conforme o guiassem; a mão de alguém nas suas costas, uma leve cutucada em seu flanco. Não se lembrava de nada, e no dia seguinte voltou ao cemitério para se despedir.

Em todos aqueles meses desejando estar com Kya, depois tentando visitá-la na cadeia, quase não havia passado tempo com Scupper. Estava difícil se livrar da culpa e do arrependimento. Se não houvesse ficado tão obcecado com o próprio coração, talvez tivesse reparado que o pai estava enfraquecendo. Antes de ser presa, Kya dera sinais de estar voltando — presenteando-o com um exemplar do seu primeiro livro, subindo no seu barco para olhar pelo microscópio, rindo da brincadeira de jogar o gorro —, mas, depois do início do julgamento, tinha se retraído mais do que nunca. A cadeia podia fazer isso com uma pessoa, pensou ele.

Mesmo naquele momento, indo em direção ao túmulo recente carregando um estojo de plástico marrom, flagrou-se pensando mais em Kya do que no pai, e xingou por conta disso. Aproximou-se do montinho de terra recém--mexida sob os carvalhos com o vasto mar logo atrás. O túmulo ficava junto ao de sua mãe, do outro lado ficava o da irmã; todos os três cercados por uma mureta de pedras brutas e cimento incrustada de conchas. Havia espaço para ele. Seu pai não parecia estar ali, de forma alguma.

— Eu deveria ter mandado cremar você como o Sam McGee daquele poema — disse Tate, quase sorrindo.

Então olhou para o mar e torceu para Scupper ter um barco onde quer que estivesse. Um barco vermelho.

Deixou o estojo de plástico — um toca-discos a pilha — no chão ao lado do túmulo e encaixou no pino um 78 rotações. O braço da agulha bambeou, então baixou, e a voz cristalina de Miliza Korjus se ergueu acima das árvores. Ele ficou sentado entre o túmulo da mãe e o montinho coberto de flores. Por mais estranho que fosse, a terra recém-revirada cheirava mais a começo do que a fim.

Falando em voz alta, com a cabeça baixa, ele pediu ao pai que o perdoasse por ter passado tanto tempo longe, e soube que Scupper o perdoava. Lembrou-se de como o pai definia um homem: alguém capaz de chorar livremente, sentir a poesia e a ópera no coração e fazer o que fosse preciso para defender uma mulher. Scupper teria entendido a perseguição de um amor em meio à lama. Tate passou algum tempo ali sentado, com uma das mãos sobre o pai e a outra sobre a mãe.

Por fim, tocou o túmulo pela última vez, voltou para sua picape e foi até o porto da cidade onde sua embarcação estava atracada. Iria voltar ao trabalho, afundar nas formas de vida que estavam sempre se contorcendo. Vários pescadores o abordaram no cais, e ele ficou parado, sem graça, aceitando condolências igualmente constrangidas.

Com a cabeça baixa, decidido a ir embora antes que qualquer outra pessoa se aproximasse, subiu no convés de popa da sua lancha. Porém, antes de se sentar atrás do leme, viu uma pena marrom-clara na almofada do assento. Soube na mesma hora que era a pena macia do peito de um savacu-de-coroa fêmea, criatura tímida e de pernas compridas que vive sozinha nas profundezas do brejo. Mas ali estava ela, perto demais do mar.

Olhou em volta. Não, ela não estaria ali, não tão perto da cidade. Girou a chave para ligar a lancha, atravessou resfolegando o mar em direção ao sul e por fim entrou no brejo.

Passando depressa demais pelos canais, roçou em galhos baixos que bateram na lancha. O rastro agitado da sua embarcação bateu na margem quando ele entrou na lagoa de Kya e amarrou a lancha ao lado da embarcação dela. Uma fumaça sinuosa e livre subia da chaminé do barracão.

— Kya — gritou ele. — Kya!

Ela abriu a porta da varanda e parou debaixo do carvalho. Estava usando uma saia branca comprida e um suéter azul-claro — cores de asas — e seu cabelo caía ao redor dos ombros.

Tate esperou que ela o alcançasse, então a segurou pelos ombros e a apertou junto ao peito. Em seguida se afastou.

— Eu te amo, Kya, você sabe disso. Faz tempo que sabe.

— Você me abandonou como todos os outros — disse ela.

— Nunca mais vou te abandonar.

— Eu sei — disse ela.

— Kya, você me ama? Você nunca me disse essas palavras.

— Eu sempre te amei. Mesmo quando era criança, numa época que nem lembro, eu já amava você.

Ela abaixou a cabeça.

— Olhe para mim — disse ele suavemente. Ela hesitou, com o rosto inclinado. — Kya, eu preciso saber que acabou essa coisa de fugir e se esconder. Que você pode amar sem medo.

Ela ergueu o rosto e o encarou, então o conduziu pela mata até o bosque de carvalhos, o lugar das penas.

57.

O vaga-lume

Eles passaram a primeira noite na praia, e no dia seguinte ele se mudou para o barracão. Fez e desfez as malas no intervalo de uma única maré. Como as criaturas da areia.

No fim da tarde, enquanto caminhavam pela beira do mar, ele a segurou pela mão e a encarou.

— Kya, você quer se casar comigo?

— Nós já estamos casados. Como os gansos — respondeu ela.

— Ok. Assim está bom para mim.

Toda manhã, eles acordavam com a aurora e enquanto Tate preparava o café Kya fazia bolinhos de milho na velha frigideira de ferro de Ma — toda enegrecida e amassada —, ou então mingau com ovos enquanto o sol se erguia lentamente acima da lagoa. Com a garça posando num pé só em meio à névoa. Eles navegavam por estuários, caminhavam por cursos d'água e percorriam córregos estreitos, coletando penas e amebas. No fim do dia, boiavam no velho barco dela até o sol se pôr, depois nadavam nus sob o luar ou faziam amor em camas de samambaias frescas.

O Laboratório Archbald ofereceu emprego a Kya, mas ela recusou e continuou escrevendo seus livros. Ela e Tate tornaram a contratar o faz-tudo, que construiu para ela atrás do barracão um laboratório e um ateliê de madeira crua cortada à mão e telhado de zinco. Tate lhe deu um microscópio de presente e montou bancadas de trabalho, prateleiras e armários para seus espécimes. Fabricou bandejas para os instrumentos e materiais. Eles então reformaram o barracão e construíram mais um quarto e um banheiro, além de uma sala maior. Ela insistiu em manter a cozinha do jeito que era e em não pintar a parte externa, de modo que a estrutura, agora mais um chalé, permanecesse real e castigada pelo tempo.

De um telefone em Sea Oaks, ela ligou para Jodie e o convidou para visitá-la com Libby, sua esposa. Os quatro exploraram o brejo e pescaram um pouco. Quando Jodie pegou um bluegill graúdo, Kya gritou:

— Olhe só para isso! Você pegou um do tamanho do Alabama!

Eles fritaram peixes e bolinhos de batata grandes como ovos de ganso.

Kya nunca mais voltou a Barkley Cove, e ela e Tate passavam quase o tempo todo sozinhos no brejo. Os moradores a viam apenas como uma sombra distante deslizando pelo meio da névoa, e com o passar dos anos os mistérios da sua história viraram uma lenda contada inúmeras vezes na lanchonete diante de panquecas e salsichas grelhadas. As teorias e fofocas sobre como Chase Andrews tinha morrido nunca cessaram.

Com o passar do tempo, quase todo mundo concluiu que o xerife nunca a deveria ter prendido. Afinal, não havia qualquer indício concreto contra ela, nenhuma prova real de um crime. Fora mesmo uma crueldade tratar uma criatura tímida e selvagem daquele jeito. De vez em quando, um novo xerife — Jackson nunca se reelegeu — abria a pasta do caso e fazia algumas perguntas sobre outros suspeitos, mas sem grandes resultados. Com os anos, o caso também virou lenda. E embora Kya nunca tenha se curado por completo do desdém e da desconfiança que a cercaram, um contentamento suave e uma quase felicidade se instalaram dentro dela.

Certa tarde, Kya estava deitada na serrapilheira macia próxima à lagoa esperando Tate voltar de uma expedição de coleta de amostras. Respirava fundo, sabendo que ele iria voltar, que pela primeira vez na vida não seria abandonada. Ouviu o ronco grave da lancha dele resfolegando canal acima e sentiu o tremor silencioso no chão. Sentou-se bem na hora em que o barco dele surgiu por entre a vegetação baixa e acenou para ele no leme. Tate acenou de volta, mas não sorriu. Ela se levantou.

Ele amarrou a lancha ao pequeno cais que havia construído, saltou para a margem e foi até ela.

— Kya, eu sinto muito. Tenho más notícias. Pulinho morreu dormindo ontem à noite.

Uma dor pressionou o coração dela. Todos os que a haviam abandonado tinham escolhido fazê-lo. Aquilo era diferente. Não era uma rejeição, era como o gavião-de-cooper voltando para o céu. Lágrimas rolaram por seu rosto, e Tate a abraçou.

Tate e quase todo mundo na cidade compareceram ao funeral de Pulinho. Kya não. Mas depois da cerimônia ela foi a pé até a casa dele e de Mabel levando a geleia de amora que deveria ter levado tempos antes.

Parou diante da cerca. Amigos e familiares enchiam o quintal de terra batida varrido até tinir de tão limpo. Alguns conversavam, outros riam de histórias antigas de Pulinho, e certas pessoas choravam. Quando ela abriu o portão, todos a olharam, então a deixaram passar. Em pé na varanda, Mabel correu até Kya. As duas se abraçaram e se balançaram para a frente e para trás, aos prantos.

— Ah, Meu Deus, ele te amava como se fosse filha dele — disse Mabel.

— Eu sei — disse Kya. — E ele era o meu pai.

Mais tarde, Kya voltou a pé para sua praia e se despediu de Pulinho com as próprias palavras, do seu jeito, sozinha.

E enquanto passeava pela praia recordando Pulinho, na sua mente surgiram pensamentos sobre a mãe. Como se Kya fosse novamente uma menina de seis anos, viu Ma subindo a estradinha de areia com seus velhos sapatos de jacaré, desviando dos sulcos fundos. Só que nessa versão Ma parava no fim da estradinha, olhava para trás e acenava com a mão erguida bem alto. Sorria para Kya, virava-se para a estradinha e desaparecia na mata. Dessa vez, por fim, ficava tudo bem.

Sem lágrimas nem censura, Kya sussurrou:

— Adeus, Ma.

Pensou nos outros por um breve instante: Pa, seu irmão e suas irmãs. Mas não tinha o suficiente dessa família de tempos passados para se despedir.

Esse pesar também foi esmaecendo quando Jodie e Libby começaram a trazer os dois filhos — Murph e Mindy — para visitarem Kya e Tate várias vezes ao ano. O barracão se encheu outra vez de parentes em volta do velho fogão a lenha do qual saíam os bolinhos de milho de Ma, ovos mexidos e tomates fatiados. Só que dessa vez havia risos e amor.

★ ★ ★

Barkley Cove mudou com o passar dos anos. Um homem de Raleigh construiu uma marina elegante no local onde o casebre de Pulinho esteve por mais de cem anos. Com toldos de um azul-vivo cobrindo cada vaga, os iates podiam atracar ali. Marinheiros a norte e sul da costa iam sem pressa até Barkley Cove e pagavam três dólares e cinquenta por um espresso.

Pequenos cafés com mesas na calçada protegidas por ombrelones coloridos e galerias de arte com paisagens marítimas surgiram na Main. Uma senhora de Nova York abriu uma loja de suvenires que vendia tudo de que os moradores da cidade não precisavam, mas que todo turista queria ter. Quase todas as lojas tinham uma mesa especial onde ficavam expostos os livros de *Catherine Danielle Clark, autora local e bióloga premiada.* Mingau de milho aparecia nos cardápios como polenta ao molho de funghi e custava seis dólares. E certo dia um grupo de mulheres de Ohio entrou na Cervejaria Dog-Gone, sem nunca imaginar que eram as primeiras mulheres a passarem por aquela porta, e pediram camarões apimentados em barquinhos de papel e cerveja, que na verdade passou a ser chope. Hoje, adultos de qualquer sexo ou cor podem entrar pela porta, mas a janelinha aberta na parede para as mulheres fazerem seus pedidos da calçada permanece lá.

Tate continuou trabalhando no laboratório e Kya publicou mais sete livros premiados. E embora tenha recebido muitas honrarias — incluindo um doutorado *honoris causa* da Universidade da Carolina do Norte em Chapel Hill — não aceitou nenhuma vez os convites para dar palestras em universidades e museus.

Tate e Kya tinham esperanças de formar uma família, mas um bebê nunca veio. A decepção os uniu ainda mais, e eles raramente passavam mais do que algumas horas por dia separados.

Às vezes Kya ia sozinha até a praia e enquanto o poente riscava o céu ela sentia as ondas baterem no coração. Estendia a mão até o chão para tocar a areia e esticava os braços para as nuvens. Sentindo as conexões. Não aquelas de que Ma e Mabel tinham falado; Kya nunca teve um grupo de amigas próximas nem as conexões que Jodie descrevia, pois nunca teve a própria família. Sabia que os anos de isolamento haviam alterado seu comportamento, deixando-a diferente dos outros, mas ter ficado sozinha não era culpa sua. A maior parte do que sabia havia aprendido com a natureza. A natureza tinha cuidado dela, protegera-a e fora sua professora quando ninguém mais quisera fazê-lo. Se o seu comportamento diferente tinha consequências, então elas também eram aspectos da essência fundamental da vida.

A dedicação de Tate acabou convencendo-a de que o amor humano é mais do que as competições reprodutivas bizarras das criaturas do brejo, mas a vida também lhe ensinou que genes antigos relacionados à sobrevivência persistem em algumas formas indesejáveis entre as curvas e os meandros do código genético humano.

Para Kya, bastava fazer parte dessa sequência natural tão certa quanto as marés. Ela estava ligada ao planeta e à vida nele de um modo que poucas pessoas estão. Solidamente enraizada nessa terra. Nascida dessa mãe.

Aos sessenta e quatro anos, o cabelo preto e comprido de Kya tinha ficado branco como areia. Certa noite, como ela não voltou de uma expedição para coletar espécimes, Tate saiu de barco pelo brejo à sua procura. Quando começava a anoitecer, fez uma curva e a viu flutuando a bordo do seu barco no meio de uma lagoa rodeada por sicômoros tocando o céu. Ela havia caído para trás, a cabeça repousando na velha mochila militar. Ele chamou seu nome baixinho e, como ela não se mexeu, chamou mais alto, depois berrou. Encostou a embarcação na dela e subiu atabalhoadamente na proa do barco. Estendeu os braços compridos, segurou-a pelos ombros e a sacudiu com delicadeza. A cabeça dela pendeu ainda mais para o lado. Seus olhos nada viam.

— Kya, Kya, não. Não! — gritou ele.

Ainda jovem, tão linda, o coração dela havia parado sem alarde. Vivera o suficiente para ver as águias-de-cabeça-branca voltarem, e para Kya isso havia bastado. Envolvendo-a nos braços, ele ficou se balançando para a frente e para trás, chorando. Enrolou-a num cobertor e a levou de volta até a lagoa a bordo do velho barco pelo labirinto de córregos e estuários, passando uma última vez pelas garças e veados.

E a donzela esconderei num cipreste aberto,
Quando os passos da morte chegarem perto.

Ele conseguiu uma autorização especial para ela ser sepultada no próprio terreno debaixo de um carvalho de frente para o mar, e a cidade inteira compareceu ao enterro. Kya não teria acreditado nas filas longas e vagarosas de pessoas chorando a sua morte. Claro que Jodie e a família também foram, além de todos os primos de Tate. Alguns curiosos apareceram, mas a maioria foi até lá por respeito ao fato de ela ter sobrevivido muitos anos sozinha na natureza. Alguns se lembravam da menininha de casaco enfarrapado e grande demais para ela, indo de barco para o cais e andando descalça até o mercado para comprar mingau. Outros foram ao seu túmulo porque seus livros tinham lhes ensinado como o brejo conecta terra e mar, ambos precisando um do outro.

A essa altura, Tate já entendia que o apelido dela não era cruel. Como apenas poucas pessoas viram lendas, escolheu o seguinte epitáfio para sua lápide:

CATHERINE DANIELLE CLARK
"KYA"
A MENINA DO BREJO
1945-2009

Na noite do enterro, depois de todos enfim terem ido embora, Tate entrou no laboratório caseiro de Kya. Suas amostras cuidadosamente identificadas, coletadas ao longo de mais de cinquenta anos, eram a mais duradoura e completa coleção daquele tipo. Ela havia solicitado que tudo fosse doado ao Laboratório Archbald, e algum dia ele faria isso, mas naquele momento era inconcebível separar-se daquilo.

Ao entrar no barracão — como ela sempre chamara aquele lugar —, Tate sentiu as paredes exalarem a respiração dela, os pisos sussurrarem seus passos de modo tão nítido que ele chamou seu nome. Então se recostou na parede e chorou. Ergueu a mochila velha e a apertou contra o peito.

Os funcionários do cartório tinham lhe pedido para procurar o testamento e a certidão de nascimento dela. No velho quarto de dormir dos fundos, que pertencera aos pais de Kya, ele revirou o guarda-roupa e encontrou caixas da vida dela enfiadas lá no fundo debaixo de alguns cobertores, quase escondidas. Puxou-as para o chão e se sentou ao lado daquilo tudo.

Com todo o cuidado do mundo, abriu a velha caixa de charutos, aquela com a qual ela começara o hábito de colecionar. A caixa ainda recendia a tabaco doce e criança. Entre algumas penas de aves, asas de insetos e sementes estava o frasquinho com as cinzas da carta da mãe dela e um vidrinho de esmalte na cor Quase Rosa. Os cacos e fragmentos de uma vida. As pedras do seu riacho.

Guardada no fundo da caixa estava a escritura do terreno, que Kya havia incluído num acordo de preservação para protegê-lo da especulação imobiliária. Pelo menos aquele trecho de brejo continuaria selvagem para sempre. Mas não havia nenhum testamento ou documento pessoal, o que não o surpreendeu, pois ela não teria pensado nesse tipo de coisa. Tate pretendia morar naquela casa até o fim da vida, pois sabia que era isso que ela gostaria, e Jodie não iria se opor.

No fim do dia, o sol se pondo atrás da lagoa, ele foi preparar mingau de milho para as gaivotas e por acaso olhou para o piso da cozinha. Inclinou a cabeça ao notar pela primeira vez que o linóleo não fora instalado debaixo da pilha de lenha nem do fogão antigo. Kya mantinha a pilha de lenha bem alta, mesmo no verão, mas agora estava baixa, e ele viu o canto de um recorte na tábua do piso. Pôs de lado os pedaços restantes de lenha e viu um alçapão recortado nas tábuas de pinheiro. Ajoelhou-se e o abriu devagar, e encontrou ali, no meio das vigas que sustentavam o piso, um compartimento secreto que continha, entre outras coisas, uma caixa velha de papelão toda empoeirada. Tirou-a de lá e viu que havia dezenas de envelopes pardos e uma outra caixa menor dentro. Todos os envelopes estavam marcados com as iniciais A.H., e deles Tate retirou páginas e mais páginas de poemas de Amanda Hamilton, a poeta da região que havia publicado versos simples em revistas regionais. Ele achava os poemas de Hamilton bastante fracos, mas Kya sempre guardara os recortes das publicações, e aqueles envelopes estavam repletos deles. Algumas páginas eram poemas concluídos, mas a maioria estava inacabada, com versos riscados e algumas palavras reescritas na margem com a caligrafia da autora... *a caligrafia de Kya.*

Amanda Hamilton *era* Kya. Kya era a poeta.

O rosto de Tate se contorceu de incredulidade. Ao longo dos anos, ela guardara os poemas na caixa enferrujada e os enviara para veículos da região. Protegida por um pseudônimo. Talvez tivesse sido um apelo, um modo de expressar seus sentimentos para alguém além das gaivotas. Algum lugar para onde suas palavras pudessem ir.

Ele deu uma olhada em alguns dos poemas, a maioria sobre natureza ou amor. Um deles muito bem dobrado dentro de um envelope à parte. Ele o pegou e leu:

O vaga-lume
Atraí-lo foi fácil
Como cartões bem coloridos.
Mas como a fêmea do vaga-lume faz a corte
Eles escondiam um chamado secreto de morte.

Um último toque,
Inacabado;
O último passo, uma armadilha.
Lá vai ele, lá vai ele caindo,
Os olhos ainda encarando os meus
Até verem outro mundo.

Eu os vi mudar.
Primeiro uma pergunta,
Depois uma resposta,
Por último, um final.

E o amor em si virando
O que quer que fosse antes de começar.

A.H.

Ainda ajoelhado no chão, leu o poema mais uma vez. Segurou o papel junto ao coração, que acelerava dentro do peito. Olhou pela janela para se certificar de que ninguém estava vindo pela estradinha... Não que alguém realmente fosse vir, por que viria? Mas para ter certeza. Então abriu a caixa menor, já sabendo o que iria encontrar. Ali, cuidadosamente disposto sobre um leito de algodão, estava o colar de concha que Chase usara na noite da sua morte.

Tate passou muito tempo sentado diante da mesa da cozinha, absorvendo aquilo, imaginando-a pegando o ônibus de madrugada, aproveitando a correnteza, planejando de acordo com as fases da lua. Chamando Chase baixinho no escuro. Empurrando-o de costas. Então, agachada na lama lá embaixo, levantando a cabeça pesada do morto e pegando o colar de volta. Cobrindo as próprias pegadas, sem deixar rastro algum.

Partindo gravetos em pedacinhos bem pequenos, ele acendeu o velho fogão a lenha e então queimou os poemas, um envelope de cada vez. Talvez não precisasse queimar todos, talvez devesse ter destruído só aquele, mas não estava raciocinando direito. Os papéis velhos e amarelados produziram um *tchuf* de quase meio metro de altura antes de virarem cinzas. Ele tirou a concha do cordão de couro, jogou o fio no fogo e recolocou as tábuas do piso no lugar.

Então, quase no crepúsculo, foi até a praia e parou em um leito afiado feito de fragmentos brancos e partidos de moluscos e caranguejos. Encarou por um segundo a concha de Chase na palma da mão aberta, então a deixou cair na areia. Igual a todas as outras, ela desapareceu. A maré estava subindo e uma onda cobriu seus pés, levando centenas de conchas de volta para o mar. Kya tinha sido daquela terra e daquela água, e agora iriam levá-la de volta. Guardar lá no fundo os seus segredos.

Então vieram as gaivotas. Ao vê-lo ali, elas voaram em espirais acima da sua cabeça. Chamando. Chamando.

Enquanto anoitecia, Tate caminhou de volta até o barracão. Chegando à lagoa, porém, parou debaixo do toldo imenso e ficou observando centenas de vaga-lumes piscando até os confins escuros do brejo. Em um lugar bem longe daqui, onde cantam os lagostins.

Agradecimentos

Ao meu irmão gêmeo Bobby Dykes, meu profundo agradecimento por uma vida inteira de incentivo e apoio inimagináveis. Obrigada a minha irmã Helen Cooper, por estar sempre ao meu lado, e a meu irmão Lee Dykes, por acreditar em mim. Sou imensamente grata a meus amigos e parentes eternos pelo apoio, incentivo e risadas inabaláveis: Amanda Walker Hall, Margaret Walker Weatherly, Barbara Clark Copeland, Joanne e Tim Cady, Mona Kim Brown, Bob Ivey e Jill Bowman, Mary Dykes, Doug Kim Brown, Ken Eastwell, Jesse Chastain, Steve O'Neil, Andy Vann, Napier Murphy, Linda Denton (também pelas trilhas a cavalo e de esqui), Sabine Dahlmann e Greg e Alicia Johnson.

Por terem lido e comentado o manuscrito, agradeço a: Joanne e Tim Cady (várias leituras!), Jill Bowman, Bob Ivey, Carolyn Testa, Dick Burgheim, Helen Cooper, Peter Matson, Mary Dykes, Alexandra Fuller, Mark Owens, Dick Houston, Janet Gause, Jennifer Durbin, John O'Connor e Leslie Anne Keller.

Ao meu agente Russell Galen, obrigada por ter amado e compreendido Kya e os vaga-lumes, e pela determinação entusiasmada para contar esta história.

Obrigada, G. P. Putnam's Sons, por publicar minhas palavras. Sou muito grata a minha editora Tara Singh Carlson por todo o seu incentivo, seu belo trabalho de edição e sua visão sobre o meu livro. Também na Putnam, meu obrigada a Helen Richard, por ajudar a cada passo.

Agradecimentos especiais a Hannah Cady por sua animação em ajudar com alguns dos aspectos mais mundanos e pedregosos — como as fogueiras — de escrever um romance.

Manoela manoela

Manoela manoela

Manoela manoela

Manoela

Manoela

Manoela

1ª EDIÇÃO

PAPEL DE MIOLO
Pólen® Soft $80g/m^2$

TIPOGRAFIA
Bembo

IMPRESSÃO
Ipsis